D0854380

LES CAVALIERS DU CRÉPUSCULE

COLLECTION TERREUR
dirigée par Patrice Duvic

JOHN PRITCHARD

LES CAVALIERS DU CRÉPUSCULE

POCKET

Titre original
The Witching Hour

Traduit de l'anglais par
Thomas Bauduret

Si vous souhaitez recevoir régulièrement
notre zine « **Rendez-vous ailleurs** », écrivez-nous à :

« Rendez-vous ailleurs »
Service promo Pocket
12, avenue d'Italie
75627 PARIS Cedex 13

© 1997 John Pritchard
© 1998 Pocket pour la traduction française
ISBN : 2-266-08341-4

À Ennio Morricone,
dont la superbe bande originale de *Il Grande Silenzio*[1]
a donné forme à cette histoire,
et pour vingt ans d'accompagnement et d'inspiration.

1. *Le Grand Silence*, western-spaghetti de Sergio Corbucci, avec Klaus Kinski et Jean-Louis Trintignant. *(N.d.T.)*

Remerciements

Ce roman est inspiré de sources très diverses, parmi lesquelles *La Duchesse de Malfi* de John Webster (1614) et le film de Gianfranco Parolini *Si tu rencontres Sartana, prie !* (1968); mais ses germes se trouvent dans l'œuvre de Giuliano Carmineo, Tonino Cervi, Sergio Corbucci, Giorgio Ferroni, Lucio Fulci, Piers Haggard, Sergio Leone, Ennio Morricone, Bruno Nicolai, Audrey Nohra, Mike Oldfield, Don Powell, Michael Reeve, Julianne Regan, Nello Rosati, Pasquale Squitieri, Duccio Tessari, Tonino Valerii et Luigi Vanzi.

Il me faut remercier Geraint Lloyd Davies; Fabrizio Li Perni,; Rene Hogguer de CineCity; Lionel G. Woodman de *Soundtrack Deletion*; Iris Fitzgibbon et Viv Care, pour leurs précieux conseils; Justine Picrdie, pour le partage de ses pensées domestiques; Sophie Lorge, pour ses traductions rapides et enthousiastes; F.M.E. (À jamais); et à Anton Abril, Luis Enriquez Bacalov, Francesco di Masi, Gianni Ferrio, Nico Fidenco, Benedetto Ghiglia, Marcello Giombini, Michele Lacerenza et Piero Umiliani, pour quelques rafraîchissements musicaux en saison sèche.

L'hospice Sainte-Catherine fut fondé, équipé et peuplé par le simple fait de mon imagination, et Rachel est seule responsable de ses dires.

CHAPITRE I

SOUBRESAUTS

Le noyé tendit la main et agrippa la mienne avec l'énergie du désespoir.

Pour un homme aussi frêle, il avait une poigne surprenante. Je ne m'attendais pas du tout qu'il me broie les phalanges ainsi ; mais ne dit-on pas que la peur décuple les forces ? Je me penchai en avant et serrai à mon tour ses doigts osseux.

À l'autre bout du lit, face à moi, sa fille se cramponnait à son autre main et ne la lâcherait plus ; comme si, à nous deux, nous pouvions le garder en vie par la simple puissance de notre volonté. Et il s'accrochait à nous deux comme la mort elle même s'accrochait à lui.

Il avait regagné la surface et inspirait de grandes goulées d'air avec un gémissement rauque ; son visage ravagé arborait un air de détermination sinistre. Un court instant, sa poigne se relâcha.

— Oh, papa..., chuchota la jeune femme.

Derrière la fenêtre, en cette pâle soirée d'octobre, la nuit tombait ; déjà, on avait du mal à distinguer les contours de la pièce. J'entendis les cris des corbeaux qui revenaient des champs.

— Vous êtes toujours avec moi, ma sœur[1] ? fit-il d'une voix râpeuse.

Je souris dans la pénombre.

1. Appellation donnée aux infirmières en Angleterre, même dans les hôpitaux laïcs.

— Je suis toujours là, Tom.

Il avala sa salive.

— « Ne vous rendez pas sans combattre » ; n'est-ce pas... ce qu'on dit ?

— C'est une belle nuit, Tom, murmurai-je. Inutile de lutter. Il n'y a pas de raison d'avoir peur...

De nouveau, il sentit le ressac qui l'entraînait et enserra ma main avec un surcroît de ferveur.

— Susie...

— Je suis là, papa...

— Je suis désolé, ma chérie...

— Oh, chut, fit-elle avec une tendresse qui cachait mal ses larmes. Tu n'as pas à t'en faire. Je t'aime, p'pa.

Suivit un silence à peine rompu par le bruit de sa respiration. Ses doigts s'enfoncèrent dans ma paume comme des serres. Puis ses dernières forces l'abandonnèrent alors que la vie elle-même se glissait hors de son enveloppe charnelle. Le noyé plongea une fois de plus. Et cette fois-ci, il coula comme une pierre.

Je restai près d'elle, en silence, pendant qu'elle finissait sa tasse de thé. La coupe amère de la compassion hospitalière. Mais ses larmes se tarirent peu à peu. Elle eut un sourire pâlichon, mais sincère.

— Je vous remercie, Rachel... Tout le monde est si gentil...

Nous étions de retour dans une salle dite de réconfort, avec sa douce lumière jaune et ses fauteuils moelleux. Les murs étaient décorés de scènes pastorales où des moutons paissaient tranquillement et des routes gravissaient des collines jusqu'à toucher le ciel bleu.

— ... et je suis sûre que votre présence l'a aidé à trouver la paix.

Je fis un geste évasif.

— Merci. Je l'espère. Le plus important dans ces moments-là, c'est de savoir qu'on n'est pas seul...

Ma main pouvait en témoigner : elle se ressentait toujours de sa poigne. Mais la peur s'était transformée en affirmation : un contact humain, un lien avec les vivants. Au final, il avait eu deux personnes à qui se cramponner

– bien qu'il sût que nous ne pourrions pas l'accompagner dans son ultime voyage...

Susan but une gorgée timide. Elle devait approcher de la trentaine ; un peu plus jeune que moi. Je la connaissais depuis une semaine – depuis que son père avait été hospitalisé. Il n'avait cessé de décliner, comme nous nous en doutions, mais nous avions fait de notre mieux pour soulager sa douleur et l'accompagner jusqu'à cette nuit ultime.

Soudain, je pensai à ma formation – effectuée dans la section des accouchements. Naître était un processus tout aussi pénible que mourir ; j'avais tenu la main de jeunes mères à la poigne aussi forte que celle de cet agonisant. J'essayai de tirer un certain réconfort de ce parallèle, mais le cœur n'y était pas.

Sue s'était remise à pleurer silencieusement. Je revins au présent et lui touchai l'épaule.

— Qu'y a-t-il ?

— Rien. C'est que... oh... il y a tellement de choses que j'aurais pu lui dire.

— Chut. Écoutez. En fin de compte, il n'y a que peu de mots à prononcer. Merci ; je t'aime ; au revoir. Et vous avez pu les lui dire.

Elle renifla et acquiesça. Apaisée. Je baissai les yeux pour cacher le voile de tristesse qui descendait sur mon visage.

Sue venait de partir et ils avaient emmené Tom ; je retournai dans la chambre avec Mel pour changer les draps.

Maintenant que la pièce était inondée de lumière, il y régnait une terrifiante sensation de vide. Un espace désolé, délavé. Quelque chose en moi se flétrit, mais je me mis au travail sans traîner. Dieu sait si j'en avais l'habitude.

Tout comme Mel, qui remplissait machinalement le sac de toile pendant que je défaisais le lit. Mais lorsque je lui décochai un coup d'œil, je vis que son visage juvénile était pensif.

— Il aurait peut-être mieux valu qu'il s'en aille dans son sommeil ? Pour Sue, je veux dire.

Je baissai les yeux et réfléchis à sa question. C'est vrai qu'en général ils abandonnaient ce bas monde paisiblement, en silence. Mais d'autres se battaient jusqu'au bout, jusqu'au dernier souffle. Et parfois, comme aujourd'hui, nous devions les aider à trouver une paix qui deviendrait vite éternelle.

— Non... il fallait qu'ils se quittent en bons termes.

Je levai les yeux et me forçai à sourire.

— Ce soir, je pense qu'ils ont tous deux trouvé le repos.

Bien sûr, tout le monde n'avait pas cette chance. Je me rappelais encore mes postes aux urgences ou aux unités de soins intensifs : un espace peuplé de gens abattus, bouleversés, aussi blêmes et incohérents que les poivrots qui traînent dans les snacks miteux. Catapultés dans un univers désolé de souffrance, soudain mis face à tous ces mots qu'ils n'avaient pu prononcer.

Une petite douleur maligne venait d'éclore au fond de moi, comme les premiers symptômes d'une intoxication alimentaire. Mais ce n'était pas un empoisonnement, je le savais. Alors que nous étendions les draps propres sur le lit, j'eus l'impression que mon sourire était maintenu en place par des pinces.

Merci. Je t'aime. Au revoir. •

Des mots que je n'avais jamais eu l'occasion de dire à mes propres parents. L'accident de voiture qui leur avait coûté la vie était survenu de façon totalement inattendue. Je lisais tranquillement sur mon lit, dans mon foyer pour infirmières, et me demandais pour qui pouvait bien sonner ce fichu téléphone ; et tout d'un coup...

Il y avait de cela dix ans. Les cicatrices me démangeaient encore de temps en temps, mais elles avaient fini par guérir.

Ce soir, c'était une autre plaie, plus récente, qui venait de se rouvrir.

Je fis de mon mieux pour l'ignorer ; je serrai les dents et travaillai en silence. Nous avons laissé derrière nous une chambre propre comme une ardoise bien effacée, sans trace aucune de son précédent occupant.

Mel alla s'occuper des draps ; je lui jetai un coup d'œil, avalai ma salive et fonçai tout droit aux toilettes. Maintenant, le poison circulait librement dans mes veines. Je pouvais sentir sa pression dans mon ventre, comme un abcès purulent. Mon cœur lui-même était un bubon prêt à crever. Je m'enfermai dans un des w.-c., m'assis sur le couvercle et éclatai en sanglots.

J'essayai d'étancher les larmes, mais elles me piquaient le nez et coulaient entre mes doigts. Cette purge me parut durer des siècles, mais, finalement, mes yeux se tarirent. J'inspirai profondément, la tête basse, et m'essuyai les joues. Dans le silence, quelques mots prirent forme ; un fragment de prière.

La beauté de la mort n'a pu te retenir. Tu n'es pas restée dans le calme de la tombe.

Je l'avais entendu un jour à la radio. Cette image audacieuse était tout ce à quoi je pouvais me raccrocher. Mais je me sentais un peu mieux. Comme si les larmes avaient lavé une partie du poison.

J'allai m'asperger le visage d'eau fraîche et m'essuyai avec une serviette en papier. Je fis une pause, le temps de reprendre contenance. J'avais appris à vivre avec de telles rechutes. Qu'on me laisse cinq minutes et je redeviendrais un modèle de calme et de maîtrise, dont personne ne devinerait à quel point il avait été affecté par la mort de Tom. Néanmoins, je savais que je n'étais pas guérie. La plaie continuerait de suppurer au fond de moi ; un puits insondable d'amertume et de larmes.

À neuf heures et quart, le parking était désert et, sous les néons blafards, la brise semblait plus froide encore. Je finis de boutonner mon manteau en me dirigeant vers ma voiture solitaire.

Derrière moi, l'hospice Sainte-Catherine gisait sous un linceul de silence, et de ses fenêtres sortaient une lumière tamisée sur fond de ténèbres. Il ressemblait à un hôpital, bien que sa nature fût bien différente : là, le sort des patients était connu d'avance. Ceux qu'on nous envoyaient étaient au-delà de toute guérison possible : nous ne pouvions leur offrir qu'une mort paisible. Les aider à accepter un destin contre lequel nous ne pouvions lutter.

Je me rappelai ce jour aux urgences où j'avais dû barrer le chemin d'une mère pendant que les hurlements de son enfant résonnaient dans les couloirs. J'avais alors vingt-cinq ans et n'étais qu'une toute jeune infirmière fraîche émoulue de son école, mais j'avais puisé en moi la force de la retenir. *Il ne faut pas qu'il vous voie. Pas maintenant. Sinon, il va se détendre et se laisser glisser...*

Rage. Rage.

Mais maintenant, j'étais à bout de colère. Et il m'arrivait de me dire que, quand les ténèbres viendraient, ce serait une bénédiction.

Lorsque je rentrai à la maison, Alice faisait la vaisselle. Sous l'éclairage tamisé de la cuisine, son sourire semblait plus chaleureux encore.

— Salut. Dure journée?

— Mon Dieu, cela se voit?

Sans enlever mon manteau, je passai une main dans mes cheveux. Puis j'eus un sourire las.

— J'ai vu pire.

D'un geste, elle désigna l'évier rempli de mousse.

— Désolée. J'aurais dû le faire plus tôt, mais il y avait un bon film à la téloche...

Je jetai un coup d'œil vers le couloir.

— Comment va-t-elle?

— Impec. Elle dort comme une souche.

J'entrouvris la porte de la salle de bains pour profiter de sa lumière diffuse et entrai silencieusement dans la chambre. La clarté éclaira le mur, dévoilant sa silhouette, et fit luire ses cheveux soyeux. Sa respiration était paisible.

Cathy.

Je m'assis lentement au bord du lit et effleurai sa joue de mes doigts. Elle ne remua même pas. Je n'aurais jamais assez de mots pour décrire mes sentiments alors que je la regardais.

Disons que, parfois, elle était ma seule raison de vivre.

Catherine Frances Nicola dormait à côté de son panda, le pouce planté dans sa bouche. Au bout d'une minute, je me penchai, embrassai son front caché sous sa frange, puis m'en allai sur la pointe des pieds.

Alice m'attendait dans le vestibule ; elle avait passé son blouson d'aviateur qui la faisait paraître plus âgée que ses dix-sept ans. En la voyant ainsi, avec son attitude cool et adulte, je ressentis une pointe de nostalgie.

— Jan va bien ? demandai-je.

Je pensais à cette belle maison avec terrasse où Cathy allait trois jours par semaine, pendant que je travaillais.

— Oh, très bien. Elle t'envoie ses amitiés. Alors je te revois lundi ?

— D'accord. N'oublie pas de saluer tes parents pour moi... et attention sur la route.

Elle me décocha un sourire qui voulait dire « je sais, ne t'en fais pas » avant de refermer la porte.

Soudain, le silence retomba sur l'appartement. Je retirai mon manteau, me changeai avec des gestes las, puis retournai dans la cuisine. Le silence semblait coller à ma peau ; pour le briser, j'allumai la radio et me préparai un verre. La chanson qui passait, celle du Piano Man (Billy Joel ?...), vint me tenir compagnie et, malgré son ton mélancolique, réussit à me remonter le moral.

J'emportai mon verre dans le salon et me jetai sur le canapé pour m'enrouler dans la couverture bariolée. Cathy adorait ce plaid : les chats y chevauchaient des croissants de lune sur fond d'étoiles. Moi-même j'y trouvais un certain réconfort.

Je me blottis sur le sofa et bus une gorgée en me demandant dans combien de temps je finirais par guérir. Il y avait déjà un an que mon univers s'était écroulé. Le temps qui passe avait arrondi les angles les plus vifs, comme la mer érode un éclat de verre. Les crises comme celle que j'avais subi ce soir-là s'étaient faites de plus en plus rares. Maintenant, je vivais semaine par semaine, et non au jour le jour.

Je me sentais meurtrie intérieurement, mais je savais que je ne pleurerais plus. Pas ce soir-là. Y avait-il enfin une lumière là-bas, à l'horizon ? Ou juste une autre montagne à escalader ?

Possible. Peut-être. Mais je ne le croirais que lorsque je le verrais.

Ces dix dernières années, j'avais bien trop perdu pour faire confiance au destin.

Lorsqu'elle dormait, Cathy ressemblait à un ange aux cheveux d'or. Maintenant qu'elle était réveillée, elle commençait à me taper sur les nerfs.

— Chut. Finis ton petit déjeuner, lui dis-je en retournant dans la cuisine.

En robe de chambre, mes cheveux emmêlés cascadant devant mes yeux, je faisais peine à voir.

— Mamaaannn...

— Oui ?

— Où va-t-on ?

— Je te l'ai dit : voir papa. Allez, mange tes céréales...

Je lui ébouriffai les cheveux.

— Sois gentille.

Cathy racla consciencieusement son bol, puis leva de nouveau ses grands yeux bleus.

— Après, on ira dans le parc ?

— Oh... je l'espère.

Je soupirai et dégageai un espace au milieu des miettes pour y poser mon magazine. Je bus une gorgée de café en attaquant la première page.

— Fini !

Je jetai un coup d'œil et soupirai encore.

— Regarde-toi ! Viens ici...

Je pris un mouchoir en papier et lui essuyai la bouche.

— Maintenant, va t'habiller. Je monte dans une minute.

Elle obéit d'un pas joyeux. Je secouai la tête et tentai de reprendre ma lecture. Il est vrai que, dans un sens, les choses devenaient plus faciles : elle avait désormais trois ans et ses horaires de sommeil et de repas étaient à peu près semblables aux miens. Plus de beuglements dignes de sirènes antiaériennes à quatre heures du matin ni de couches à changer aux moments les plus incongrus. Cette fille débordait de vitalité, et je n'avais pas toujours assez de mes deux mains.

Mais il faut bien faire avec ce qu'on a.

Je me demandai ce que cette petite cérémonie évoquerait en elle. Je ne l'avais jamais emmenée avec moi de peur de la perturber – ne serait-ce qu'en voyant ma propre réaction. Bien sûr, je lui avais tout expliqué, mais qui sait ce qu'elle avait compris ? Or, maintenant que le premier anniversaire de sa mort à lui était largement passé, je présumai qu'elle était assez grande, et que moi-même j'étais prête.

— Qu'est-ce que je mets, m'man ? lança-t-elle depuis sa chambre.

— Ta plus belle robe, chérie, répondis-je tout en essayant de suivre mon article, consacrés aux hommes et à ce qu'ils valent.

Apparemment, leurs seuls points positifs étaient le sexe et le bricolage. Je n'étais pas assez blasée pour ne pas en sourire.

Mais le temps passait. Je finis ma tasse et allai aider Cathy à s'habiller.

— On emmène un cadeau ? demanda-t-elle pendant que je boutonnais sa robe.

Je levai les yeux et ajustai son col au passage ; puis je continuai mon ascension jusqu'à son visage.

— Mmmmmm ?

— Lorsqu'elle vient nous voir, grand-mère apporte toujours un cadeau, remarqua-t-elle avec le plus grand sérieux.

— Oui... c'est vrai.

D'une main, je relevai sa frange et souris.

— Ne t'en fais pas, nous allons lui amener un cadeau. Un bouquet des fleurs préférées de maman...

J'avais toujours adoré les œillets rouges, et il avait vite pris le pli. Plus d'une fois, il s'était arrêté sur le chemin de la maison pour en acheter un bouquet – bravant les ténèbres, la pluie et les heures de pointe. Souvent, comme mû par un instinct particulier, il devinait les jours où j'en avais le plus besoin.

Maintenant, c'était mon tour de lui apporter un bouquet. Des œillets et des fougères enveloppés dans du papier. Je restai là un moment, une main sur l'épaule de Cathy, avant de m'agenouiller pour les déposer doucement sur le gazon.

Nicholas Mitchell, disait l'inscription devant moi, en lettres dorées sur fond gris. Elles semblèrent grandir jusqu'à emplir mon champ de vision ; le reste du monde devint flou comme sur une photo mal cadrée.

Cathy semblait nerveuse. Je passai un bras autour de son épaule et l'attirai contre moi. Peu à peu, les lettres dorées reprirent une taille normale et le cimetière réapparut. Une douleur sourde était née dans ma poitrine, mais mes yeux étaient secs.

Tout comme ma bouche, lorsque je tentai de parler. Je me forçai à déglutir avant d'essayer à nouveau.

— Maintenant, papa habite ici. Après son accident de voiture, il a eu... très mal... et les docteurs ont dit qu'il valait mieux le laisser partir. Ainsi...

Je reniflai et restai un instant silencieuse, puis je lui serrai l'épaule. Son corps me semblait aussi fragile que celui d'un oiseau.

— Alors nous avons arrêté la machine qui le faisait respirer... et c'était comme de le voir s'endormir. Tu te souviens de ce que je t'ai dit? Que lorsqu'on meurt, c'est comme si on s'endormait pour toujours?

Cathy regardait la tombe d'un air suspicieux.

— Maman... et s'il se réveillait?

Je la serrai contre moi.

— Non, chérie. C'est impossible.

Oh, pourvu qu'elle me pardonne si, un jour, elle découvrait que je lui avais menti! *Mon Dieu, faites qu'elle n'en ait jamais l'occasion!*

Mon Dieu, je vous en prie.

Je pouvais presque voir monter les questions qui ne tarderaient pas à surgir. Je la serrai contre moi et les laissai venir. D'une certaine façon, je préférais cela.

— Est-ce que les gens rêvent quand ils sont morts? me demanda-t-elle avec curiosité.

— Non... Tu vois, lorsqu'ils meurent, on met leur corps dans la terre, là où personne ne les dérangera; mais la partie la plus importante d'eux-mêmes monte au Ciel pour que Dieu les y accueille.

— Oh..., fit-elle en se frottant le nez. Alors pourquoi est-ce qu'on est là?

Malgré moi, j'esquissai un sourire.

— Eh bien, parfois, les gens ressentent le besoin de voir les tombes de ceux qu'ils ont aimé – pour mieux se souvenir d'eux.

Je lui serrai une fois de plus l'épaule, puis la laissai et désignai les fleurs.

— Allons les mettre dans un vase.

Les œillets brillaient de tous leurs feux, rouges comme la vie elle-même. Ensemble, elle debout et moi agenouillée, nous les avons installés dans un vase. Je la regardai de temps en temps alors qu'elle s'affairait, savourant son air d'intense concentration. Ses cheveux s'assombrissaient. Ce n'était pas la première fois que je le remarquais, mais mon cœur se serra. Les gènes de Nick se fanaient déjà. Je perdais encore une trace de lui. Peut-être les cheveux de Cathy seraient-ils bientôt aussi noirs que les miens...

Le cri d'une corneille rompit le silence ; un bruissement traversa les feuilles rousses et ondulantes de l'arbre le plus proche. Le ciel était d'un blanc pâle et laiteux.

Finalement, nous nous retirâmes une fois de plus pour contempler notre petite tache rouge. Cathy baissa la tête pour mieux l'étudier, puis leva les yeux vers moi.

— Est-ce qu'il saura qu'on les a laissés là ?

J'acquiesçai.

— D'une façon ou d'une autre, oui. Et il sera content.

Elle tritura l'information pendant un instant ; puis, apparemment satisfaite, elle tira sur ma main.

— Est-ce qu'on va au parc cet après-midi ? Tu avais promis.

— Oh, Cathy...

Je soupirai, à la fois abattue et enchantée. J'eus soudain envie de la serrer dans mes bras. Drôle de sentiment ; comme d'être tiraillée de deux côtés à la fois. Entre la douleur et l'espoir.

Quelque part au-dessus de nous, l'oiseau crailla de nouveau. En regardant autour de moi, je pus le voir perché tout là-haut, une silhouette vigilante contre le ciel. Il nous prenait de haut, littéralement. Je le vis tourner la tête vers l'est, puis vers l'ouest.

— C'est un corbeau, m'man ?

Je secouai la tête avec un petit sourire.

— Non... c'est une corneille. Regarde, elle a un bec tout droit pour pouvoir déterrer des vers.

Elle dut enregistrer ce petit bout de savoir, puis me tira par la main. Nous sommes retournées vers les portes. Mais alors que nous marchions, je ne pus m'empêcher de jeter un coup d'œil en arrière. Je n'aurais su dire pourquoi, mais cette corneille me mettait mal à l'aise. Un animal tout de noir vêtu, perché au-dessus des tombes.

Un oiseau *fouisseur*.

Lorsque je baissai les yeux, il y avait du sang sur la terre, éparpillé dans toutes les directions, imprégnant peu à peu le sol. Une partie du liquide avait éclaboussé la pierre tombale et dégoulinait le long du marbre. L'herbe était rouge, les brindilles gluantes, et l'humus détrempé se faisait gadoue. Puis ce mélange écœurant se mit à bouillonner comme du porridge laissé trop longtemps sur le feu.

Je pressai mes mains sur ma bouche alors que quelque chose caché au plus profond de moi remontait à la surface – et la voix de Nick explosa à mes oreilles. Le limon et les ténèbres conspiraient pour l'étouffer, mais je perçus immédiatement sa détresse : une fois, il s'était éveillé d'un cauchemar en criant de cette façon. Après un terrible carambolage sur la M25, mon dur à cuire de vingt-cinq ans s'était mis à appeler sa mère tout en luttant pour s'extirper du sommeil.

Mon Dieu, il s'est bel et bien réveillé, là, tout au fond de son cercueil...

Mais avant que cette pensée horrible puisse me glacer le sang, la tombe disparut et je me retrouvai assise dans une pièce triste et aseptisée. L'éclairage était aussi blafard qu'une aube nucléaire. Lorsque la femme en noir entra, son visage vira instantanément au blanc ; on aurait dit que sa peau était fine comme du papier à cigarette.

Je me débattis, donnai des coups de pied – et me réveillai enfin.

Il me fallut un moment pour reprendre mes esprits et m'apercevoir que j'étais bien au chaud dans mon lit. Je frissonnai, m'extirpai du duvet et levai la tête. Une vague lumière tachait les rideaux, mais la grisaille de l'aube emplissait la chambre.

Je consultai mon réveil et découvris qu'il n'était que cinq heures et demie.

— Oh, merde, marmonnai-je – exutoire verbal à mon inconfort. Oh... *merde*.

Je laissai retomber ma tête sur l'édredon. Mon cœur battait toujours la chamade. Un instant, je pensai que Cathy m'avait appelée; mais non, la maison était aussi silencieuse que le monde extérieur.

Je me blottis de nouveau sous mes draps; j'avais froid et me sentais très, très seule. Mais mon esprit était trop clair pour que je puisse me rendormir. Je restai là, allongée sur le côté, et tentai de me souvenir de mon rêve. Car je connaissais son origine, et elle était ancrée dans la plus terrible des réalités.

Ce soir-là, un vendredi, le fracas habituel des urgences parvenait jusqu'à la salle d'attente où j'attendais. Bien sûr, l'infirmière de garde était vêtue de bleu marine, et non de noir – mais j'étais encore sous le choc et incapable de discerner autre chose que des dégradés de lumière et de ténèbres. Lorsqu'elle était entrée, j'avais instinctivement levé la tête pour regarder dans le couloir, vers la salle d'opérations. Mais je n'avais fait qu'entrevoir des panneaux de bois aux vitres aveuglées – puis elle avait refermé la porte.

Je me souviens de mes sentiments, à ce moment-là: la confusion bataillait avec la frayeur. J'avais moi-même travaillé aux urgences, dans une unité semblable à celle-ci; l'élite des maîtres soignants. Et je me retrouvais là, en civil, extérieure à la situation. J'aurais voulu rejoindre l'équipe ou même prendre la tête des opérations. On dit que les infirmières sont les pires des patients. C'est encore plus vrai lorsque c'est un membre de leur famille qui se retrouve entre les mains des docteurs.

Mais qu'importe cette impulsion. J'avais l'impression d'avoir reçu un coup de poing dans l'estomac. Je n'étais même pas sûre de pouvoir me lever.

L'infirmière s'assit en face de moi. Son expression me serra le cœur.

— Il va s'en sortir, n'est-ce pas? demandai-je.

— Je... crains que non, Rachel, dit-elle d'un ton grave, mais doux. Il ne va pas s'en sortir.

Je m'adossai au plan de travail en attendant que la bouilloire chauffe; mon humeur était aussi sombre que la lumière du jour.

Le moment du réveil était toujours le plus pénible ; là où j'étais le plus vulnérable. Avant même que j'aie pu rassembler mes esprits, l'idée de son absence descendait sur moi comme une douche glacée et le monde devenait creux, morne, insipide ; une chambre vide, un lit vide. Un désert que je portais en moi.

En cette soirée fatidique, il n'était même pas en train de poursuivre un suspect ; ce n'était qu'une patrouille de routine. Une espèce de salopard, un sombre crétin qui doublait en haut d'une côte l'avait percuté de plein fouet. La voiture de police n'était plus qu'une masse de métal torturé. Et deux jours plus tard, Nick était rayé des listes, lui aussi.

— *Madame Mitchell... nous sommes prêts à arrêter le ventilateur...*

Et là, assise dans la pièce réservée aux parents, tout ce à quoi je pouvais penser, c'était : *Non, madame* Young. *J'ai gardé mon nom de jeune fille...*

La bouilloire fumait tranquillement. Je me redressai à grand-peine et me préparai un café.

Bientôt six heures.

Au-dehors, derrière les volets, je vis de la brume recouvrant un champ noir. À cette heure matinale, les lapins devaient battre la campagne. Un jour que je regardais le vaste espace désert, j'avais vu un lièvre qui gambadait dans l'herbe. J'en avais ressenti une pointe de joie enfantine. C'était fini, maintenant.

Merci. Je t'aime. Au revoir. Assise près de son lit, je n'avais cessé de murmurer ces mots ; mais il était déjà trop tard. Il ne pouvait plus m'entendre.

Nous n'avions eu que quatre années. Moins, même.

Je sentis une pointe d'humidité sur ma joue et l'essuyai avec la manche de ma robe de chambre.

En nous installant ici, nous avions tant d'espoir ! Nous étions si heureux de nous éloigner de Londres et de toute son agitation. Nous avions trouvé une jolie petite maison où nous installer ; notre existence devint une interminable lune de miel. L'arrivée de Cathy avait illuminé notre avenir. J'avais vraiment cru que le passé, le mien, était mort et enterré.

Sauf que c'était Nick qui avait fini six pieds sous terre.

Désormais, je travaillais à l'hospice. Après toutes ces années aux urgences et aux soins intensifs... Toutes ces vies que j'avais contribué à sauver... il ne me restait plus que la froide certitude de la mort.

Alors que je repartais vers le vestibule en buvant mon café à petites gorgées, le poster fixé juste au-dessus du téléphone attira mon attention. C'était un de ces trompe-l'œil où des oiseaux blancs volant vers l'ouest sur fond de ciel noir devenaient des oiseaux noirs filant en direction de l'ouest sur un ciel clair. Nick n'était pas vraiment féru d'art moderne, mais ce tableau l'avait impressionné.

Dans la pénombre, il n'était guère qu'un patchwork noir et gris noyé d'ombres. Je le fixai attentivement, mais les oiseaux blancs refusaient de m'apparaître. Je ne voyais qu'un vol de corbeaux.

Soudain, une nausée me révulsa l'estomac ; mes joues perdirent toute couleur et toute chaleur. Comme si mon passé révolu venait de se retourner dans sa tombe. Comme si la masse de ténèbres et d'angoisse que j'avais laissée derrière moi revenait prendre ce qui lui était dû.

Notre nouvelle infirmière s'avéra être une fille plutôt timide, si frêle qu'elle paraissait fragile. Elle se tenait assise sur l'une des chaises, raide et nerveuse, et tentait d'avoir l'air compétente et sûre d'elle. Ses cheveux avaient été arrangés à la hâte et des mèches s'échappaient déjà de son chignon ; ses yeux d'un bleu presque liquide étaient cachés derrière des lunettes cerclées d'or.

Elle me fut immédiatement sympathique.

Alors que la Mère nous présentait, elle me fit un sourire craintif, et je le lui rendis avec une chaleur non feinte. Peut-être que son allure de fille des rues avait réveillé mes instincts maternels. À moins que ce visage attentif et enthousiaste n'ait frappé une autre corde sensible.

Peut-être me rappelait-elle quelqu'un que j'avais vu il y avait très, très longtemps, dans le miroir...

— Si vous avez d'autres questions, dit la Mère, je suis sûre que Rachel ne demande qu'à y répondre...

Sa confiance me flatta, mais je me contentai d'un petit sourire modeste. La Mère alla une fois de plus serrer la main de la nouvelle – qui lui rendit son geste avec énergie –, avant de la laisser à mes bons soins.

— Nicola, c'est bien ça ? demandai-je alors que nous descendions le couloir.

Elle opina du chef et s'humecta les lèvres pour parler. Mon estomac se serra.

Par pitié, ne me dis pas que tes amis t'appellent « Nicky »...

— J'ai vraiment hâte de travailler ici, vous savez. Tout le monde est si amical.

Cela dit avec un tel enthousiasme que je ne pus m'empêcher de sourire. Mais je me sentis soulagée.

L'administration était nichée dans un coin du premier étage ; nous avons emprunté un escalier qui menait vers le cœur du bâtiment et les différents dortoirs. Les marches modernes – qui, comme presque tout l'intérieur du bâtiment, avaient été refaites – contrastaient avec l'aspect victorien de la façade.

— À quoi servait cet endroit avant d'être un hospice ?

— Oh, à bien des choses. Ces derniers temps, c'était une maison de retraite... mais il est resté abandonné pendant deux ans avant que la fondation ne l'achète. Bien sûr, ils ont dû le rénover entièrement ; démolir tout l'intérieur et repartir de zéro...

Je lui tins la porte anti-incendie.

— On vous a offert une visite guidée avant votre premier entretien ?

Elle fit oui de la tête.

— Cet endroit m'a vraiment impressionnée. Surtout ces dortoirs, si vastes et si bien éclairés. Pourtant, de l'extérieur, tout semble bien austère, n'est-ce pas ?

En effet. Le ravalement de la façade restait un vœu pieux, et le bâtiment – des pignons décrépits jusqu'aux briques moisies du sous-sol – paraissait encore plus pourri qu'il ne l'était ; mais c'était surtout l'âge et l'isolement de cette demeure qui devenaient vite oppressants. Lorsque le temps était gris, elle semblait se dresser comme un sinistre épouvantail au milieu des champs. Et même lorsque le soleil brillait, les grandes baies vitrées conservaient un air de tristesse. Parfois, elles semblaient guetter quelque chose.

Nous traversâmes le grand hall, et ses yeux dérivèrent vers les gravures sur le mur.

— C'est sainte Catherine, n'est-ce pas ?

— Exact.

— Je ne crois pas avoir entendu parler d'elle.

— Elle vivait à l'époque médiévale, en Italie. Elle s'est occupée des malades lors de l'épidémie de peste noire. D'après ce qu'on dit, c'était vraiment quelqu'un.

— Cette croix noir et blanc est son symbole ?

La croix en question, mi-sombre mi-claire, était érigée sous sa statue. Nous portions la même sur nos uniformes.

— Si l'on veut. C'est une croix dominicaine, de l'ordre auquel elle appartenait.

Nicola hocha la tête, plongée dans ses pensées.

— Bon, dis-je alors que nous abordions les dortoirs. Aujourd'hui, tu vas me suivre de près, et nous allons nous contenter de distribuer les médicaments. Comme ça, tu pourras rencontrer quelques-uns de nos patients.

Cette idée parut l'enthousiasmer.

— Combien y a-t-il de lits ?

— Douze.

Je l'emmenai dans mon bureau en plein désordre, comme d'habitude.

— Assieds-toi.

Elle s'installa confortablement et regarda autour d'elle. Puis :

— Vos effectifs sont de...

Elle s'interrompit, étonnée, et me dévisagea.

Je tentai de cacher mon sourire, puis y renonçai.

— Je suis désolée, Nicola, mais... tout d'un coup, tu m'as rappelé ma fille. Elle vient d'atteindre cet âge où l'on ne cesse de poser des questions.

— Ooh.

Elle se redressa, surprise et intéressée, comme si elle me considérait sous un autre éclairage.

— Je n'aurais jamais cru ; tu n'as pas l'air... je veux dire...

— Ah, voilà le genre de flatterie qui nous plaît tant, à nous autres.

Nicola eut un rire silencieux.

— Désolée. Quelle âge a-t-elle ?

— Trois ans et des poussières.

— J'aurais dû m'en douter. C'est un de ses dessins, pas vrai ?

Je suivis son regard jusqu'au méli-mélo de couleurs affiché sur mon tableau.

— Mmmm. J'espère l'avoir accroché dans le bon sens...

Elle se radossa à son siège, tout sourire. Je m'emparai du guide des procédures.

— Soyons sérieuses, ajoutai-je en le feuilletant. Et n'aie pas peur de poser des questions. Comme le disait l'annonce, nous avons besoin de votre enthousiasme. De gens vraiment motivés. J'aimerais bien savoir comment tu t'es retrouvée chez nous...

Elle haussa les épaules.

— Eh bien... de la même façon que tous les autres, en fait. Depuis que j'ai passé mes examens, j'ai dérivé d'un hôpital à l'autre, mais dans chacun d'entre eux, le niveau de stress était tel... qu'on ne pouvait pas vraiment s'occuper des individus, tu comprends ? Pas même de ceux qui allaient mourir et le savaient fort bien. Ceux qui avaient le plus besoin de nous...

J'aimais ce qu'elle avait tant de mal à exprimer. Nous avions fait le bon choix. Certains étaient trop verts pour venir travailler dans un hospice, mais Nicola, aussi jeune fût-elle, avait les deux pieds fermement ancrés sur la terre. Je lui donnai un compte rendu de la politique de la maison et de nos habitudes ; puis vint le moment de rencontrer tous ceux sans qui cet endroit n'aurait eu aucune raison d'être.

— Ma sœur... dit-elle alors que nous nous levions.

— Rachel suffira, Nicola. Tu sais, ici, on n'est pas très formels.

— D'accord...

Elle hésita un instant, comme si sa timidité la retenait. Puis elle se lança bille en tête :

— En fait, mes amis m'appellent Nicky...

— Oh, dis-je avant de sourire de nouveau.

Mais ce sourire trop forcé finit par être douloureux.

— Bonjour, Mike. Vous avez bien dormi ?

— Pas trop mal. Et vous ?

Sa promptitude me fit sourire.

— Oh, très bien.

— Vous avez fait la fête, je présume.

— Pas vraiment. Une fille de mon âge a besoin de ses huit heures de sommeil. Remarquez, c'est rare que je dispose de tout ce temps, mais bon...

Sa tête chauve reposait contre l'oreiller. Il avait l'air épuisé, mais ses yeux brillaient d'une lueur malicieuse. Il fallait plus qu'un cancer pour l'abattre.

— Je vois que vous avez une nouvelle assistante, dit-il.

— En effet. Je vous présente... Nicola. Elle a commencé aujourd'hui.

Je m'interrompis le temps qu'il la salue d'un hochement de tête et d'un sourire.

— Elle reste avec moi le temps d'apprendre toutes les ficelles.

Je pris son graphique affiché au pied du lit et l'ouvrit sur le chariot médical. Nicola s'approcha de moi ; j'adoptai un ton calme, professionnel, pour lire les indications à voix haute.

— Michael a un cancer du pancréas qui attaque aussi son foie. Traitement par morphine à administrer toutes les quatre heures.

Elle me regarda doser le produit, puis lui tint la tête pendant qu'il l'avalait. Elle le fit très naturellement, sans qu'il faille l'y pousser ni même l'encourager. Ce fut à mon tour de la regarder faire, et son attitude me plut.

Simon, l'occupant du lit suivant, était un peu plus jeune et moins résigné. Hier, lorsque ses parents étaient venus le voir, cela ne s'était pas très bien passé : il avait trouvé un exutoire à sa colère, et ils s'étaient tous emporté. Ce n'est qu'au bout d'une heure de discussion calme, apaisante, avec son père et sa mère, que je pus les convaincre que sa réaction était normale – et qu'il avait néanmoins besoin d'eux.

— C'est le moment de prendre mon médicament comme un bon garçon, hein ? murmura-t-il en nous voyant approcher.

Malgré son amertume, il n'y avait pas d'agressivité dans sa voix. Du moins pas encore.

— C'est de la diamorphine. Vous vous sentirez mieux après.

— Et si je ne me sens pas mieux ? demanda-t-il soudain sur un ton de défi. La douleur fait partie du truc, non ? C'est le seul moyen dont dispose mon corps pour m'avertir de ce qui se passe en lui. Vous voulez que je fasse comme si de rien n'était ?

Je secouai la tête.

— Il n'y a pas de faux-semblants. Maintenant que la douleur n'est plus nécessaire, nous pouvons la soulager. Inutile de souffrir pour rien.

Il me regarda d'un air pensif.

— Vous êtes chrétienne, pas vrai ?

Voilà qui ressemblait furieusement à un appât, mais je mordis sans sourciller.

— Oui.

— Catholique ?

— Il paraît.

Il eut un pâle sourire.

— Et vous ne pensez pas que la douleur purifie l'âme ?

— Pas à ma connaissance.

— Alors dites-moi ce que j'ai fait pour mériter ça ? demanda-t-il d'une voix plus sèche, plus tranchante. J'ai trente-deux ans, vous savez ? Quelle volonté divine peut provoquer une chose pareille ?

Ses yeux se tournèrent vers Nicola et n'enregistrèrent que son silence ; puis ils revinrent à moi.

— À moins, bien sûr, que je ne me sois moi-même condamné de par mes *pratiques contre nature*...

J'allai m'asseoir sur son lit et lui pris la main avec fermeté.

— Simon, ne laissez jamais personne vous dire une chose pareille. D'accord ? Ce n'est pas un jugement, c'est une malédiction. Vous avez attrapé un virus, c'est tout. Et la façon dont vous l'avez chopé ne me regarde nullement. Je suis là pour vous aider, de toutes les façons possibles.

Il regardait par la fenêtre, maintenant ; mais sa main ne quitta pas la mienne. Je la serrai doucement.

— Au fait, je vous présente Nicola.

Il détourna lentement les yeux et eut un sourire qui les atteignait à peine.

— Bonjour, Nicola.

— Vous êtes prêt à prendre vos médicaments ? lui demandai-je après un silence, et il répondit affirmativement.

Je lui passai sa dose et allais repartir lorsqu'il remarqua le badge sur mon revers.

— Que représente cette croix particulière ? Cela fait longtemps que je voulais vous le demander.

— C'est celle des Dominicains. Vous savez... les prêtres noirs.

Il leva un sourcil ironique.

— Vous êtes donc une sœur noire ?

Un instant, je dus arborer une drôle d'expression ; je sentis monter le vide en moi, comme un puits sans fond. Puis je retrouvai le contrôle de moi-même et me forçai à reprendre contenance. Peut-être n'avait-il rien remarqué. Mais s'il avait vu, il ne pouvait pas se douter de mes raisons.

Ma bouche s'étira en un sourire informe et je repartis en poussant le chariot ; mon cœur mit pourtant plusieurs minutes à reprendre son rythme normal. Comme un enterré vivant qui vient de se ranimer et tambourine contre le couvercle de son cercueil.

J'inspirai profondément pendant que Nicola discutait avec un patient. Une sueur froide me collait à la peau. Bon sang, avec cette simple plaisanterie, il avait fait remonter tout un passé que je croyais oublié. Ma réaction me dérangeait tout autant que les souvenirs eux-mêmes. Le choc de découvrir qu'après tout ce temps, mes terreurs restaient si proches de la surface. À peine recouvertes par une peau fine comme un papier à cigarette.

Pendant que nous déjeunions, Nicola se tourna vers moi.

— Rachel, je me demandais...

Ses yeux restèrent braqués sur son plat, puis se levèrent pour croiser les miens. L'excitation qu'ils contenaient égalait celle qui faisait vibrer sa voix.

— Allez, tire dans le tas, lui dis-je, curieuse moi-même de savoir ce qu'il en était.

— Je n'en ai pas parlé lors de mon entrevue, mais... à l'origine, ce bâtiment servait au culte, non ?

— Oui.

— Et... le fait que je ne sois pas croyante ne risque pas de poser de problème ?

Je faillis éclater de rire.

— Oh mon Dieu, non ! Ça n'a aucune importance, Nicola. La plupart des infirmières qui travaillent ici n'adhèrent à aucune religion. Ce qui compte, c'est ta compétence et ta *compassion*. Si l'un des patients ou des parents veut s'entretenir de questions spirituelles, il ne manquera pas d'interlocuteurs, mais ce n'est pas obligatoire. Notre première préoccupation est d'assister les mourants, par tous les moyens.

Elle eut un petit soupir de soulagement et sourit lorsque je lui fis un signe encourageant.

Comme il ne nous restait plus que quelques minutes avant la fin de notre pause-déjeuner, nous sommes passées dans le coin près de la fenêtre, où deux autres membres du personnel discutaient tranquillement. Elle avait déjà croisé Mel et je lui présentai Diane. Ils se saluèrent poliment ; il y eut un silence. Puis Diane se tourna vers Mel.

— Il paraît qu'on a revu Mère-Grand.

Je ne savais trop si elle voulait exclure la nouvelle de la conversation – ou l'intriguer. En tout cas, le visage de Mel s'illumina. Quant à moi, mes traits se crispèrent et je détournai les yeux.

— Quand ? La nuit dernière ?

Diane hocha la tête affirmativement. Avec ses cheveux courts, elle ressemblait à un petit démon, mais elle parlait en toute honnêteté.

— Une des filles disait...

Mel pinça les lèvres et acquiesça d'un air docte.

— Qui est-elle venue voir cette fois-ci ?

— C'est le fantôme du coin, c'est ça ? tenta Nicola avant que j'aie pu prendre le contrôle de la conversation.

Tous deux la regardèrent et firent tout un numéro pour décider s'ils devaient l'associer à ce qu'ils savaient. Puis Diane acquiesça.

— C'est ce qu'on pense. De temps en temps, quelqu'un voit cette vieille dame, en général, c'est qu'il faut s'attendre à un décès...

— Parfois, elle apparaît au pied d'un lit, continua Mel. Et d'autres...

— Je crois que Nicola n'a pas besoin de savoir tout ça, interrompis-je d'un ton que je voulus faussement désinvolte, mais qui se fit brusque, autoritaire. Ce n'est que des ragots d'équipe de nuit, et vous deux n'avez pas à les répandre.

Le pauvre Mel en fut tout décontenancé. Diane, elle, garda son calme. Ma réaction devait l'intriguer. Les infirmières sont superstitieuses, et nous le savions toutes les deux. Elle me toisa du regard, ce qui me déplut. Déconfite, je me levai.

— Bon, ben... j'ai des paperasses à remplir, Nicola. À plus tard.

En partant vers la porte, je pouvais presque les entendre chuchoter dans mon dos ; Nicola était désormais incluse dans le groupe – à mes dépens. Diane, qui pouvait être une véritable commère, ne manquerait pas de remarquer à quel point j'étais irritable aujourd'hui. Mel, aiguillonné par ma remarque, sortirait sans doute de sa réserve naturelle pour renchérir. Et quelle contribution Nicola, désormais au milieu des siens, apporterait-elle au débat ? *Je lui ai demandé de m'appeler Nicky, mais elle n'a rien voulu savoir. Elle est un peu collet monté, non ?...*

Puis Diane se pencherait et lui dirait d'un ton de conspiratrice : *Je ne devrais pas te le dire, mais... Rachel a perdu son mari il y a un an de cela. Parfois, il faut lui pardonner ses sautes d'humeur, tu comprends ?*

Je grinçai des dents de colère. Quelles autres conclusions pourrait-elle en tirer ? En général, les histoires de fantômes ne me faisaient pas un tel effet.

Néanmoins, je n'aimais pas trop parler de notre Mère-Grand. Ce nom faisait resurgir des souvenirs déplaisants. Mais même sans cela, ces récits étaient sinistres, dérangeants. Ils dessinaient un portrait bien sombre, celui d'une recluse qui, parfois, quittait son grenier pour errer en silence dans les dortoirs. Le nom de Dame grise était une convention hospitalière immémoriale pour désigner ces spectres; mais il s'agissait davantage d'une *chose* que d'un individu.

Nous l'appelions Mère-Grand afin de la tenir à distance; mais vue de près, elle n'avait rien de si engageant. D'après les ragots, une seule personne lui était tombée dessus face à face; l'infirmière en question dut boire plusieurs gorgées de brandy réparatrices avant de pouvoir raconter son histoire. Là où les autres n'avaient fait qu'apercevoir un vague mouvement, elle s'était retrouvée à un mètre d'un visage évoquant un masque gris et flétri aux yeux semblables à deux puits de ténèbres. Elle avait eu un mouvement de recul, et l'apparition s'était évanouie, laissant derrière elle une odeur putride qui ne se dissipa qu'au matin.

J'imagine que c'est une relique du passé de notre bâtiment; peut-être n'est-elle pas consciente de sa propre existence. Mais je ne doutais pas un seul instant de sa réalité. Ce n'est pas parce que j'avais déjà croisé des fantômes que je les comprenais; mais j'étais sûre que nous partagions les lieux avec l'ombre d'une vieillarde oubliée de tous qui, d'une façon ou d'une autre, était emprisonnée entre ces murs. Insensible au passage du temps.

Et qui, pourtant, n'arrivait toujours pas à trouver le repos.

Peu après trois heures du matin, on frappa à la porte de mon bureau. C'était de nouveau Nicola, qui s'apprêtait à quitter le service.

Cet après-midi-là, elle avait pu rencontrer quelques autres patients; la dernière fois que je l'avais vue, elle était en pleine conversation avec l'une des infirmières.

— Alors, comment s'est passé ton premier jour? lui demandai-je.

— Très bien, merci, fit-elle avec un sourire sincère. Je pense que je vais me plaire ici.

Nous avons brièvement parlé de ce que lui réservait sa semaine d'orientation; puis, après une hésitation, elle me prit par surprise :

— Rachel... J'ai appris pour ton mari, et je suis vraiment désolée.

Je m'attendais à une réflexion de sa part, mais pas à une telle franchise. La plupart des gens évitaient le sujet. Et me laissaient me débrouiller avec mes souvenirs.

— Merci, fis-je avec un geste maladroit.

— Je ne savais pas si je devais en parler, continua-t-elle d'un ton mal assuré, mais le fait de savoir et de ne rien dire... c'était comme une barrière dressée entre nous, tu comprends.

Sa question n'était pas qu'une clause de style ; j'opinai lentement du chef.

— En tout cas... désolée d'avoir mis les pieds dans le plat.

— Ce n'est pas ça, Nicola. Je te remercie. Sincèrement.

Elle eut un sourire et s'apprêtait à refermer la porte lorsque je la rappelai.

— Nicky ?

Elle repassa la tête dans l'ouverture, surprise.

Ma gorge s'était serrée en prononçant ce nom, comme s'il était couvert d'une poussière qui m'irritait le gosier. Je dus avaler ma salive avant de pouvoir continuer.

— Je pense que tout le monde sera content de t'avoir parmi nous, dis-je.

Cet après-midi-là, alors que je m'éloignais du bâtiment, je levai les yeux et vis son imposante masse grise qui rapetissait dans le rétroviseur – et je me demandai où Mère-Grand pouvait bien rôder à cette heure.

On ne la voyait jamais de jour, et on ne l'entendait guère davantage. Peut-être se cachait-elle dans les coins d'ombre, telle une araignée attendant la tombée de la nuit. Ou peut-être (me dis-je involontairement) qu'elle était toujours là, comme les étoiles dans le ciel ; qu'elle parcourait le même trajet à l'infini, mais ne devenait visible qu'au coucher du soleil.

Si c'était le cas, mon instinct infaillible – désormais bien émoussé – ne m'avait pas avertie. Pour moi, l'hospice était un havre de paix où l'on guérissait les âmes blessées avant qu'elles ne trouvent le repos. Ces histoires de fantôme m'avaient perturbée, au début ; puis au bout d'un moment, sans élément plus substantiel que quelques ragots, je m'étais contentée de les ignorer.

Mais pas cette fois.

Ce soir-là, c'était Val Thomas qui dirigeait le dortoir et Janet Kerr prendrait le relais pour la nuit. Mon estomac se serra. Pendant que je dormirais tranquillement dans mon lit, elles resteraient là, naufragées sur des îlots de lumière perdus dans des océans de ténèbres granuleuses. Tentant de faire abstraction des bruits qui résonnaient là-haut.

J'avais devant moi encore une heure ou deux de lumière automnale ; mais je m'imaginais sans mal ce visage aveugle en train de prendre forme dans le grenier, comme une lune grise émergeant peu à peu des feux du crépuscule.

Aller chercher Cathy à la maternelle me fit l'effet d'une douche froide : mon esprit se dissocia de l'hospice pour revenir à la plate réalité. En chemin, elle me raconta qu'ils avaient fait de la peinture. Alors qu'elle gargouillait dans son siège pour bébé, je ne pus m'empêcher de sourire.

La voiture glissait tranquillement sur une route couverte de feuilles mortes, filant vers le soleil qui déclinait déjà. J'avais envie de mettre une cassette appropriée à ce moment, comme les morceaux de piano de Michael Nyman. Mais non, je voulais entendre tout ce qu'elle me dirait, au mot près.

Nous rentrâmes chez nous et je préparai du thé ; puis je pris un bain en laissant la porte ouverte pour qu'elle puisse entrer et sortir à volonté. Environnée de bulles, je posai ma tête sur l'appui, fermai les yeux et laissai l'eau m'imprégner de sa chaleur. Le frisson que j'avais ressenti dans l'après-midi était bien loin ; distant et irréel.

— Maman, tu vas lire à Panda une histoire pour l'endormir ? fit la voix de Cathy.

— Chut, chérie. Maman se détend.

Je n'avais pas besoin d'ouvrir les yeux pour savoir qu'elle s'en allait à contrecœur : parfois, la miss jouait les grandes dames. Je souris... et la réalité bascula brutalement. Soudain, et ce n'était pas la première fois, le fait d'être mère me parut bien étrange.

J'avais commencé mes études d'infirmière à dix-huit ans, mais, pour moi, c'était toujours hier. J'étais encore la fille de ma mère, bien que nous sachions qu'il était temps pour moi de voler de mes propres ailes. L'avenir me semblait alors limpide, sans rien qui annonçât ce qui allait m'arriver. La maternité, aussi lointaine que la vieillesse, n'était pas de saison.

Et pourtant, depuis trois ans, je me retrouvais avec le fruit de mes entrailles : une vie qui avait tout fait pour s'extirper de moi. Maintenant, tout était différent. Depuis que j'avais Cathy, l'univers n'était plus le même.

Je m'étais adaptée, comme tout le monde. Cet après-midi-là, en attendant Cathy, je discutais avec Pat, une mère d'une vingtaine d'années que j'avais rencontré à notre groupe des femmes catholiques (une version libérée, où nous buvions du café en échangeant des conseils en matière de pilules contraceptives). Son petit garçon avait désormais quatre ans. Ses joies et ses peines ressemblaient beaucoup aux miennes.

Il y avait bien d'autres choses que je ne pouvais concevoir, lorsque j'avais dix-huit ans. Comme la perte de mes parents. Ou celle de mon mari.

Comme de me voir piégée par une sorcière en quête de vengeance et d'expériences extatiques...

J'étais plongée dans mon bain jusqu'au cou, mais cette dernière pensée surgie de nulle part me fit tressaillir de froid. Je fis la grimace, ouvris les yeux et restai là, à fixer le plafond d'un regard sinistre.

C'était fini. Depuis des années. Si ce n'est que j'avais vu le Mal qui arpentait ce monde bien trop réel. Même mes terreurs enfantines n'étaient rien à côté. Pourtant, malgré les souvenirs qui me hantaient, le pire était derrière moi. J'avais traversé l'enfer, puis réussi à reprendre le cours de ma vie. Parfois, par de belles journées ensoleillées, j'étais assez fière de moi.

Néanmoins, elle me manquait toujours, cette fille d'il y avait quinze ans que je ne rencontrerais plus jamais.

Cathy revint deux minutes plus tard en traînant son panda.

— Tu te détends encore, m'man ?

Je tournai la tête vers elle et me forçai à sourire.

— Non, chérie. Va te coucher. J'arrive dans une minute.

Pendant qu'elle dormait paisiblement, je traînai un peu dans ma robe de chambre, à la recherche d'une distraction, tout en étant consciente que la lumière du jour s'affadissait peu à peu. Dans le salon, l'air vira au gris et les oiseaux qui chantaient dans les bois se turent. Je sus, alors qu'il était temps d'affronter la réalité.

J'essayai de me raisonner. Peut-être, en revoyant une fois de plus cette ultime relique, pourrais-je me convaincre que le passé était mort et enterré. Que le Mal triomphant n'était plus qu'une larme de froid au creux de ma main.

Je refermai la porte du débarras et m'y adossai, comme pour mieux écouter tomber la poussière. Au bout d'une éternité, je fis un pas en direction de l'armoire. Je m'agenouillai, tirai le tiroir du bas et me mis à farfouiller dedans. Des chaussettes dépareillées, de vieux pulls – et soudain, mon esprit fut ailleurs. J'entrevis mes propres mains gantées qui farfouillaient dans des cendres. Le cœur battant la chamade, je rampais dans la lumière suiffeuse d'un entrepôt désert. Je l'avais vu au moment où j'allais abandonner, luisant vaguement dans la poussière grise...

Et mes doigts le touchaient, ici et maintenant ; l'étui d'acier était aussi froid que si je l'avais stocké dans mon réfrigérateur. J'avalai ma salive et le pris entre mes mains, comme une offrande aux derniers rayons du soleil.

Avec son couvercle rabattu, on aurait dit une vieille montre à gousset au métal terne et rayé. Mais je savais de quoi il s'agissait réellement, même si rien au monde ne pouvait me forcer à l'ouvrir pour vérifier.

Depuis le jour où je l'avais extirpé des cendres, je l'avais à peine regardé. C'est tout juste si je pouvais supporter son poids dans mes mains. Mais je serrai les dents et me forçai à le tourner et le retourner entre mes doigts ; je devais m'assurer qu'il était là, bien réel, et pourtant mort, à ma merci. Et alors que je méditais involontairement, mon esprit s'emplit de visages. De vieillards aux cheveux gris.

Et de Sœurs de la Nuit.

CHAPITRE II

SAISONS

L'automne est comme une maladie qui saperait peu à peu les forces de la nature. Dans les premiers stades, le patient devient gras et mou – puis son état se détériore et il pourrit sur pied jusqu'à l'issue fatale. Cette saison m'avait toujours beaucoup affecter.

Curieusement, c'était ma préférée.

Cathy et moi étions dans le champ derrière chez nous, à regarder M. Wheeler qui entretenait son feu de bois. Cette saison n'avait rien perdu de son charme, constatai-je alors. L'odeur âcre de la fumée me renvoyait à mon adolescence : ces soirées baignées de lumière dorée qui, à leur façon, indiquaient l'approche de Noël, tout comme l'odeur de feuilles pourries qui imprégnait l'atmosphère. Avant de rentrer, nous avions fait une promenade dans la forêt : un véritable patchwork de couleurs – moins flamboyant, pourtant, que les flammes qui s'élevaient dans les brumes.

M. Wheeler fit une pause, s'appuya sur son râteau et dit :

— Vous êtes allées loin ?

Il vivait à deux maisons de la nôtre. Depuis qu'il était retraité, il passait sa vie dans son jardin. Ce jour-là, il portait sa tenue de jardinier : une vieille veste en tweed et une casquette élimée. Avec ses joues rouges, il ressemblait à un fermier plein de santé.

— Oh, jusqu'au ruisseau, lui répondis-je en massant les épaules de Cathy.

Celle-ci s'appuyait contre moi, emmitouflée dans son manteau. Ses bottes neuves étaient couvertes de boue.

— Tu as vu des poissons ? lui demanda-t-il d'un air solennel.

Elle secoua la tête, trop timide pour répondre ; puis elle tendit le cou pour me regarder.

— Maman...

Je m'agenouillai pour mieux l'entendre.

— Oui ? murmurai-je à son oreille.

— Pourquoi faut-il brûler les feuilles ?

Son ton vibrait d'une réelle inquiétude.

— Parce qu'elles sont mortes. Il faut que M. Wheeler nettoie son jardin.

— Mais elles ont de belles couleurs.

— En effet. Mais lorsque la pluie les aura détrempées, elles seront toutes noires et gluantes. Tu n'aimerais pas qu'elles deviennent si laides, n'est-ce pas ?

Elle y réfléchit un instant, puis secoua la tête avant de regarder M. Wheeler. Celui-ci lui fit un clin d'œil.

— Ta mère a raison, tu sais. Il vaut mieux les brûler ; comme ça, les feuilles retournent dans l'air. La nature nous en donnera bientôt de nouvelles, tout aussi colorées que celles-ci.

Ces mots semblèrent la rassurer. Et j'y puisai matière à réfléchir, moi aussi. En la serrant contre moi, j'imaginai que je livrai aux flammes mes souvenirs putréfiés. Une décade de malheur qui s'en irait en fumée.

Allume le feu, et que brûlent les feuilles...

Si seulement c'était si facile.

— Votre ballon d'eau chaude ne vous ennuie plus ? demanda M. Wheeler.

Je rassemblai mes esprits et secouai la tête. Il ne demandait qu'à réparer tout ce qui pouvait tomber en panne dans notre logis, que ce fût une fuite d'eau ou un mauvais raccordement. Et, même si j'étais fière de mon indépendance, il était bien agréable d'avoir quelqu'un de confiance à proximité. Un contact humain en plus d'une assistance technique.

Que disait cet article ? Le sexe et le bricolage ? Cela faisait toujours un sur deux.

— Si vous voulez prendre une tasse de thé ou autre

42

chose lorsque vous aurez fini, frappez donc à la fenêtre,
lui dis-je.

Je me redressai et pris le bras de Cathy.

— Dis au revoir, fis-je, et elle agita poliment la main.

M. Wheeler, lui, se contenta de hocher la tête d'un air
grave.

Une fois Cathy lavée, en pyjama et collée devant la
télévision, je pus enfin me retirer en moi-même – et réfléchir à ce que j'avais déterré la veille au soir.

Ce n'était pas une montre, mais un *compas* de sorcières. Un objet qui tournoyait selon des polarités qui lui
étaient propres, un peu comme une boussole, et qui pouvait prédire l'avenir.

J'avais rencontré sa propriétaire il y avait maintenant
sept ans – et y avais à peine survécu. Elle-même n'avait
pas eu cette chance, du moins en apparence. Elle avait
fini là où elle aurait dû croupir depuis trois siècles : en
enfer. J'avais repris le contrôle de ma propre existence –
jusqu'à ce qu'elle réapparaisse, surgie de nulle part.
Notre seconde rencontre eut des conséquences plus horribles encore : dans sa quête insensée de rédemption, elle
avait rempli toutes les morgues de Londres. Finalement,
elle s'était prise à son propre piège et s'était retrouvée
face à un esprit ancien et féroce qui résidait sous la City.
Personne, pas même Razoxane, n'aurait pu survivre à un
tel duel à mort.

Razoxane. La simple évocation de ce nom me glaçait
les sangs. Mais cette fois-ci, tout était terminé. Et j'en
avais la preuve.

Notre ultime confrontation s'était déroulée dans un
entrepôt désert de King's Cross ; j'avais pu m'enfuir en la
laissant face à sa Némésis. Puis, avant la fin de la nuit,
l'immeuble avait brûlé. Je ne l'avais appris que le lendemain, en lisant les journaux. La police soupçonnait un
incendie criminel lié au réseau terroriste qu'elle avait
démantelé ; mais j'avais besoin d'une preuve tangible de
sa destruction à *elle*.

Et finalement, je l'avais trouvée. On avait découvert
des restes humains au milieu des débris, si carbonisés
qu'ils étaient au-delà de toute identification. Même les

43

relevés dentaires ne pouvaient plus rien donner. On parla d'un malheureux rôdeur.

Razoxane. Sa silhouette tournoyait dans les sombres profondeurs de mon esprit. Une forme sinistre toute de noir vêtue. Un visage d'une jeunesse surprenante et d'une gaieté terrifiante. Des lunettes noires cachant des yeux impitoyables.

Je secouai la tête pour chasser cette image bien trop fascinante.

Je devais être sûre de sa mort. Il me fallut deux jours pour trouver le courage d'aller jeter un coup d'œil. On avait scellé les ruines, mais je réussis à me glisser entre les bandes jaunes. Même en plein jour, cet endroit restait angoissant ; une masse emplie d'échos et imprégnée du relent de cendres humides. Je m'étais mise en quête d'un morceau de tissu, d'un fragment d'os ; n'importe quoi. Une preuve que je lui avais survécu.

Dieu sait comment les enquêteurs avaient pu louper cette « boussole » ; mais à force d'arpenter les cendres à quatre pattes, j'avais fini par trouver le compas. Son corps d'argent était noirci par les flammes, qui avaient scellé le couvercle. J'eus une hésitation avant de le ramasser ; ne valait-il pas mieux le laisser là ? Finalement, je préférai l'emporter ; comme si, en m'emparant de tout ce qui restait d'elle, je pouvais maîtriser mon passé – et le rejeter au fin fond d'un tiroir, tout comme le compas.

Je venais de coucher Cathy lorsque le téléphone se mit à sonner. Je traversai le salon pour décrocher le sans-fil de son socle et appuyai sur le bouton. C'était la mère de Nick.

— Rachel ?

Je fis la grimace, mais tentai de prendre un ton chaleureux.

— Ellen. Heu... bonjour. Comment allez-vous, tous les deux ?

— Oh, nous nous débrouillons, merci. Et vous-même ?

— Très bien.

— Parfait. Et la petite Cathy ?

— Très bien, répétai-je sans grande imagination.

— Je me demandais... pourrais-je lui dire quelques mots...

— Désolée, Ellen, je viens de la mettre au lit.

— Deux mots, pas plus...

— Je ne veux pas la déranger.

Durant le silence qui suivit, je sentis que je l'avais blessée – comme si je lui avais claqué la porte au nez et qu'elle en fût réduite à parler dans l'interstice de la boîte aux lettres. Je ressentis une pointe de compassion, mais j'étais trop têtue pour me laisser fléchir.

— Viendrez-vous passer Noël avec nous?

— Je ne sais pas encore. Cela dépendra de mon travail..., lançai-je sans réfléchir, coincée par mon stupide orgueil.

— Cela fait longtemps qu'on ne l'a pas vue...

— Je sais. Je vous dirai ce qu'il en est dès que possible, d'accord?

— Très bien. À bientôt... Bonne nuit.

La communication fut coupée et, au même moment, ma mauvaise humeur retomba comme un soufflé; j'aurais pu me donner des claques. Je regardai un instant le combiné, indécise, puis soupirai et le jetai sur les coussins.

Inutile de la rappeler. Je m'étais montrée injuste, c'est vrai, mais je n'avais pas envie de m'excuser. Pas ce soir-là.

De plus, je doutais que mon attitude l'eût vraiment surprise. Oh, nous nous entendions à peu près. Au départ, elle m'avait prise de haut: je n'étais qu'une gamine indigne de son fils. Le traumatisme causé par la mort de Nick n'avait fait qu'agrandir le gouffre qui nous séparait: nous avions échangé des termes que nous ne pourrions que regretter plus tard, lorsque nous aurions repris le contrôle de nos émotions. Et ces dernières années, nous avions tout fait pour recoller les morceaux.

Mais ce n'était pas encore ça. Son mari et elle ne juraient que par Cathy, ce qui avait le don de m'énerver. Lorsque nous allions les voir ou qu'eux-mêmes venaient chez nous, ils la gâtaient à n'en plus finir. La façon dont je les rembarrais avait parfois quelque chose de vraiment injuste. Je trouvais toutes sortes d'excuses ou les battais froid – comme aujourd'hui.

Pas touche. Elle est à moi et à moi seule.

Cet échange m'avait mise sur les nerfs; inutile de mettre une musique apaisante. Je me préparai un lait chaud et le bus en regardant le crépuscule qui s'infiltrait peu à peu dans la cuisine pour imprégner les murs. Derrière la fenêtre, les bois n'étaient plus qu'une masse indistincte et, tout là-haut, les premières étoiles picotaient la brume. J'allais passer dans le salon pour consulter le programme télé lorsque Cathy poussa un cri strident.

Lorsque j'entrai en trombe dans sa chambre, elle était assise sur son lit, en larmes, le visage rouge et congestionné par l'épouvante. Elle émettait un braillement continu, pitoyable. Je la serrai dans mes bras, étouffant ses sanglots, et lui chuchotai des riens rassurants en lui caressant les cheveux.

— Oh, Cathy... chut... qu'y a-t-il?

— Un mauvais rêve, balbutia-t-elle.

J'acquiesçai, soulagée, et la serrai plus fort encore.

— C'est fini. Chut.

— Le Croque-mitaine venait me prendre.

— Non. Je suis là. Tout va bien.

Ses sanglots s'étaient mués en reniflements, mais elle avait toujours du mal à parler.

— C'était horrible, m'man... il avait des vieux vêtements avec des choses qui poussaient dessus... et ses yeux...

— Chut, insistai-je avant qu'elle ne puisse entrer dans les détails.

L'image qu'elle venait de décrire était déjà assez angoissante comme ça. Je la berçai doucement.

— Tu l'as inventé. Il n'existe pas.

Elle renifla encore; je tirai un mouchoir de ma manche et essuyai son visage.

— Tu fais un sourire à maman? Allez...

Elle hésita un instant, refusant d'attester qu'elle n'avait plus besoin de mon réconfort, puis obtempéra. Je frottai mon nez contre le sien et la recouchai.

— Tout va bien. Personne ne fera de mal à mon petit ange.

Elle ne souriait plus. Elle me regarda d'un air sérieux.

— M'man, j'ai trop peur pour dormir.

46

— Tu as peur de rêver de lui ?

Elle hocha lentement la tête, les lèvres serrées. Je souris et écartai des mèches blondes de son front.

— N'y pense pas, chérie... écoute...

Je me mis à chanter une berceuse que ma mère elle-même m'avait apprise.

> *Je connais une fille aux cheveux d'or*
> *Qui attends seule près de la fenêtre*
> *Ma fille sait que je l'aime très fort*
> *Et que je rentrerai bientôt...*

Elle se calma et finit par s'endormir. Je chuchotai le dernier couplet, embrassai son front et m'en allai en silence.

J'avais trouvé une boîte à musique, un joli petit cottage au couvercle en forme de toit, qui jouait ce même air. Ce matin-là, Cathy l'avait laissée traîner sur le tapis du salon. Je la ramassai, la remontai (le mécanisme grinçait à fendre l'âme) et la posai sur la table ; puis je me blottis sur le divan. Sa mélodie aigrelette me plongea dans les souvenirs de temps meilleurs, et agaça mes glandes lacrymales. Je restai immobile bien longtemps après que le mécanisme se fut tu.

Il n'y avait pas grand-chose à la télé. J'optai pour un documentaire pris en cours de route. Je fourrai un coussin sous ma tête, posai la télécommande... qui tomba par terre au bout d'une minute. Je ne me donnai même pas la peine de la ramasser.

Il s'agissait d'une série d'interviews : des vieillards racontaient leurs souvenirs de guerre entrecoupés d'images d'archives en noir et blanc. Je compris qu'on nous présentait les itinéraires parallèles de deux pilotes qui, maintenant, visitaient les cités allemandes qu'ils avaient bombardées et rencontraient les survivants. C'était l'heure de la réconciliation, et je commençai à m'y intéresser. Ce qui me rendit vulnérable aux horreurs qui allaient suivre.

Une Allemande raconta ce que l'on ressentait

lorsqu'on se trouvait sous un déluge de bombes incendiaires. Son récit me mit mal à l'aise ; je préférai en rester là. Je cherchai la télécommande, en vain. Ainsi, je ne pus échapper au pire.

— *Le bitume de la route avait fondu, et je me souviens... qu'un petit enfant y était resté collé. Il était coincé là et appellait sa mère en pleurant...*

Je me penchai pour fouiller sous le canapé en tentant de ne pas écouter. Plus que quelques secondes, un bouton à presser, et il n'y aurait plus rien d'inquiétant, juste du vide, du sport ou quelque chose comme ça...

— *...alors sa mère est allée le chercher, mais elle aussi est restée collée.*

— Oh ! mon Dieu, fis-je en continuant de farfouiller sous le siège, presque frénétiquement.

— *... et les flammes les ont enveloppés tous les deux.*

J'eus un hoquet de dégoût. Enfin, mes doigts touchèrent une surface de plastique lisse. J'appuyai sur un bouton au hasard et tombai sur un jeu quelconque. Mais pas avant d'avoir été frappée par une image pire encore que tout ce qui l'avait précédée, celle d'un bébé arraché aux bras de sa mère par la tourmente embrasée et aspiré au cœur des flammes...

J'éteignis le poste et me rassis, le cœur au bord des lèvres. Le calme retomba sur le salon à peine éclairé par une petite lampe. J'inspirai profondément et m'aperçus que mes yeux me piquaient. J'éprouvais une compassion bien impuissante envers des gens qui étaient morts avant ma naissance.

Deux mères plongées dans l'horreur. N'avaient-elles pas chanté des berceuses à leurs enfants ? Ne leur avaient-elles pas promis l'infaillible protection de leur amour ?

Mon Dieu, comment as-tu pu laisser faire une chose pareille ?...

À la mort de Nick, je m'étais disputé avec Dieu, et dans les grandes largeurs. J'avais déjà perdu mon père et ma mère, mais cette nouvelle mort avait été la fin du monde – en apparence. Plus rien, que la pluie et les ténèbres, à jamais. Après tout ce que j'avais fait ; toute ma dévotion. Lorsque j'avais fini par entrevoir la lumière au bout du tunnel, ma foi n'était plus qu'un squelette.

Fini les salamalecs; maintenant, je l'appelais Dieu, tout court.

Parfois, contre toute attente, je me sentais encore plus près de lui. Mais peut-être n'était-ce qu'un vœu pieux.

Je passai dans la chambre de Cathy et me penchai sur son lit. Elle dormait et sa respiration était paisible. En me concentrant, je pouvais entendre la mélodie de la boîte à musique, comme un requiem pour mes espoirs déçus, mes rêves tombés en poussière.

Je ne voulais pas la réveiller, mais ne pus m'empêcher de caresser ses cheveux soyeux.

Écoute-moi, Dieu, pensai-je. *Écoute-moi. Si Tu m'enlèves ma petite fille, je ne Te parlerai plus jamais.*

J'étais sérieuse, mais ne me sentis pas mieux pour autant. Parce que les mots ne pouvaient rien changer. Oh, bien sûr, nous deux n'étions pas comme les autres; nous étions bénies, protégées. Comme chaque mère et chaque enfant depuis que le monde est monde.

Et pourtant, bien des innocents avaient souffert. Et souffraient encore.

Ce n'était pas fini.

Cette nuit-là, je fis un rêve, moi aussi. Contrairement à ce qu'on pourrait croire, je ne vis pas de cités en flammes. Je fuyais dans une forêt squelettique, glissant dans la neige sous un ciel sale, et quelque chose d'énorme haletait derrière moi.

C'est là que je m'éveillai en sursaut.

Durant les heures d'insomnie qui suivirent, une horrible pensée s'infiltra dans mon esprit pour s'y imposer. Au moment où elle prit forme, une onde froide me traversa.

Il m'était arrivé, autrefois, d'avoir des intuitions si fortes que j'en voyais le futur. Je rêvais des cauchemars à venir. C'était un talent inné, m'avait-on dit; depuis son émergence, j'avais tout fait pour le réprimer.

Et si Cathy en avait hérité?

Si son esprit assoupi avait capté des signaux dans le noir? Si son cauchemar était un avertissement?

Alors même que je refusais catégoriquement cette hypothèse, je me demandai ce que mon propre rêve pouvait bien signifier. Il avait laissé des traces sur ma peau –

et dans mes narines. L'odeur fétide d'une bête suante et soufflante lancée à ma poursuite... et un avant-goût des flammes qui m'attendaient.

La première fois que je le vis, ce ne fut que du coin de l'œil, en passant devant une porte ouverte : une silhouette immobile assise devant la fenêtre, éclairée par la lumière de l'après-midi. Je m'arrêtai net, soudain épouvantée : un instant, je crus que Mère-Grand avait décidé de ne plus se cantonner aux nuits.

Puis je réalisai qu'il s'agissait d'un homme penché en avant, les coudes posés sur ses genoux. Toute son attention se portait sur la personne allongée dans le lit.

M. Jackson. Une appellation bien formelle, mais nous ne nous étions jamais parlé, ne nous étions jamais vraiment rencontrés. Oh, je m'étais certes occupée de le nettoyer et d'arranger son lit, mais, depuis son arrivée, il n'était pas sorti de son coma.

Et jusque-là, il n'avait reçu aucune visite. Dans les notes, on ne mentionnait pas la moindre famille. Etonnée, je repris contenance et toussai poliment.

Le visiteur se tourna ; son profil pensif fit place à un visage allongé et sévère. Ses cheveux mi-longs étaient ramenés sur les tempes. Il devait avoir une trentaine d'années, plus ou moins, mais son expression attentive le faisait paraître plus jeune.

— Excusez-moi..., tentai-je. Vous êtes un parent ?

Il plissa les lèvres en une ombre de sourire et acquiesça.

— C'est mon père.

Une déclaration si simple que, un instant, je me sentis déstabilisée. M. Jackson vivait seul ; ça, au moins, nous avions pu l'établir avec certitude. Lorsqu'ils l'avaient transféré de l'hôpital général, le dossier précisait *épouse décédée* ; on ne lui connaissait aucun parent.

Le jeune homme dut sentir mon étonnement, et ma compassion. Il regarda le lit.

— Je viens juste de le découvrir dans cet état. Nous n'étions pas vraiment proches. Cela faisait... un bon bout de temps que je ne l'avais pas vu.

Mon Dieu, quelle culpabilité devait-il ressentir! J'allai vérifier le dossier du patient, non sans emphase.

— De quoi souffre-t-il? fit-il calmement.

— Tumeur maligne du cerveau.

J'hésitai, mue par une résistance instinctive, puis ajoutai d'un ton qui se voulait badin :

— Qui avez-vous vu à l'hôpital?

— Le Dr McKay. Il m'a dit que mon père avait été transféré ici. Pour y mourir, apparemment.

J'acquiesçai et me détendis un brin.

— Il est bien installé, c'est ce qui compte. Il n'en a plus pour longtemps.

Il continuait de fixer le visage flétri du patient. J'en profitai pour l'étudier. Il était maigre, presque émacié, et son jeans et sa chemise étaient trop grands pour lui. On aurait dit quelqu'un qui vient de sortir d'un hôpital psychiatrique : déraciné, désorienté. Je pouvais l'imaginais aisément vivant en marginal, dans une chambre humide et décrépie.

— Est-ce qu'il a demandé à me voir?

Quelle que fût son apparence, il avait toute sa raison; sa voix paisible n'en était que plus attirante.

— Pas à ma connaissance. Depuis qu'il est ici, il n'a pas émergé.

Je me tus un instant, puis ajoutai :

— Pardon, j'aurais dû me présenter... Infirmière Rachel Young.

Il se leva maladroitement – de nouveau, j'eus l'impression de quelqu'un dont l'esprit n'était pas tout à fait connecté à la réalité – et me serra la main. Sa poigne était sèche et ferme.

— Christopher Jackson.

De près, je vis que ses yeux avaient presque la couleur de l'ambre. Ils croisèrent les miens; son regard était profond et sincère. Son visage semblait très fragile, comme une plaie à peine guérie. Il faisait de son mieux pour garder une expression neutre, et je ressentis un pincement dans ma poitrine.

— Si vous voulez..., dis-je, plus tard, vous pourrez descendre dans mon bureau; comme ça, je vous expliquerai tout en détail.

Il hocha la tête.

— Je vous en serais très reconnaissant.

Sur ce, il se retira prudemment. Lorsque je jetai un ultime regard en arrière, je vis qu'il s'était rassis sur sa chaise pour reprendre sa veille solitaire.

— Je ne savais pas que M. Jackson avait un fils, dis-je à Diane en la rejoignant au guichet.

— Moi non plus. Peut-être qu'ils ne s'entendaient pas. Il est un peu bizarre, pas vrai ?

— Tu trouves ?

Pourtant, je voyais ce qu'elle voulait dire.

— Eh bien... lorsqu'il est arrivé, c'est moi qui l'ai reçu, et il est resté très calme et très poli... mais on dirait qu'il n'est pas sur la même longueur d'onde que nous, non ?

Je me souvins de ma première impression et ne pus qu'approuver. Son calme même avait quelque chose de sinistre. Quoique le pauvre diable dût simplement être sous le choc.

— Un peu de lecture ? dit Diane en me tendant le dernier *News of the World*.

C'était le genre de journal que je n'achetais pas, sinon pour m'amuser, mais je résistais rarement à l'exemplaire collectif du dortoir. Je pris un chocolat et dévorai une colonne de récriminations et ragots en tout genre. C'est alors que je m'aperçus d'une présence.

Je levai les yeux, étonnée, et vis que Christopher Jackson se tenait là, devant ma chaise.

Je posai instinctivement ma main sur ma bouche en avalant le toffee que je laissais fondre sur ma langue. Je ne devais pas vraiment avoir l'air très professionnelle... Je repliai le journal et me levai.

— Désolée. Venez avec moi.

Il me suivit avec un air légèrement amusé qui le rendait plus humain. Une fois dans mon bureau, je l'invitai à prendre un siège, m'assis moi-même derrière ma table et lui fis un compte rendu de l'état de son père.

Il enregistra le tout en hochant gravement la tête et ne posa pas de questions. Lorsque j'eus terminé, il se tourna vers la fenêtre, et ses yeux éclairés par la lumière du jour en devinrent translucides.

— L'essentiel, c'est qu'il ne souffre pas.

Il parut méditer sur ses propres mots durant une demi-minute, puis se tourna vers moi.

— Et je suis sincèrement content de voir qu'il est en de bonnes mains, madame.

J'eus un geste de modestie.

— Je vous en prie, appelez-moi Rachel.

Son expression se fit reconnaissante.

— Combien de temps va-t-il tenir ?

— C'est impossible de le dire avec précision. Quelques jours, pas plus.

Il baissa les yeux.

— Vous étiez... parti ? demandai-je.

Il avait l'air de se sentir coupable ; peut-être avait-il besoin de parler. Mais il releva les yeux et soutint mon regard.

— Bien trop loin, Rachel.

Je sentis qu'il valait mieux en rester là. Le silence s'instaura entre nous, me mettant sur les nerfs. Ce jour-là, mes conseils étaient restés lettre morte ; je n'arrivais pas à trouver les mots qui réconfortent.

— Vous avez une fille ? déclara-t-il soudain.

Un instant, je le dévisageai d'un air surpris, puis vis la photo de Cathy posée sur mon bureau. Lorsque je relevai les yeux, il arborait une fois de plus son sourire pincé.

— Elle est très jolie. Comment s'appelle-t-elle ?

— Catherine, dis-je – puis je me refermai comme une huître alors que ma fierté de mère faisait place à un instinct maternel plus circonspect. Je fixai ce jeune homme étrangement détaché de tout, aux vêtements froissés et au sourire énigmatique. Soudain, j'étais sur mes gardes.

Il sentit immédiatement mon appréhension.

— Excusez-moi, je ne voulais pas me mêler de ce qui ne me regarde pas. D'ailleurs... il est grand temps que je m'en aille.

Je n'aurais pu qualifier ce que je ressentis alors qu'il se relevait – mettons que je redoutais de l'avoir rabroué au moment où il avait vraiment besoin de quelqu'un.

— Écoutez, on n'est pas aux pièces. Si vous voulez parler, je suis là pour vous écouter...

Il sourit de nouveau, puis secoua la tête.

— Merci, mais maintenant, j'ai besoin de me retrouver seul. Est-ce que vous serez là demain?

J'acquiesçai.

— Alors je viendrai vous voir, Rachel. Merci pour tout ce que vous avez fait.

Je le raccompagnai jusqu'à la sortie, puis retournai dans mon bureau, plongée dans mes pensées. L'opinion de Diane était toujours valable : voilà un drôle de bonhomme. Mais néanmoins poli et d'une gravité que, bizarrement, je trouvais plutôt émouvante. Et sa réticence à exprimer ses émotions me plaisait bien.

Le lendemain, il était là, fidèle au poste. Il tint la main de son père pendant une heure, voire plus, sans obtenir la moindre réponse. Mais nous avons eu l'occasion de discuter.

D'après ce que j'ai pu comprendre, il s'était installé chez son père et faisait le trajet jusqu'à l'hôpital en bus. Apparemment, il était sans emploi. Je l'encourageai à parler de lui et obtins quelques détails parcimonieux; puis, peu à peu, il sortit de sa coquille.

— Mon père était tueur aux abattoirs, vous savez? dit-il à un moment donné, comme si cette idée contenait une forme d'ironie amère. Les fermiers l'embauchaient pour qu'il abatte leur bétail. En plein air : un coup, un seul, vite et bien. Mais lui n'a pas cette chance...

De toute évidence, je n'en saurais pas plus. Mais ce jour-là, il me parut plus à l'aise, moins gauche. Donc, je pouvais me vanter d'avoir réussi.

Une fois chez moi, je me blottis sur le canapé avec un livre, mais ne pus qu'analyser ce que j'avais ressenti dans l'après-midi. Des sensations faibles et fugaces mélangées au train-train d'une journée de travail; j'avais été vraiment, sincèrement, contente de le revoir. Et je n'avais pas eu envie de le laisser partir.

Je relus le même paragraphe de mon livre. Puis recommençai. Les mots refusaient de s'imprimer.

Est-ce qu'il était attirant? Oui, à sa façon. Son visage hanté avait quelque chose de fascinant. Et ses yeux d'enfant trop mûr... Aucun doute, il était attirant.

Est-ce qu'il me plaisait?

Je reposai ma tête contre le dossier et y réfléchis sérieusement. La réponse était encore un oui, même si je rechignais à l'admettre.

Depuis la mort de Nick, je n'étais pas restée indéfiniment chaste, en pensées du moins. J'étais sûre de ne jamais plus pouvoir aimer (à part Cathy), mais parfois, mon corps se rappelait à mon bon souvenir, comme s'il se dissociait de mon esprit. Tout d'abord, cela m'avait étonnée, voire choquée; mais c'était tout naturel. Physiquement, j'étais en pleine santé. Seule mon âme était meurtrie.

Ainsi, j'avais le béguin pour M. Christopher Jackson? J'expirai lentement et pensai au sexe.

— *Oh, ça..., murmura Nick d'un air pensif. Oui, je crois que je m'en souviens*

— *Va te faire voir, fis-je gaiement en lui frappant l'épaule. J'étais crevée hier soir, tu le sais bien...*

Un souvenir si limpide qu'il était presque une vision; je fermai les yeux et me laissai emporter. Nous étions sur un canapé comme celui-ci; Nick allongé de tout son long, moi blottie contre lui tel un chaton jouant avec son col, ses cheveux...

— *Tu sais, Raitch..., fit-il, rêveur. Les premières fois que nous sommes sortis ensemble, je te croyais plutôt coincée...*

— *Tu n'avais encore rien vu.*

— *Mmmmm. Maintenant, je sais ce qu'il en est...*

Je lui mordillai l'oreille, puis il tourna la tête.

— *Pourtant, ta mère me prend pour une traînée, n'est-ce pas?*

Il haussa les épaules.

— *Elle joue les mères poules, c'est tout. Elle a toujours été comme ça. Laisse lui un peu de temps...*

Je souris et pris son menton entre mes mains.

— *Mais toi, mon garçon, tu n'as pas l'éternité devant toi...*

Je me léchai les lèvres et me penchai...

— *Maman...*

On tirait sur ma manche. J'ouvris les yeux. Cathy se tenait devant moi, la mine grave.

— Pourquoi tu pleures, maman ?

Je reniflai et m'essuyai les yeux du dos de la main.

— Ne t'en fais pas, chérie. Maman est fatiguée... c'est tout.

Je reniflai encore, puis me forçai à sourire.

— Allez, viens te coucher.

Le lendemain, lorsque j'arrivai au travail, je constatai qu'un autre patient occupait le lit de M. Jackson. Le pêle-mêle, hier vide, était inondé de cartes multicolores comme si un essaim de papillons y avait élu domicile. Il y avait des fleurs fraîchement coupées sur l'appui de la fenêtre. Ç'aurait pu être une autre chambre.

Craignant le pire, je passai au guichet, où Nicola confirma mes craintes. M. Jackson nous avait quittés l'après-midi précédent. Ils avaient tenté de contacter son fils, en vain : celui-ci était arrivé une heure trop tard.

Je réprimai une grimace.

— Comment a-t-il pris la nouvelle ?

Elle haussa les épaules.

— Eh bien... il avait l'air plutôt secoué, mais il a gardé son sang-froid. Il est resté très calme, comme toujours. Il nous a remerciés, a dit qu'il prendrait les arrangements nécessaires. Et c'est tout.

Je me demandai si je le reverrais un jour. J'avais enfin identifié ma première impression : la mort de M. Jackson m'avait choquée. Je ne ressentais pas une émotion aussi forte pour chaque patient qui nous glissait entre les doigts.

Je ne le connaissais pourtant que depuis quarante-huit heures. Mon sentiment n'avait pas eu le temps de mûrir, et avec les multiples tâches précédant Noël, je l'oublierais bien vite.

Cet après-midi-là, j'attendais Cathy dans ma voiture et regardais les fenêtres illuminées de la maternelle, couvertes de décorations. Derrière elles, on distinguait les silhouettes des enfants qui s'agitaient, rapides et insaisissables comme des elfes.

J'étais un peu en avance, mais même si d'autres mères étaient dans mon cas, personne n'avait quitté sa voiture. Le vent était glacé et charriait des flocons de neige vaporeuse comme des pellicules. Ce n'était pas un bon présage. Je me demandai si Cathy verrait exaucer son dernier souhait en date et connaîtrait un authentique Noël blanc.

C'était sa dernière heure de classe avant les vacances, et, durant les deux semaines à venir, il faudrait que je m'occupe davantage de ma fille. La gardienne allait partir et Alice, ma baby-sitter habituelle, serait accaparée par ses amis et sa famille – comme il se doit lorsqu'on a dix-sept ans. À cette idée, mon estomac se crispa ; lui en voulais-je vraiment d'être jeune ? Ce n'était qu'une pensée fugitive, mais je me sentis égoïste et, pire encore, *vieille*.

Derrière les fenêtres, les silhouettes élancées continuaient leur farandole.

Je m'étirai entre le siège arrière et le volant... et entrevis quelque chose dans le rétro. Un groupe d'hommes aux têtes coupées comme sur une mauvaise photo. Ils avaient l'air de se disputer : leurs gestes étaient brusques et agressifs. Puis l'un d'entre eux tomba à terre ; le cercle se referma autour de lui. Les coups de pied se mirent à pleuvoir.

Je me retournai pour mieux voir. Ils étaient cinq, de grands gaillards d'une trentaine d'années, aux épaules de dockers, engoncés dans leurs anoraks. Ils étaient trop vieux pour se bagarrer dans les rues – ce qui ne semblait pas les tracasser outre mesure.

Je me mordis la lèvre. La rue était déserte ; personne n'était susceptible d'intervenir ou de chercher de l'aide. Une bonne excuse pour ne pas bouger. *Note bien tous les détails pour les répéter à la police.* C'est ce que je me dis, en vain. Il fallait que je fasse quelque chose ; c'était un besoin presque physique. J'avalai ma salive, ouvris la portière et descendis avant d'avoir eu le temps de comprendre que je faisais une bêtise.

— Hé !

Ma voix les surprit. Je faillis poser une main sur ma bouche : j'avais crié plus fort que je ne l'aurais voulu. Toutes les têtes se tournèrent vers moi ; je restai immobile, incapable de dire quoi que ce soit. Puis je fronçai les sourcils et m'avançai.

— Cassez-vous ! fis-je avec toute l'autorité que je pus invoquer.

L'homme qui se tenait le plus près de moi arborait un début de calvitie et une moustache en guidon de vélo. Il me jeta un regard plein de suffisance.

— Te mêle pas de ça, poupée... laisse-nous, d'accord ?

Son ton condescendant raviva ma volonté défaillante et me fis bouillir intérieurement. Ma maman avait tout fait pour me donner une bonne éducation, mais des années d'hôpital m'avaient endurcie, depuis.

— Ne me parle pas sur ce ton, fiston.

Il cligna des yeux, mais ne se laissa pas démonter pour autant.

— Allons, fais pas ta bêcheuse. Cela ne te regarde pas.

Je me rapprochai de lui.

— Dans quelques instants, des enfants vont sortir par cette porte. Plein d'enfants.

— Dont les tiens ? demanda un barbu.

Je me tournai pour le regarder.

— Qu'est-ce que ça change ?

— Tu devrais nous remercier. Nous avons coincé ce pervers qui traînait dans le coin...

Il décocha un coup de pied au pauvre type allongé sur le sol.

— Je suis sûr qu'il voulait kidnapper un de ces gamins, le salaud...

Je regardai entre la forêt de jambes. Leur victime était repliée en position fœtale ; il ne portait même pas de manteau sur son gilet élimé. Ses cheveux mi-longs traînaient dans la poussière. Soudain, avant même qu'il ne lève les yeux, je reconnus Christopher Jackson.

Un des hommes du cercle levait sa botte...

— Stop...

— ...branleur...

— Écoutez, fichez-lui la paix, balbutiai-je.

Je me frayai un chemin pour aller m'accroupir près de lui. Les cinq agresseurs nous dominèrent de toute leur taille. Je levai les yeux.

— Allez-vous-en.

L'homme à la barbe eut un rictus de mépris.

— On t'emmerde, sale conne...

L'égalité était une grande et belle chose, mais j'avais horreur de me faire injurier. Ce n'était pas tant les mots qui me dérangeaient que la colère qui les alimentait. Je dus grincer des dents pour retenir mes larmes.

Mais la masse de corps se fit moins oppressante. Ils se retiraient pour nous laisser un peu d'espace.

— Sale gauchiste de merde...

Ce fut à mon tour de rétorquer :

— Et toi, tu ferais mieux de te barrer, parce que je vais appeler la police. Pigé ?

Je conçus une certaine satisfaction à lui renvoyer sa propre bile, mais il se contenta de me toiser d'un regard méprisant avant de tourner les talons.

Christopher essuyait sa bouche ensanglantée sans quitter des yeux le groupe en cours de dispersion. Son calme finissait par devenir excessif. J'hésitai avant d'ouvrir la bouche, craignant de le déranger. Dieu sait ce qui pouvait reposer sous ces eaux profondes et paisibles. Un instant, alors qu'ils suivaient le chef barbu, ses yeux prirent un éclat glacial. Un indice de ce qui se passait en lui ?

Puis il cracha dans le ruisseau et se tourna vers moi. Ses yeux redevinrent clairs et vulnérables.

— Rachel... aïe.

Il se frotta la mâchoire et tenta de sourire.

— Merci. Merci de tout cœur.

Le cœur battant, je l'aidai à se relever tout en évaluant la gravité de ses blessures ; cela faisait des années que je n'avais pas été confrontée à pareille situation. J'épongeai le sang qui maculait sa bouche avec mon mouchoir.

— Que s'est-il passé ?

— Je ne sais pas trop, répondit-il lentement. J'ai marché au hasard... pour me convaincre de sa mort, je présume. Ces... gens m'ont soudain pris en grippe. Le barbu a décidé que, vu mon apparence, je devais être un pervers – selon son expression. Et ils ont décidé de m'empêcher de nuire.

Son ton imperturbable rendait encore plus flagrante l'injustice dont il était victime.

En tout cas, à première vue, il n'avait rien de cassé. Je finis de teindre mon mouchoir en rouge et le regardai sans enthousiasme. La professionnelle en moi me soufflait que j'aurais dû mettre des gants. *Il a peut-être pris des drogues, qui sait?*...

— Alors ce bâtiment est une école, c'est ça? demanda-t-il.

Je regardai par-dessus mon épaule. Les portes ne s'étaient toujours pas ouvertes.

— Oui.

— Celle de votre fille?

— Oui.

Je le regardai sans masquer mon souci.

— Vous devriez vous couvrir, vous savez. Par un temps pareil... Venez donc vous asseoir dans ma voiture.

Il eut un faible sourire et fit non de la tête.

— Ne vous inquiétez pas... Je préfère... rester seul.

— Vous savez, parler peut parfois faire beaucoup de bien. Et je suis là pour vous écouter.

Son sourire s'agrandit, mais sans qu'il s'engage d'une façon ou d'une autre.

D'autres voitures arrivaient peu à peu; des portières claquaient. J'entendis babiller des voix enfantines.

— Écoutez... laissez-moi au moins vous déposer quelque part.

— Merci, mais il vaut mieux que je marche encore un peu.

Je regardai pour voir si Cathy était déjà sortie, puis me retournai vers lui; il me déplaisait de le laisser ainsi, surtout par un après-midi si gris. Bien que son visage fût toujours dépourvu de toute expression, il s'était recroquevillé sous l'effet du froid.

— Je m'en sortirai, Rachel. Ne vous en faites pas.

J'humectai mes lèvres sèches.

— Et... est-ce que je vous reverrai, ou... excusez-moi, vous n'avez aucune raison de retourner à Sainte-Catherine, n'est-ce pas?...

Bravo. Tu as tout gâché.

Il haussa les épaules.

— Il se peut que je vienne vous remercier comme il convient... une fois que j'aurai remis mes idées en place.

— Je l'espère. Faites attention à ne pas prendre froid.

Je fis un pas en arrière et agitai la main.

— Au revoir.

Je me dirigeai vers le groupe de parents. Une chaleur malsaine, comme l'intérieur d'une botte de paille, baignait mon estomac. Peut-être était-ce le contrecoup de la confrontation. Mais je n'en étais pas sûre.

Cathy ne tarda pas à apparaître, pleine de vitalité. Du coup, je réfléchis à ce qui s'était passé. À l'idée d'avoir juré comme un charretier en pleine rue, à proximité de tous ces enfants, je ressentis une pointe de culpabilité. Et, avec le recul, je comprenais aussi que j'avais bien failli me faire tabasser.

En guidant Cathy vers la voiture, je cherchai de nouveau Christopher des yeux ; mais il était déjà loin. Une silhouette frêle et solitaire qui disparaissait dans la grisaille du jour.

— Alors, comment va le petit monstre ? demanda Steve.

Je ne pus m'empêcher de sourire en tenant le combiné.

— Je ne vois pas de qui vous voulez parler.

— Le nom de *Dulux emulsion* vous dit quelque chose ?

— Hem... bon, d'accord. Elle va bien. Elle dort, Dieu merci.

Steve m'aidait à refaire la décoration, du moins lorsque son emploi à plein temps le lui permettait. Le premier jour, il avait eu la mauvaise idée de laisser ses pots de peinture sans surveillance. Cathy les avait découverts et s'était livrée à quelques improvisations de son cru, laissant derrière elle un sillage multicolore aux étranges contours qui nous permit de remonter sa piste jusqu'à la porte de la salle de bains. Ce n'est qu'au bout de tractations tournant parfois à la corruption pure et simple qu'elle consentit à sortir ; après quoi je lui passai un bon savon. Steve eut bien du mal à goûter tout l'humour de cet épisode.

— Vous êtes sûr que ça ira pour dimanche ? lui demandai-je une fois de plus en faisant les cent pas dans la cuisine.

Ce soir-là, je l'avais appelé dans le seul but de m'en assurer. Il faisait du bon travail : pièce après pièce, le vieux papier peint décrépit laissait la place à des murs d'une blancheur immaculée. Je ne me serais jamais permis de profiter de sa bonté : il me faisait déjà un prix d'ami. Nous nous étions croisés à l'hospice, où je m'occupais de sa mère. L'idée qu'il pût croire qu'il avait une dette envers moi alors que je ne faisais que mon métier me dérangeait.

— Non, non, fit-il joyeusement. Pas de problèmes.

Je pouvais facilement imaginer son sourire. C'était un beau gaillard d'environ vingt-cinq ans, marié. Et heureux de l'être, je présume. Sinon... eh bien, qui sait ?

— Vous n'avez qu'à passer après le déjeuner. Steve... je vous remercie. De tout cœur.

Je coupai la communication, retournai dans le salon et m'installai dans le canapé, posant le combiné du sans-fil sur le fauteuil le plus proche. Mon esprit pratique me souffla que je risquais de m'asseoir dessus si j'oubliais de le reprendre, mais, à ce moment précis, je me sentis trop épuisée pour m'en inquiéter. Je ramenai mes jambes sous moi et allumai la télévision.

C'est alors que Cathy poussa un gémissement sonore. *Oh, non. Quoi encore ?* Je me relevai et traversai la pièce au pas de course. Cette fois-ci, elle n'était pas assise sur son lit, mais se cachait sous les couvertures. L'expression somnolente des lapins en peluche qui jonchaient le plaid contrastait avec son air épouvanté.

— *Maman*...

— Chut, répondis-je en la serrant contre moi. Maman est là. Tu as fait un mauvais rêve, chérie, c'est tout...

Son corps était brûlant et elle frissonnait de tous ses membres.

— Le Croque-mitaine était là, m'man... il me regardait par la fenêtre.

— Non, il n'était pas là. Ne t'en...

— Il était *là*.

Elle prononça cette syllabe avec une véhémence telle que j'eus une hésitation. Je me souvins de la description qu'elle m'avait faite de la sinistre créature qui hantait ses rêves. Malgré moi, je tournai la tête vers la fenêtre.

Les rideaux étaient à peine entrouverts, mais au-delà, il n'y avait que la pénombre.

La nuit était tombée pour de bon.

Cathy, toujours blottie contre mon épaule, suivit mon regard.

— Il me regardait, maman, gémit-elle.

Et s'il y avait bel et bien eu quelqu'un à la fenêtre ?

À cette idée, un poing de glace se referma sur mon estomac. Qui osait faire peur à ma petite fille ? pensai-je avec colère. Mais... nous étions seules toutes les deux, dans la nuit... je sentis la morsure de la peur.

Je reposai doucement la tête de Cathy contre les oreillers et me redressai sans quitter des yeux la vitre qui ne me renvoyait que ma propre image sur un fond opaque. Elle s'empara de la manche de mon gilet.

— Non, maman, ne t'approche pas de lui...

— Chhhut. Tout va bien. Nous ne risquons rien...

Mais alors que je traversais la pièce, les battements de mon cœur affolé démentaient mes propos. Je me penchai et scrutai les ténèbres.

Le champ et les arbres formaient une seule et unique masse d'ombres ; les ultimes feux du couchant n'étaient plus qu'un vague reflet. Tout était immobile. Mais s'il y avait quelqu'un là dehors... même loin dans les champs... il me verrait, encadrée dans ce frêle rectangle de lumière. Je fis un pas en arrière et tirai les rideaux.

— Non, il n'y a personne.

Je tournai le dos à la fenêtre et allai me tenir à côté du lit. La pauvre Cathy croisait les bras comme si elle avait mal au ventre et ses lèvres tremblaient. Je m'assis près de ma fille et arborai mon plus brillant sourire.

— Rendors-toi maintenant. Allez ! Le marchand de sable est passé.

Les larmes jaillirent de nouveau et, cette fois-ci, mes câlins ne suffirent pas à les étancher. Mes chuchotements rassurants n'eurent aucun effet : elle frotta ses joues humides contre mes seins. Finalement, à bout de cajoleries, je tentai une autre approche :

— Et si tu venais regarder la télévision avec moi pour chasser ces mauvaises pensées ?

Elle renifla et fit oui de la tête, je la pris dans mes bras et l'installai confortablement sur le canapé. Elle ne tarda pas à me renvoyer chercher son panda ; alors que j'éteignais la lumière et me préparais à quitter la pièce une seconde fois, mon regard dériva vers la fenêtre.

Le dernier hoquet du jour grisâtre s'infiltrait à travers les rideaux. J'eus envie d'aller les tirer pour affronter le crépuscule. Peut-être verrais-je ce qui, jusque-là, se terrait dans l'ombre. Probablement les créatures timides et inoffensives qui peuplaient la campagne. Mais je n'eus pas le courage de m'en assurer.

L'écran de télévision allumé sécha les larmes de Cathy aussi sûrement que le soleil inondant un trottoir mouillé. Le sujet du talk-show présenté lui passait certainement par-dessus la tête, mais elle suivit néanmoins l'émission avec un air de concentration intense. Blottie contre moi dans la clarté cathodique, elle ne tarda pas à s'endormir.

Je caressai machinalement ses cheveux et me demandai si j'arriverais à la ramener dans sa chambre sans la réveiller. C'est qu'elle commençait à se faire lourde, malgré tout. Mais même si elle ouvrait les yeux, elle se rendormirait certainement en un rien de temps, rattrapant le sommeil en retard avec l'insouciance de la jeunesse.

J'entendis une voiture qui rétrogradait : quelqu'un abordait le croisement devant la maison. Des phares balayèrent brièvement la pièce, projetant d'immenses ombres sur le mur en un effet de kaléidoscope. Je l'écoutai accélérer et s'en aller. Après le départ de cet inconnu motorisé, notre rue tranquille me parut plus silencieuse encore.

Le talk-show laissa la place aux bandes-annonces des programmes à venir ; bientôt l'heure des infos. Autant en profiter pour coucher Cathy. Alors que je me dégageais doucement, j'entendis approcher une autre voiture.

De nouveau, les phares éclairèrent le mur ; mais cette fois-ci, ils dessinèrent une ombre humaine – monstrueuse, brouillée et déchiquetée, qui nous dominait de toute sa taille, son *immense* taille – avant que nous replongions peu à peu dans l'obscurité.

J'eus un geste de recul et posai ma main sur ma bouche pour étouffer un cri. Puis la voiture s'en alla et la nuit retomba sur la pièce. Sur l'écran, deux personnes indifférentes continuaient leur discussion.

Il y avait quelqu'un à la fenêtre.

Je me rencognai derrière le dossier du canapé en serrant Cathy contre moi, Dieu merci, elle ne s'était pas réveillée. J'écoutai, la nuque hérissée, les nerfs à vif.

Pas un mouvement, pas un geste.

Le Croque-mitaine était là, maman.

Mue par une soudaine explosion d'adrénaline, je m'emparai du combiné... mais qui pouvais-je bien appeler ? Mon esprit paralysé par la terreur était vide. Impossible de me souvenir d'un seul numéro.

Puis j'eus une inspiration et appuyai sur la touche bis. Les cliquetements de la ligne me semblèrent plus sonores que le bourdonnement de la télé. À l'autre bout du fil, le téléphone sonna encore et encore ; puis il y eut un déclic.

— Allô ? fit la voix de Steve

— Steve..., coassai-je.

Il me reconnut immédiatement et sentit ma détresse.

— Rachel ? Qu'y a-t-il ?

— Est-ce que... vous pourriez venir, s'il vous plaît ? Vite, très vite...

Je dus faire de mon mieux pour rester intelligible.

— Que se passe-t-il ?

— Il y a... un rôdeur là-dehors.

— Merde. Tenez bon, j'arrive.

Il n'habitait qu'à cinq minutes de là en voiture : il ne tarderait pas. Soudain, un frisson me glaça.

— Steve..., bafouillai-je avant qu'il ait pu raccrocher.

— Oui ?

— Soyez prudent.

— Je serai là dans une minute, fit-il fermement, et il raccrocha.

Je me demandai, mais trop tard, si je n'aurais pas mieux fait d'appeler la police. Quoique, s'il ne s'agissait que d'un voyeur ordinaire, c'eût été une perte de temps.

Oui, mais si c'était bien plus grave...

Oh, Steve, pensai-je. *Dans quoi vous ai-je entraîné ?*

Cathy, impassible, ronflait paisiblement à mes côtés. Je posai ma main sur son front, craignant que les battements frénétiques de mon cœur ne la réveillent. Elle devait certainement les entendre. Tout comme celui qui se tenait là-dehors.

L'ignorance était certes une bénédiction pour Cathy,

mais pas pour moi, qui me rongeais les sangs. Était-il toujours là, à nous épier – où cherchait-il un moyen d'entrer ? Je n'osai pas lever la tête par-dessus le dossier pour m'en assurer.

Le temps passa au ralenti. L'écran du téléviseur semblait appartenir à un autre univers indifférent à mon malheur. Je me recroquevillai dans sa clarté spasmodique, un bras passé autour de Cathy, guettant le moindre bruit, le grincement d'une porte ou d'une fenêtre...

Enfin, j'entendis une autre voiture qui s'approchait à vive allure. Pourvu que ce fût Steve ! Les phares parcoururent la pièce. Rien, si ce n'est l'ombre des buissons.

Je manquais défaillir de soulagement alors même que l'auto s'arrêtait dans un grincement de freins. Le claquement de la portière, le bruit de ses pas furent la plus douce des mélodies. Je me dirigeais déjà vers la porte sur des jambes en coton lorsqu'il sonna.

— Ça va ? fit-il à peine lui eus-je ouvert.

Je lui répondis affirmativement d'un bref hochement de tête.

— Je crois qu'il est parti. Vous lui avez sans doute fait peur. Entrez donc...

Il voulut faire le tour de la maison et m'emprunta ma lampe-torche pour ne pas louper un recoin d'ombre. J'allai coucher Cathy, qui chuchota quelque chose lorsque je la mis au lit, puis se tut.

Steve me rejoignit en tapotant la torche contre sa paume d'un air pensif.

— Rien ni personne. Vous voulez qu'on le signale à la police ?

— Oh, cela n'en vaut pas la peine. Peut-être, si cela se reproduit...

Mais j'essayais déjà de me convaincre que ce n'était qu'un voyeur qui s'était enfui pour ne plus jamais revenir.

— Eh bien, en ce cas...

Je lui proposai un café ou un verre, et il refusa poliment. Je l'accompagnai jusqu'à la porte.

— Merci d'être venu si vite.

— Ce n'est rien. Si cela se reproduit, n'hésitez pas à m'appeler. Sinon, à dimanche.

Je souriais encore lorsque la porte se referma. Il existait donc encore des gens capable de solidarité – et pas uniquement pour des raisons égoïstes. Cette idée me réchauffa le cœur.

J'allai m'assurer que toutes les fenêtres étaient bien fermées, puis passai à la cuisine pour verrouiller la porte de derrière. Ce faisant, j'entrevis un mouvement dans la nuit.

Une sueur froide inonda mon échine. Je restai là, à regarder de tous mes yeux – et vis de nouveau une silhouette indistincte qui se déplaçait dans les ténèbres.

Il y avait quelqu'un dans le champ.

Un instant, je restai pétrifiée sur place ; puis un spasme de colère me galvanisa. L'image de Cathy et de son expression terrifiée envahit mon esprit ; je tirai le loquet et ouvris la porte.

— Casse-toi, connard ! Fiche-nous la paix !

Mes mots se dispersèrent sur la surface indistincte du champ en un vague déplacement d'air glacé. Je frissonnai et tentai de me réchauffer de mes bras ; mon courage se dissipa en même temps que le froid me mordait le visage.

Je perçus alors un mouvement, plus éloigné que je ne l'aurais cru de prime abord : trente bons mètres environ. Je plissai les yeux pour mieux voir. Puis, sans raison valable, une autre éventualité se présenta à moi, si envahissante que je posai une main sur ma bouche.

— Christopher ?... chuchotai-je presque.

Là, dans la nuit, s'alluma une lueur jaune ; j'entendis le raclement d'une allumette. Celle-ci brilla un instant comme une luciole – puis s'abattit soudain et s'éteignit.

Mon sang-froid suivit le même chemin : descendu en flammes. Je battis en retraite à l'intérieur, fermai et verrouillai la porte, puis me retirai dans un recoin de la cuisine. Alors que je scrutais la fenêtre en écoutant battre mon cœur, je perçus un autre bruit.

Tout d'abord, je crus qu'il provenait du dehors avant de réaliser que son origine était bien là, quelque part dans la maison. C'était un bourdonnement étouffé évoquant celui d'un insecte captif. Finalement, je m'arrachai à ma contemplation et cherchai ce qui pouvait causer un tel son.

Je commençai un long et énervant processus d'élimination, non sans allumer la lumière à chaque étape. Enfin, je remontai jusqu'au débarras.

Je posai la main sur la poignée de la porte, mais hésitai un long moment. Derrière le panneau, le bourdonnement parut s'intensifier. J'inspirai profondément, puis entrai et cherchai l'interrupteur. La clarté de l'ampoule nue effaça les ombres, mais rendit la pièce en désordre encore plus déprimante, avec son atmosphère rance.

Le bruit provenait de la vieille commode.

Je me mordillai la lèvre; puis me décidai et traversai la pièce. Je tirai le tiroir du bas, farfouillai au milieu des vêtements et des boules de naphtaline – et en sortis le compas d'argent. Celui-ci cliquetait comme un serpent à sonnette; tout son corps vibrait. Alors que je le prenais dans ma main, le couvercle s'ouvrit d'un coup. J'eus un hoquet de surprise en voyant son cadran noir et son aiguille à cinq pointes qui tournait, tournait si vite qu'elle en devenait presque invisible.

CHAPITRE III

GESTATION

— Si vous attendez de moi que je dispense des perles de sagesse sur mon lit de mort, vous perdez votre temps, murmura Simon, la tête sur l'oreiller.

J'eus un pâle sourire qu'il n'eut pas la force de me rendre ; il se contenta de froncer les sourcils. Maintenant que la douleur s'était emparée de lui et le dévorait à petit feu, nous avions augmenté ses doses de morphine. Mais avant de s'endormir pour toujours, il avait encore des choses à dire.

Je m'étais installée à son chevet pour l'écouter. La lumière tamisée de la lampe nous rapprochait dans une pénombre chaleureuse et adoucissait les rides de son visage desséché avant l'heure.

— Vous êtes encore de service à une heure pareille ? demanda-t-il après un silence.

— Vos parents ont dit qu'ils arrivaient le plus vite possible. Si ça ne vous gêne pas, je vais les attendre.

— Ne vous... souciez pas...

— Chut. Ce soir, vous ne resterez pas seul. Pas une seule minute.

J'avais pris sa main au début de la conversation et frottai doucement mon pouce contre ses phalanges.

Ses yeux papillonnèrent, puis se fermèrent. Le silence retomba, à peine rompu par le bruit de sa respiration.

Et moi, qui me tiendrait la main lorsque ma dernière heure viendrait ?

À cette idée, je pinçai les lèvres. En l'écoutant, j'avais oublié ce qui me travaillait ; mais maintenant que la pression retombait, le ver niché dans mon estomac s'était réveillé pour m'infliger sa morsure.

La veille au soir, le compas pris de folie m'avait épouvanté ; je l'avais rejeté, choquée comme si j'avais touché quelque chose de vivant. Je ne l'avais pas vu retomber ; j'étais restée là, blottie dans mon coin, à l'écouter bourdonner comme une guêpe furieuse. Mais le bruit avait peu à peu diminué jusqu'à ce que, finalement, la chape de silence retombe sur la maison. Alors seulement, je m'étais redressée et avais quitté la pièce, refermant la porte derrière moi.

Cette nuit-là, Cathy avait dormi dans mon lit : je l'avais couchée à côté de moi. Bien sûr, elle ne s'était pas réveillée un seul instant.

C'était moi qui n'avais pas fermé l'œil.

À la lumière brumeuse du matin filtrant par la fenêtre de la cuisine, le champ était bien vide. Aucune trace de mon rôdeur ; pas même un lapin en maraude.

Et cette allumette ? Je ne l'avais pourtant pas imaginée, non ? Je pouvais toujours partir à la recherche du bout de bois brûlé, mais c'était inutile : j'étais sûre de mon fait. Et celui qui s'était trouvé là, dans le noir, avait réactivé le compas. Pire : il l'avait affolé.

Qui qu'il fût ; *quoi* qu'il fût.

— Rachel... ça va ?

Je clignai des yeux et revins au présent. Simon n'avait pas bougé, mais une expression soucieuse assombrissait son visage.

— Comment ça ? fis-je d'un ton léger en resserrant ma prise sur sa main inerte.

— Vous aviez l'air tout drôle...

— Oh, ce n'est rien.

Mon sourire était empreint de culpabilité. Je ne voulais pas gâcher ses dernières minutes.

— Papa et maman sont arrivés ?

— Pas encore.

— Oh... je ne tiendrai pas longtemps...

— Ne luttez pas, Simon. Laissez-vous glisser...

— Pas avant de leur avoir dit au revoir.

J'acquiesçai – et me demandai s'il aurait vraiment cette chance.

Merci. Je vous aime...

— Vous avez beaucoup de courage, Simon, lui dis-je doucement. Je suis heureuse d'avoir pu vous rencontrer.

Sa bouche s'étira en une ombre de sourire.

— Moi de même. Vous êtes vraiment quelqu'un, Rachel Young.

Il perdit conscience peu de temps après et mourut sept minutes avant l'arrivée de ses parents.

Lorsque je rentrai chez moi, j'avais le moral à zéro. Certes, il avait eu une belle mort, paisible et indolore, mais ce manque de synchronisation avait tout gâché. J'avais fait passer ses parents derrière les rideaux pour qu'ils puissent voir et toucher son visage serein. Ils prononcèrent des adieux éplorés et sincères. Mais ce n'était pas la même chose.

Alors que je me tenais derrière eux, j'avais pu ressentir leur déception. *Mon Dieu, tu n'aurais pas pu attendre encore quelques petites minutes ?*

Mais la Mort était-elle douée de raison ? Lorsque votre dernière heure est venue, elle vient vous chercher, point final. Et lorsqu'on a fini de s'occuper d'un patient, il reste toujours sa famille. Je leur tins compagnie le plus longtemps possible en m'efforçant de ne pas penser à cette pauvre Alice, qui devait commencer à s'inquiéter.

Lorsque je la rejoignis, je me confondis en excuses. Ce n'était pas grave, prétendit-elle ; pourtant, elle ne tenait plus en place.

— Pourriez-vous m'appeler demain ? lui demandai-je alors qu'elle enfilait son manteau. Que je sache si vous êtes libre pour Noël...

— Je crains de ne pas avoir beaucoup de temps, répondit-elle d'un ton désolé. J'ai mes partiels en janvier et dois réviser...

— Bien sûr, ce n'est pas grave. Je préfère le savoir maintenant pour pouvoir m'arranger...

J'eus une hésitation.

— Tout s'est bien passé ce soir ?

Lorsque je l'avais appelée le matin, je lui avais raconté l'incident du voyeur et avais donné mes instructions :

« Mieux vaut vérifier que les rideaux sont tirés avant d'allumer la lumière, au cas où », lui dis-je en faisant de mon mieux pour ne pas sembler autoritaire.

Dans la journée, je n'avais cessé de penser à Cathy. C'était un bel après-midi d'automne, un rien venteux, et Jan l'avait emmenée au parc; mais une fois la nuit tombée, lorsqu'elles seraient seules dans notre maison, Dieu sait ce qui pouvait arriver ! Si je n'avais pas dû m'occuper de Simon, je me serais rongé les sangs toute la soirée.

Était-ce vraiment Chris Jackson qui s'était tenu là, dans le froid, trop bourrelé de honte pour s'identifier ? D'une certaine façon, je l'espérais : quelles que fussent ses motivations, il ne constituait pas une menace. Mais je n'y croyais guère. Comment aurait-il su où nous habitions ?

— Pas de problème, dit Alice. Je l'ai laissée s'amuser : elle refusait d'aller se coucher avant votre arrivée. Mais finalement, j'ai réussi à la convaincre.

— Merci, fis-je en luttant pour garder contenance.

Ce n'était pas la première fois que je me reprochais de ne pas être là pour Cathy. Après les frayeurs de la nuit précédente, elle avait dû s'inquiéter de ne pas me voir rentrer.

Je n'en ai pas pour longtemps, chérie, lui avais-je promis.

Peut-être était-elle restée devant la fenêtre en attendant de voir arriver ma voiture, en vain.

Après le départ d'Alice, j'allai la voir, mais elle dormait à poings fermés. Était-ce mon imagination ou étreignait-elle son panda plus fort que d'habitude ? D'un pas lugubre, j'allai préparer mon dîner solitaire.

Je laissai mon assiette sale dans l'évier et m'installai devant la télévision – non sans m'assurer au préalable que les rideaux étaient bien tirés. Ces jours-ci, je n'avais pas le courage de regarder quoi que ce soit de plus exigeant que des feuilletons sentimentaux. La radio ne m'intéressait plus; mes disques préférés ne me touchaient plus. Le livre que je lisais en ce moment gisait là où je l'avais abandonné ce week-end-là.

Une fois la lumière éteinte, j'espérais que la clarté de l'écran créerait une atmosphère chaleureuse, l'équivalent moderne d'un feu de bois. Mais j'eus l'impression d'un mouvement sur le tapis. Une sensation fugitive. Quelque chose qui avançait...

Une araignée.

Je levai les genoux et scrutai le sol, les bras hérissés de chair de poule. Pour que je l'aie remarquée, il fallait qu'elle soit grosse ; mais elle avait disparu dans les couches successives d'ombre et de lumière entourant le poste. S'était-elle cachée sous le magnétoscope ? Ou était-elle tapie là, plus près que je ne le croyais ?...

Bien sûr, c'était absurde d'avoir peur d'une si petite bestiole. Surtout après toutes les horreurs que j'avais surmontées. Et pourtant, ma réaction était purement viscérale. Alors que je me blottissais sur le canapé, telle une naufragée au beau milieu de la pièce, ma nuque me picota au point qu'un instant je crus qu'elle était déjà là, prête à grimper sur mes cheveux...

— *Nick ! Il y a une araignée dans la salle de bains !*

— *Passe-lui le bonjour de ma part.*

Je me souvenais très bien de ce moment : j'étais debout sur le palier, en chemise de nuit, horriblement gênée.

— *Tu... veux bien venir l'enlever ?*

— *Rachel. Une grande fille comme toi.*

Je me penchai sur le balcon et fis la moue.

— *Sinon, pas de câlin.*

Là, je le prenais par les sentiments. Je le regardai monter l'escalier.

— *S'il te plaît, ne lui fais pas de mal.*

Il prit un air faussement exaspéré.

— *Je croyais que tu détestais ces satanées bestioles.*

— *C'est vrai. Mais ce n'est pas une raison pour les tuer. Ce ne serait pas juste.*

Il secoua la tête et partit vers le lavabo. Il en sortit une minute plus tard, le poing serré.

— *Tu veux vérifier qu'elle respire encore ?* fit-il en souriant.

Je lui fis la grimace. Sans se démonter, il passa devant moi – puis, soudain, il posa la main sur mon cou en tricotant des doigts.

— *Attention, elle s'est libérée !*

Je poussai un cri et fis un saut de carpe...

Je ne pus m'empêcher de sourire alors même que mes yeux me brûlaient. Je n'aurais pu dire si la pression dans ma gorge annonçait des rires ou des larmes. Je reniflai et retombai en arrière.

Oh, Nick!

Quelque chose d'arachnéen escalada ma nuque et effleura mes cheveux.

Je criai et me redressai en secouant la tête. Je restai un instant interdite, baignée de sueur. Mon Dieu, c'était des *doigts* qui m'avaient touchée. Une main. Il y avait quelqu'un derrière moi.

Je me retournai d'un bond, terrifiée, mais à part mon ombre à laquelle la lumière du poste imprimait des saccades, il n'y avait personne en vue.

Je posai les mains sur ma bouche, étouffant un gémissement de terreur. Ma nuque frémissait encore au souvenir de ces doigts aussi malicieux que ceux de Nick. Et indiscutablement réels.

Pourtant, il n'y avait personne.

Le cœur battant, je me tournai pour regarder derrière le canapé, résignée au pire. Personne, toujours personne. Je battis en retraite vers la porte et allumai la lumière. J'étais seule dans cette pièce.

Mon imagination me jouait-elle des tours ? C'était la seule explication valable. Mes souvenirs avaient déclenché une association d'idées. Je m'entourai de mes bras, trop choquée pour verser des larmes. Finalement, j'allai me rasseoir le plus confortablement possible. Mais l'atmosphère n'avait plus rien de douillet. En balayant les recoins d'ombre, la lumière l'avait vidée de toute vie pour ne me laisser qu'une coquille lugubre.

Cette nuit-là, le sommeil eut bien du mal à venir. Ce n'est que vers la fin, peu avant l'aube, que la confusion qui régnait dans mon esprit trouva enfin un ancrage.

C'est alors que le rêve commença.

Avant que j'aie pu me repérer, la forêt gelée se referma sur moi. Je fuyais au milieu des arbres. Le sol sous mes pieds était chauffé à blanc, et lorsque la douleur devint trop forte, je dus interrompre ma course pour sautiller pitoyablement. Je réalisai alors que j'étais pieds nus et que je cavalais dans la neige. L'hiver pesa soudain de tout son poids sur mon corps à peine recouvert d'une robe blanche vaporeuse qui s'accrochait aux ronces du chemin. Je ne portais rien dessous.

Je jetai un regard derrière moi et ne fis qu'entrevoir l'ombre de mon poursuivant qui se frayait un passage au milieu des taillis dénudés et cristallins. J'eus un hoquet de panique et filai droit devant moi. Nous arrivions en bordure des arbres ; au-delà s'étendait un champ enneigé, et des figures sombres se découpaient sur toute cette blancheur. Je vis des amoncellements de bois sous un ciel couleur de plomb, des flammes éblouissantes...

— *Rachel...*

C'était la voix de Nick ; je la reconnus sur-le-champ et mon cœur s'emplit de joie et de soulagement. Ma vision sinistre chancela alors que je me secouais et tendais les bras vers lui...

Pour me retrouver seule dans mon lit.

Ce retour à la réalité fut si brusque que j'en eus la nausée. Je m'affalai contre l'oreiller et relâchai mon souffle en un seul et unique sanglot. La chambre me parut bien froide et bien solitaire. Je ramenai mes genoux sur mon estomac.

Comment mon propre esprit pouvait-il se montrer si cruel ? Et pourquoi ressasser ce même rêve bizarre ? Je ne pus m'empêcher de me poser la question en me mordillant la lèvre... sentant l'humidité sur mes joues et mon oreiller.

C'était toujours la même course folle à travers cette même forêt. Mais cette fois-ci, la scène avait été un peu plus nette ; comme si mon don, rouillé à force d'immobilité, reprenait des forces.

— Tout va bien chez vous ? demanda l'infirmière-chef avec un grand sourire.

— Oh, oui, merci.

Pourvu qu'elle n'insiste pas, me dis-je en buvant une gorgée de café. La petite tasse de porcelaine me changeait de celle du bureau ; je la pris délicatement entre deux doigts au lieu de l'empoigner à pleine main.

L'infirmière-chef hocha la tête et fit de même. Mais ses yeux calmes, calculateurs, restèrent braqués sur moi.

Mon propre regard dérivait au hasard, au travers du bureau. *Pourvu qu'il ne lui semble pas trop fuyant.* Prendre le café avec *Sa Majesté* n'était pas un événement en soi ; elle m'y conviait souvent pour discuter de ce qui se passait ou des projets en cours – ou même papoter, tout simplement. D'abord, ces convocations matinales m'avaient prises de court ; maintenant, je redoutais d'être prise pour le chouchou de la patronne.

La patronne. J'avais bien du mal à l'appeler Mme Lambert – a fortiori par son prénom, comme elle nous y encourageait. Pourtant, elle n'était guère plus âgée que moi ; c'était une femme d'une trentaine d'années, joviale et carrée, facile à vivre, et d'une efficacité sans faille derrière son sourire aimable. Je savais qu'en ce moment, elle m'évaluait.

— La jeune Nicola a l'air de bien s'insérer dans l'équipe, remarqua-t-elle.

C'était le cas, mais j'eus l'impression qu'elle meublait la conversation avant d'attaquer un sujet bien plus important.

— Oui, je pense que nous avons fait un bon choix, répondis-je pour jouer le jeu.

— Je sais qu'elle vous est reconnaissante de l'avoir soutenue. Un souci de plus pour vous... la pression n'est pas trop forte, j'espère ?

— Non, non, fis-je un peu trop hâtivement.

— Mais l'autre jour, vous avez bouleversé Diane.

Et voilà. Elle n'avait pas changé de ton, mais je compris que, cette fois-ci, j'étais là pour me faire remonter les bretelles.

Elle dut lire mon malaise sur mon visage, car elle poursuivit :

— Non pas qu'elle soit allée se plaindre. C'est moi qui l'ai remarqué et lui ai posé la question. Diane en a vu d'autres. Mais c'est pour vous que je m'inquiète, Rachel.

Je baissai les yeux sur mon café.

En effet, j'avais été sèche avec Diane. Lorsque j'avais rejeté ses histoires de fantômes, elle avait pris cela comme un défi et était revenue sur ce sujet pour m'astico-

76

ter. Malheureusement, ses récits sur les étranges phénomènes constatés dans son précédent hôpital étaient survenus au moment où mes angoisses personnelles refaisaient surface. Alors j'avais réagi de façon disproportionnée : je m'étais vengée en critiquant son travail et en lui reprochant des fautes inexistantes, le pire est que, je l'avais fait devant les autres. Du coup, cela faisait deux jours que nous ne nous parlions plus, à part le minimum inévitable.

— Vous êtes sûre que tout va bien ? insista l'infirmière-chef.

— Eh bien...

J'eus un geste évasif, puis lâchai tout :

— C'est que, cela fait un an... que mon mari est mort. Douze mois qui me semblent une éternité. La date anniversaire... vient de passer.

Ma voix chancela ; je me tus et baissai les yeux, le poing serré sur mes lèvres. Alors que je reprenais mes esprits, je sentis sa présence patiente et empreinte de compassion.

Cela expliquerait mon rêve, bien sûr, et sa voix... Mon esprit tente de guérir.

Je soupirai par le nez et levai les yeux.

— Désolée. À l'approche de Noël, son absence est encore plus dure à supporter. Mais je l'ai rembarrée alors qu'elle ne le méritait pas. Je lui dois des excuses.

— Ce ne sera pas un bon Noël, pas vrai ? murmura-t-elle.

— Je me sentirai mieux lorsqu'il sera passé, admis-je franchement.

Un résumé saisissant. Ma saison préférée, était devenue la plus pénible. Il y avait longtemps que la magie de l'enfance s'était dissipée, et la mort de mes parents n'avait rien arrangé. Et peu avant le Noël précédent, j'avais perdu celui que j'aimais. Maintenant, plus que jamais, j'aurais voulu que cette période cessât d'exister, mais je n'avais pas le choix. Pas plus qu'une comète attirée par un trou noir.

— Je suis néanmoins contente que vous ayez pris quelques jours de congé, reprit-elle. Vous les avez bien mérités.

Je ne répondis pas. À l'origine, je voulais garder des

horaires aussi normaux que possible : j'avais besoin de m'occuper. Mais je n'aurais jamais pu me débrouiller avec Cathy. J'avais fini par entendre raison et accepter de prendre toute la semaine. Je ne resterais pas inactive pour autant : quelques femmes de notre groupe organisaient une fête de Noël pour nos enfants. Pat et moi nous chargions de faire la cuisine. Cathy attendait cela avec impatience.

Au moins, pour l'une d'entre nous, la magie opérait toujours. Qui sait, peut-être qu'elle déteindrait sur moi...

— Vous allez prendre des vacances ? demanda l'infirmière-chef.

Je pris une expression neutre.

— Nous irons peut-être chez mes beaux-parents. Je ne me suis pas encore décidée.

— Tant que vous pouvez vous reposer...

— Avec une fille de trois ans ? fis-je, feignant l'incrédulité, et nous avons ri toutes les deux.

Lorsque mon service se termina, j'émergeai dans un après-midi venteux. Les nuages défilaient en rubans crasseux, aspirant les feuilles dans leur sillage. Je levai les yeux, puis me tournai vers Sainte-Catherine qui se dressait là, comme un rocher résistant à la marée, illuminé et chaleureux. Un abri dans la tempête à venir.

Je levai le col de mon imper et me dirigeai vers ma voiture.

Christopher Jackson m'y attendait.

Je ne le remarquai pas tout de suite : je farfouillais dans mon sac pour en tirer mes clés et le bousculai presque. Il me fit sursauter et je faillis lâcher mon trousseau. Il eut un sourire.

— Désolé, Rachel. Vous ne vous attendiez pas à me revoir, n'est-ce pas ?

— Eh bien... commençai-je, mais je ne trouvai rien d'autre à dire.

Il avait raison ; je ne m'y attendais pas. Et en repensant à cette présence, la nuit, derrière la maison, je n'étais pas sûre de devoir m'en réjouir.

Au moins, ce jour-là il portait un anorak, bien qu'il fût élimé et ouvert. Le col de sa chemise était boutonné, ce que l'absence de cravate rendait plutôt incongru. Son manque d'assurance ne faisait que souligner son apparence hétéroclite.

Il me tendit une petite boîte soigneusement enrubannée.

— Voilà. C'est... pour votre équipe. Après tous vos efforts, c'est le moins que je puisse faire.

— Oh... merci.

Surprise et flattée, j'acceptai son cadeau, puis croisai son regard.

— Pourquoi n'êtes-vous pas entré ? Nous aurions pris une tasse de thé.

Il me décocha son mince sourire – qui devenait de plus en plus familier – et secoua la tête.

— Non ; je ne voulais pas faire d'histoires. J'ai préféré attendre ici...

— Christopher ! Par un jour aussi triste ! fis-je avec sincérité.

En effet, l'idée qu'il pût rester dehors par pure timidité me dérangeait. Le vent humide ramena ses cheveux sur ses yeux, et il les rejeta en arrière.

— Merci encore pour ce que vous avez fait, Rachel. Vous qui m'avez tiré des griffes de ces *bons citoyens*...

Son ton sardonique me fit sourire ; il contrastait agréablement avec son attitude passive.

— Ce n'était rien.

Un type me remerciait de l'avoir sauvé d'une bande de brutes. C'était une situation paradoxale, et, pourtant, cela semblait tout naturel. Cette démonstration d'égalité nous mettait à l'aise ; nous rapprochait même. Il s'éclaircit la gorge.

— Je me demandais... je pourrais vous offrir un verre... un de ces jours ?

À mon tour d'hésiter en regardant le petit paquet entre mes mains.

— Hem... ce serait difficile. Je dois compter avec ma fille...

Il comprit tout de suite ce que je n'avais pas dit.

— Vous vivez seule, toutes les deux ?

Une question à tiroirs. Je croisai son regard et hochai la tête.

— Oui. Mon... mari est mort il y a un an de cela.

Son visage se crispa.

— Je suis désolé, Rachel.

— Non, ce n'est rien...

— Je n'aurais pas dû me mêler de ce qui ne me regarde pas.

— Ne vous en faites pas.

Je levai les yeux : les premières gouttes de pluie tombaient, comme une heureuse diversion.

— Écoutez, comment allez-vous rentrer ?

Il haussa les épaules.

— À pied.

— Vous allez vous faire tremper. Je vais vous déposer.

— Je...

— Cette fois-ci, Chris, vous ne vous en sortirez pas comme ça. Allez, en voiture.

Sur le chemin de l'ancienne demeure de son père, nous ne nous dîmes grand-chose, mais ce silence n'avait rien d'inconfortable ; nous étions content d'être au chaud, à l'abri de la pluie. Je me concentrai sur ma conduite, mais sentis qu'il étudiait tous les détails : le rosaire accroché au rétroviseur, les cassettes éparpillées, le siège vide de Cathy à l'arrière...

Le petit cottage de M. Jackson se trouvait en bordure de la ville. En me garant, je remarquai que la peinture des entourages de fenêtres était écaillée, révélant du bois sombre et détrempé. D'ailleurs, la maison entière était dans le même état de décrépitude. Une gouttière disjointe crachait de l'eau sale. Le petit jardin était encombré de mauvaises herbes. Même en pleine lumière, cet endroit ne devait guère être engageant ; mais la pluie lui donnait une patine grisâtre. Je m'imaginai rentrer de l'hôpital pour me retrouver face à ces fenêtres aveugles et eut une bouffée de compassion.

Il dégrafa soigneusement sa ceinture de sécurité et me regarda.

— Je peux vous offrir un café ?

Et on n'est même pas sortis ensemble.

À cette idée, ma bouche se dessécha. Prise de court,

j'avalai ma salive et regardai droit devant moi. Il en profita pour insister – mais, soudain, je me retrouvai prisonnière, coincée entre mon instinct et ma douloureuse indécision.

— Je voudrais bien..., finis-je par dire. Mais on m'attend chez moi.

— Une autre fois, alors ?

Je sentais sa présence à côté de moi ; lui aussi regardait le pare-brise trempé.

— Je ne sais pas.

Je me tus, puis me jetai à l'eau.

— Je devrais pouvoir trouver une baby-sitter pour vendredi soir...

— Je vous passe un coup de fil ? fit-il, profitant de son avantage sans se montrer trop lourd.

— Heu... je peux vous appeler, *moi* ?

Il accepta ma réticence avec un sourire en coin et me donna son numéro. Je le griffonnai sur un morceau de papier avec un stylo tiré de ma poche d'uniforme.

— Vous serez chez vous demain ?

— Oh, c'est fort probable. Je n'ai pas beaucoup de raisons de sortir.

— Très bien. Alors je vous appellerai.

Je le regardai descendre, courbant la tête sous le martèlement de la pluie, puis il se pencha vers moi.

— À bientôt.

Il agita la main, regarda à gauche et à droite, puis traversa la route. J'attendis qu'il ouvre la porte – en espérant qu'il se retourne – puis repartit vers mon propre chez-moi. L'image sinistre de la maison diminua dans le rétroviseur, puis disparut.

En repensant à cette rencontre, je sentais se gonfler mon cœur comme un ballon d'hélium. Lorsqu'il se calma, j'en restai toute tremblante. Quoi que j'aie pu ressentir, rien ne m'avait préparée à un tel moment. Peut-être avait-il lui-même été pris de court.

Nous ne faisions que discuter, passer le temps – et soudain, sans crier gare, nous sortions ensemble. Trahis par nos propres instincts.

Maintenant, je pouvais m'accorder un temps de réflexion. Mais alors que je rentrais chez moi, je savais que je ne changerais pas d'avis.

Je vais sortir avec un homme, me dis-je, et ma poitrine se serra.

Oh, bien sûr, je me retrouvai assaillie de doutes. Ce soir-là, en faisant la vaisselle, je commençai à me poser des questions. Devais-je sortir avec le fils d'un patient ? Et si c'était bien lui qui rôdait autour de la maison ?

Que dirait Nick ?

Cette dernière idée était la plus pénible. Je me convainquis qu'il ne m'en voudrait pas de continuer à vivre. S'il pouvait me voir (et je suis sûre qu'il le pouvait), il devait déplorer ma solitude. Après tout, ce n'était qu'une sortie, rien de plus. Deux personnes en deuil attirées l'une par l'autre. Jusque-là, je refusais d'envisager ce qui pouvait en découler.

Rien, sans doute. C'était peut-être mieux ainsi. Ou pire, au contraire ?

Alice n'était pas libre le vendredi soir. En l'apprenant, je me sentis comme vide. Je raccrochai et tournai en rond dans la cuisine. L'odeur du dîner en train de cuire ne m'alléchait même pas.

— Maman, fit Cathy depuis la porte, j'ai trouvé un nouveau jouet...

— Va jouer avec, mon ange, fis-je machinalement.

Elle obéit. C'est alors que je pensai à Pat.

Celle-ci me répondit d'une voix pleine de gaieté, couvrant le bruit que faisaient ses enfants. Bien sûr, elle pouvait me consacrer une heure ou deux ce vendredi soir. Mark, son mari, se chargerait de garder le fort. Je tentai de retenir le flot de ma gratitude, mais elle me parut également reconnaissante. Il fallait qu'elle révise ses cours du soir, me dit-elle, et ne demandait qu'à s'éloigner de sa famille pour travailler en paix.

Cathy et son jeune fils s'entendaient plutôt bien. Ils jouaient même ensemble. Je n'arrivais pas à concevoir le jour lointain, mais qui finirait bien par arriver, où son estomac se nouerait à cause d'un garçon. Comme le mien actuellement.

Mais maintenant que ce problème était résolu, je pouvais attendre avec impatience cette soirée ; ma première sortie depuis bien trop longtemps. Comment allais-je m'habiller? (Comment allait-*il* s'habiller?) Où irions-nous?

De quoi allions-nous parler?

Espoirs et doutes; la douche écossaise. Face à mon évier, les mains dans le savon, je me dis de ne pas me monter la tête. Sans doute serait-il aussi nerveux que moi. Sa carapace serait certainement difficile à rompre – bien que j'aie entrevu les tendres tissus qu'elle protégeait. Je fis un effort pour me calmer. Puis, alors même que je rinçais les assiettes, vint le caillou dans la mare.

Il prit la forme d'un bulletin d'informations à la radio. Je n'écoutais qu'à moitié : on avait annoncé une chanson que j'aimais bien et mon esprit la repassait déjà en mémoire. Mais il y eut un silence entre l'annonce et la suite du programme, et lorsque j'entendis ce qui suivit, mes oreilles s'ouvrirent toutes grandes.

« La police annonce que la femme dont on a découvert hier le cadavre dans l'étang d'Elm Hill a été assassinée. Apparemment, on lui a entravé les mains et les pieds avant de la jeter à l'eau. L'autopsie a confirmé qu'elle était morte noyée... »

Je posai une assiette sur l'égouttoir et plissai les lèvres. Je n'étais jamais allée à Elm Hill, mais je connaissais cet endroit qui figurait sur toutes les cartes routières. C'était bien assez près de chez nous pour figurer dans les nouvelles locales.

Mon Dieu, la pauvre femme!

J'avais moi-même failli me noyer, un jour. Ou plutôt, on m'avait froidement, délibérément tenu la tête sous l'eau. Depuis, j'en avais conservé une phobie tenace. Je visualisais très bien la chose : cette malheureuse qu'on jetait dans une rivière et qui se retrouvait incapable de nager, de se dégager, de faire quoi que ce soit, sinon descendre dans les ténèbres infinies...

Un frisson hérissa mon échine. Instinctivement, je levai les yeux vers la fenêtre. Mon reflet me regarda d'un œil de myope. Au-delà, à quelques centimètres de mon nez, se massaient les forces de la nuit. Soudain mal à l'aise, je tirai le rideau et restai là, à regarder son motif floral pendant que la chanson que j'attendais se dévidait inutilement.

Celui qui avait fait cela était quelque part là-dehors. À dix kilomètres, peut-être.

Ou à dix mètres.

Et je ne savais toujours pas *qui* errait dans le champ, l'autre soir...

Une pensée bien indigeste, que je m'efforçai de rejeter tout en me séchant les mains. Après tout, le lieu du crime était à l'autre bout du comté. Et il n'avait tué qu'une seule fois. Même s'il avait frappé au hasard, il avait le choix entre cent mille femmes. Alors pourquoi serait-ce moi la prochaine ?

Ce devrait être un homme qui avait fait ça. Un homme que la victime devait connaître. Ou peut-être un étranger. Comme l'était Chris Jackson...

C'était une drôle d'idée, qui me surprit moi-même. Mais alors même que je rangeais les plats, je sentis qu'elle prenait racine. D'autres questions surgirent, aux réponses évidentes. Le connaissais-je ? À peine. Qu'est-ce que les autres pensaient de lui ? *Pas tout à fait sur la même longueur d'onde.* Avait-il un mode de vie stable ? Non ; c'était un solitaire laconique.

La graine continua de germer. Lorsque vint l'heure de me coucher, c'était devenu un buisson. Ce n'est qu'à minuit passé que je cessai de tourner et retourner le problème dans ma tête pour m'endormir enfin.

Soudain, sans crier gare, je m'éveillai en sursaut. Sûre et certaine qu'il y avait quelqu'un là, dans le noir.

Du coup, toutes mes angoisses resurgirent en bloc.

Le silence était épais comme la poussière des siècles. Pas un souffle, pas un mouvement. Je restai allongée sous les couvertures, mais leur chaleur était étouffante comme un linceul.

Cette fois-ci, je n'avais pas rêvé, j'en étais certaine. Une présence m'avait fait revenir à la surface.

Cathy ? Cathy qui ne dort pas ? Je m'humectai les lèvres... mais n'osai pas lever la tête.

Le temps passa. Toujours rien. Finalement, j'eus assez de courage pour risquer un œil. Ma chambre était vide. Bien sûr.

J'allumai la lampe de chevet et m'entourai de mes bras. Les ondes de peur refluaient comme le ressac, bouillonnant dans mon estomac, me laissant trempée d'une sueur glacée.

La porte était fermée, les rideaux tirés. Je tendis l'oreille : pas un bruit. Du coup, mon imagination redevint le principal suspect. Pour la première fois, je me demandai si je n'avais pas besoin d'un psychiatre pour me débarrasser une fois pour toutes de mes fantômes.

Ça, c'était une pensée à vous glacer les sangs.

J'étais si absorbée que je ne remarquai pas l'atmosphère de la chambre ; et lorsqu'elle s'imprima dans mon esprit, je faillis m'étouffer. Je n'éprouvais plus la sensation d'une présence, mais quelque chose de plus subtil : comme si quelqu'un était passé, puis reparti. Quelqu'un que je connaissais comme moi-même.

Il fallait des années d'intimité pour percevoir une trace aussi diffuse. Ce n'était rien qu'on puisse toucher ou sentir. Mais soudain, en une pointe d'exaltation, je sus que Nick était venu me voir. Je pouvais presque sentir son souvenir sur ma langue.

Que veut-il ? Qu'essaie-t-il de me dire ? Ces questions revenaient en moi, lancinantes comme la pulsation d'une blessure infectée. Brûlante de fièvre, je continuai d'avancer d'un pas écœuré.

— Attends-moi, souffla Cathy. Attends-moiiiii...

Je tirai le chariot et jetai un regard irrité par-dessus mon épaule, ralentissant sans m'arrêter alors qu'elle courait dans l'allée, hors d'haleine. Son visage était tout congestionné, mais je n'allais pas me laisser attendrir. Elle avait fait sa capricieuse tout le matin, et j'en avais par-dessus la tête.

— Bon, ça suffit, marmonnai-je lorsqu'elle arriva à ma hauteur. Tu veux monter dans ce fichu siège ou pas ?

Elle secoua la tête en me lançant un regard malheureux ; elle était au bord des larmes. Je lui tournai le dos et me dirigeai vers la boulangerie du supermarché.

Oh, Nick, pourquoi es-tu revenu ? et une réponse se forma sur-le-champ. *Pour m'assurer que tu m'es fidèle.*

Je ressentis une pointe de rancœur qui m'effraya moi-même. Après tous ces mois de larmes et de nostalgie, j'en restai surprise et vaguement coupable. Mais n'était-ce pas un reflet de notre relation ? Parfois, il se montrait trop possessif à mon goût.

Je veux juste un peu de compagnie, Nick. Tu ne peux pas me le reprocher.

— Maman... on peut prendre un bonhomme en pain d'épice ?

— Non. Repose-le.

Elle obéit d'un air désolé pendant que je choisissais l'indispensable pain de mie en tranches.

— Il est grand temps que tu manges du pain complet. C'est meilleur pour toi que ces saletés.

— J'aime pas le... gémit-elle.

Je poussai un profond soupir et dirigeai le chariot vers l'allée suivante. Elle courut derrière moi et faillit se fourrer dans mes jambes. Comme j'avais oublié ma liste de commissions (une fois de plus), je parcourus des yeux les étagères en espérant retrouver la mémoire. Cathy, elle, s'attarda à contempler les emballages multicolores des savons en poudre et, de nouveau, se retrouva à la traîne.

— Allez, viens ! lui lançai-je.

Je me penchai pour la gronder alors qu'elle tricotait des jambes.

— Je ne sais pas ce que tu as aujourd'hui.

Mon murmure colérique était assez fort pour résonner dans toute l'allée. Quelques clients vaguement intéressés nous regardèrent passer.

— M'man, te fâche pas..., gémit-elle.

— Chut. Tout le monde te regarde.

— J'veux rentrer à la maison.

Les larmes qui s'annonçaient depuis un moment se mirent à couler. Elle se frotta les yeux, en vain.

— Pas encore. On a presque fini.

— J'veux rentrer maintenant ! fit-elle, plus fort cette fois-ci.

Ma patience s'effilochait comme une corde trop étirée.

— Catherine ! Ça commence à bien faire !

Elle se tut, et nous repartîmes vers les caisses. En crapahutant tristement derrière mon chariot rempli jusqu'à la gueule, je tentai une fois de plus de persuader Nick, ou moi-même.

Cela ne change rien. Je t'aimerai toujours, tu le sais bien.

Le bruit d'une avalanche interrompit le cours de mes pensées. Cathy s'était arrêtée pour examiner un échafaudage de paquets de biscuits et avait réussi à les faire tomber.

— Cette fois-ci, tu l'auras cherché!

Et je lui décochai une claque. J'y allai un peu fort. Aussitôt, elle explosa en un hurlement empreint de douleur et de tristesse. Je ne pus que rester plantée là pendant que tout le magasin se retournait. Je sentis le poids de la désapprobation générale qui s'abattait sur moi. J'aurais voulu me cacher dans un trou de souris. Et alors que je regardais le visage écarlate de Cathy, quelque chose se rompit et un flot de pitié et de honte monta en moi. Je la pris dans mes bras et posai sa joue contre mon épaule comme si mon imper pouvait absorber ce flot de larmes. Elle continua de brailler – un son continu et si empreint de désolation que j'abandonnai mon chariot et l'emmenai dans le parking. J'avais l'impression de passer en jugement.

La pauvre petite. Quelle garce, cette bonne femme!

Lorsque nous nous retrouvâmes dans la voiture et que je l'assis sur mes genoux, ses sanglots s'étaient mués en reniflements; mais elle continuait de s'accrocher à moi. Je lui caressais les cheveux lorsqu'on frappa contre ma vitre.

Une femme entre deux âges me regardait de l'autre côté du verre. À voir son expression, je compris qu'elle venait me faire la morale. Elle était sans doute mère elle aussi, et s'offusquait de voir maltraiter un enfant. Et elle était venue me dire sa façon de penser.

Mais lorsqu'elle vit mon propre visage en larmes, la femme se décomposa, puis tourna les talons.

Malgré mes excuses et mes câlins, Cathy bouda tout l'après-midi. Assise dans un coin avec ses jouets et son panda, elle avait bâti une muraille autour d'elle, que je n'arrivais pas à abattre.

— Tu m'as dit que tu avais trouvé un nouveau jouet?

fis-je en une énième tentative pleine d'une joie si factice qu'elle en devenait grotesque. Je peux le voir ?

Elle secoua la tête sans même me regarder. Je m'assis à côté d'elle sur le tapis et voulut lui caresser les cheveux, mais elle se baissa pour m'éviter.

Ma gorge se serra à m'étouffer.

— Oh, Cathy, je suis désolée. Maman n'a pas droit à un tout petit sourire ?

Elle m'ignora une fois de plus. Mon crime était-il vraiment si grave pour mériter un tel châtiment ? Je reniflai, me relevai et passai dans la cuisine.

La machine à laver avait rempli son office et attendait d'être vidée. Il était temps de sortir le linge pour aller l'étendre sur la corde au-dehors – bien que, par ce jour gris sans un souffle de vent, il ne risquât pas de sécher. Et il fallait aussi nettoyer le sol. Et les toilettes...

Et passer mon coup de fil.

Je fixai le téléphone en mâchonnant l'ongle de mon pouce. Mon cœur battait de plus en plus fort. Le morceau de papier avec le numéro de Christopher était toujours épinglé au panneau de liège.

J'avais bien assez retardé ce moment. Celui où l'anticipation se muerait en volonté. Il n'était pas correct de le faire attendre aussi longtemps. Surtout lorsque la réponse était celle que nous attendions tous les deux.

Désolée, Nick. Cette fois-ci, il faudra que tu me fasses confiance.

J'inspirai profondément, soulevai le combiné et composai le numéro.

Je montrai à Pat où se trouvait tout ce qui pouvait servir : les toilettes, la chambre de Cathy, la machine à café et les biscuits que j'avais préparés dans la cuisine.

— Sers-toi, lui dis-je.

— Tu vas quelque part ?

— Oh, juste dîner avec un ami.

Elle hocha la tête, mais ne put cacher l'étincelle de curiosité qui brillait dans ses yeux. Elle devait se douter de quelque chose, et hésiter à me demander plus de détails.

— Bon, d'accord, fis-je en feignant la résignation. Avec un mec. Un jeune homme très sympa. Mais nous sortons en amis...

En fait, je ne m'attendais pas qu'il m'invite à dîner : je croyais que nous nous contenterions de prendre un verre. Mais l'idée de passer toute une soirée à l'extérieur était bien alléchante : enfin, je pourrais me détendre, oublier mes soucis, et même l'approche de Noël, qui s'annonçait dans le lointain comme un sinistre présage. Ainsi, j'avais accepté.

Pat hocha la tête avec sagesse.

— Non, c'est vrai, fis-je, l'innocence bafouée. C'est quelqu'un que j'ai rencontré au boulot, voilà tout. Et nous avons tous deux besoin de compagnie.

— Raitch, tu n'as pas à te justifier, dit-elle gentiment. Je suis heureuse de te voir sortir un peu. Il n'y a pas de mal à cela.

Je haussai les épaules et lui adressai un sourire vaguement inquiet.

— Tu sais, je me suis fais du souci. Sur... ce qu'*il* va en penser.

Elle comprit tout de suite que je parlais de Nick.

— Il n'y verra pas d'inconvénient, affirma-t-elle. Ce type sait ce qu'il en est ?

— Oui. Et lui aussi vient de perdre quelqu'un de proche. Nous avons beaucoup en commun.

— Alors j'espère que vous aurez d'autres sujets de conversation que vos chagrins respectifs. Passe une bonne soirée.

Elle posa une main sur mon épaule.

— Et ne t'en fais pas. D'accord ?

— D'accord, fis-je avec reconnaissance en posant ma main sur la sienne. Merci.

Recevoir de tels conseils de quelqu'un de plus jeune que moi me faisais une drôle d'impression.

Cathy, qui avait déjà sombré dans les bras de Morphée, ne risquait pas de lui faire des misères. Avant que Pat n'arrive à l'heure convenue, j'avais scruté son visage paisible en me demandant quels cauchemars pouvaient mijoter sous cette surface paisible, prêts à resurgir dès que je serais partie. Et si elle se réveillait, terrifiée et en larmes, pour trouver une étrangère à son chevet ?

J'ignorai ce coup bas de ma conscience. Depuis l'affaire du rôdeur, Cathy n'avait plus fait de cauchemars. Et le compas était resté sagement au fond de son tiroir. Faute de preuve du contraire, je m'étais plus ou moins convaincue qu'il devait avoir enregistré l'équivalent psychique d'un signal fantôme ; quelque chose qui pulsait dans l'éther et était reparti sans laisser de traces. Et le compas avait retrouvé l'inertie qu'il avait avant cet événement.

— Quand penses-tu rentrer ? demanda Pat.

— Sans doute vers neuf heures.

J'avais décidé de ne pas faire de frais de toilette et m'étais habillée confortablement : un gilet par-dessus mon chemisier et une jupe longue et discrète. Je terminai par un collier de bois venant du supermarché et des boucles d'oreilles cachées sous mes cheveux.

Je me frottai nerveusement les mains et regardai si je portais toujours mon alliance. Elle était là, à sa place ; il y avait deux ans, un jet de mercure avait délavé son or qui, depuis, était resté blanc. D'abord, cela m'avait gêné, puis j'avais fini par aimer cette décoloration, comme un stigmate de ma profession d'infirmière. De plus, elle ne jurait pas avec mes autres bagues en argent.

— Tu as l'air super, me dit-elle. C'est vrai. Maintenant, vas-y et...

— Fais des ravages ? demandai-je sèchement.

— Désolée, Raitch.

Elle semblait si mortifiée que je ne pus m'empêcher de sourire. Je l'embrassai doucement sur la joue.

— Peu importe. Ne t'en fais pas. Tout ira bien.

Comme prévu, j'allai le prendre chez lui avant de descendre vers le centre-ville. Lui aussi était vêtu sans recherche particulière, avec un jeans et un pull sous son anorak. Quoiqu'il ne dût pas avoir grand-chose d'autre dans sa garde-robe. Il n'était pas très sûr de lui ; sa politesse excessive le trahissait. Après nous être salués, nous n'échangeâmes pas un mot jusqu'à ce que je trouve une place de parking.

— Voulez-vous boire un verre en vitesse avant le dîner ? me proposa-t-il alors que je verrouillais la voiture.

J'enfilai mon sac sur mon épaule et écartai les mains.

— Pourquoi pas? Je n'ai rien contre.

Il choisit un pub à l'atmosphère chaleureuse, plein de recoins tranquilles et de néons clignotant au-dessus du bar. Je m'assis à une table près de la fenêtre pendant qu'il allait chercher nos consommations. Je lui avais demandé un jus d'orange.

— Vous êtes allée travailler aujourd'hui? demanda-t-il à son retour.

Je hochai affirmativement la tête.

— Dure journée?

— Ça pouvait aller.

Il eut de nouveau son petit sourire.

— Excusez-moi. Vous n'êtes pas là pour parler boulot.

— Non, ce n'est rien...

Je me frottai le front comme pour stimuler mes pensées.

— J'aime mon travail. Parfois, comme vous vous en doutez, il peut être déprimant. Mais finalement... si je peux faciliter les derniers jours d'un patient, cela en vaut la peine. Au moins, je sers à quelque chose.

— J'espère que vous n'en doutez jamais, fit-il sérieusement.

— J'essaie.

Il but une gorgée de bière et reposa son verre sans lever les yeux.

— Vous m'avez dit que vous aviez perdu votre mari... est-ce que le fait de travailler avec les mourants vous facilite les choses?

Vu notre deuil mutuel, rien d'étonnant que nous écourtions les parlotes pour en venir à l'essentiel. J'inspirai lentement en fixant mon propre verre.

— À supporter cette perte, vous voulez dire? Oui... je crois. Tous les jours, je vois des gens qui n'aspirent qu'au repos. Ils voient la lumière au bout du tunnel, une promesse de liberté. À ma petite fille, je dis que mourir, c'est comme de s'endormir, et, dans un certain sens, c'est la vérité. Je crois sincèrement que l'âme ne peut que s'élever.

J'hésitai avant de formuler ma conclusion:

— Comme un rêve qui ne finirait jamais.

— Un rêve ou un cauchemar ? fit-il doucement.

Je haussai les épaules.

— Cela dépend peut-être de la personne.

Il y réfléchit un instant. Décidément, il y avait en lui des profondeurs insoupçonnées. Il avait vaincu sa propre maladresse et ses mots étaient doux, mais d'une précision chirurgicale. Son esprit devait être beaucoup plus brillant que son apparence.

J'avais bien des choses à découvrir, et cette perspective me plaisait.

— Tiens, regardez qui voilà. Notre ami le pervers.

Je me retournai – et me figeai en voyant s'approcher les cinq brutes qui avaient agressé Chris en pleine rue. C'était leur chef, le barbu, qui avait parlé.

— *Et* sa copine la gauchiste, ajouta l'homme qui se tenait derrière lui avec un rictus lugubre.

Oh, non. Nous étions tombés sur *leur* Q.G.

Ils s'installèrent au bar pour prendre leur commande. Pendant qu'ils frimaient auprès des serveuses, je me dis qu'ils en resteraient peut-être là et iraient s'installer à l'autre bout du pub. Mais une fois munis d'une pinte chacun, ils revinrent vers notre table et reprirent leur conversation un peu trop fort, à mon goût.

— Mais si c'est une couille molle, comment ça se fait qu'il a une copine ? fit un type au visage en lame de couteau surmonté d'une botte de cheveux clairs.

— Sais pas, répondit un autre. C'est p't'être une gouine ?

Chris regardait le plancher.

— Ignorons-les, Chris, chuchotai-je. Ils essaient de vous faire sortir de vos gonds. Ne leur donnez pas ce plaisir.

Il ne répondit pas. Son visage impassible était d'un calme presque inquiétant.

— Tu vois, cette femme qu'on a assassinée l'autre jour ? fit une autre voix. Hé ben, j'suis sûr que c'est un pédé qu'a fait le coup. Il n'a pas pu lui donner ce qu'elle voulait, alors il l'a liquidée...

— Tu crois qu'elle est au courant ?

— On devrait lui dire.

— S'cuse-moi, fillette...

— Va te faire foutre, rétorquai-je, oubliant mes propres conseils.

L'homme à la moustache posa sa main sur son oreille d'un geste parodique.

— Pardon ? J'ai pas bien compris.

Ce qui me flanqua dans une colère indescriptible ; mais je trouvai des termes appropriés.

— Je suis sûre que c'est quelqu'un comme *toi* qui l'a tuée.

Il eut un sourire fat, heureux de voir que j'avais mordu à l'hameçon.

Chris posa sa main sur la mienne : c'était son tour de m'exhorter au calme. Je croisai son regard placide – et y lut un certain amusement. Comme s'il ne s'agissait que d'un incident vaguement désagréable et rien de plus.

Nos tourmenteurs s'étaient levés et leur cercle se refermait peu à peu.

— Si j'étais toi, poupée, fit l'un d'entre eux, je parlerais pas à Len sur ce ton. Il a fait les paras en Irlande...

— Ah ouais ? Alors je comprends pourquoi cela fait vingt-cinq ans qu'on est en guerre.

La main de Chris se referma sur la mienne en guise d'avertissement ; puis, enfin, il daigna les regarder. Son mépris glacial parut les toucher immédiatement là où les injures rebondissaient sans faire de mal. L'atmosphère se chargea d'électricité.

— Qu'est-ce que tu regardes, mon pote ?

Chris ne daigna pas répondre, mais ses yeux ne cillèrent pas. Ses doigts massaient doucement les miens.

Silence. À peine rompu par les battements de mon cœur.

Le barbu s'était contenté de laisser faire ses nervis ; mais maintenant, il reprenait le contrôle des opérations. Sous mon regard furieux, il vint à notre table. Il était bâti comme un avant-centre de rugby, et ses cheveux noirs coupés court lui donnaient l'air plus dur encore. Pourtant, son visage aurait pu être jovial et son large sourire contagieux, si seulement il n'y avait pas eu tant de haine derrière son humour.

— Ici, c'est un pub où les gens viennent en famille, dit-il. De braves gens. Si j'étais vous, je finirais mon verre et m'en irais vite fait.

Tout mon être se rebellait contre cette injonction ; mais Chris eut un hochement de tête à peine perceptible dans ma direction, et je sus qu'il avait raison. Insister n'eût servi à rien. Je finis mon verre d'une longue rasade délibérée —, mais mes joues brûlaient du rouge de l'humiliation alors que nous mettions nos manteaux. Tous les regards étaient braqués sur nous, mais personne ne fit mine d'intervenir.

Une fois dehors, j'inspirai profondément et grinçai des dents. Chris posa la main sur mon épaule.

— N'y pensez plus, Rachel. Ce sont des minables.

J'étais si nerveuse que je faillis le repousser, mais je m'arrêtai à temps. Ma rage bouillonna, puis finit par s'affadir... me laissant perplexe face à l'intensité de mon ressentiment. Cela faisait longtemps que je n'avais pas été dans une colère pareille. J'avais envie de cracher ce goût acide qui m'empoisonnait la bouche. Tant pis pour la piété et les principes. C'en était un peu effrayant.

— Vous auriez préféré que je leur rentre dans le lard ? demanda-t-il doucement.

J'inspirai profondément afin d'alléger le poids qui pesait sur ma poitrine et secouai la tête.

— Non. Je suis heureuse qu'il ne se soit rien passé. Je le regardai du coin de l'œil.

— Nick l'aurait fait. Nick... mon mari. Parfois, lorsqu'on sortait et qu'une bande de crétins venait nous asticoter, il se sentait obligé de leur rendre la monnaie de leur pièce. Mais il ne faisait que jouer leur jeu. Vous n'avez pas réagi comme ils l'espéraient, et cela les a pris de court. N'est-ce pas ?

Il fit un geste évasif.

— Peut-être. L'essentiel, c'est qu'ils n'aient pas gâché notre soirée.

Il eut un sourire charmeur qui me surprit.

— Venez ; c'est l'heure de dîner.

Nous avons choisi un restaurant français tranquille et avons bien profité du repas. Il me convainquit même de partager une bouteille de vin. Une chandelle au milieu de la table, une musique douce en fond sonore. On aurait pu croire que le monde extérieur s'était évanoui dans les ténèbres, et son cortège de douleur et d'obscurantisme avec lui.

Néanmoins, je n'arrivais pas à me détendre. L'atmosphère chaleureuse de l'endroit avait quelque chose de poignant. Alors même que nous discutions, tout près l'un de l'autre, un geste ou un mot éveillaient des échos venus du passé qui, se coinçaient parfois dans ma gorge.

Il parut saisir ces moments et m'aider à m'en extirper, reprenant la conversation ou se taisant lorsqu'il le fallait. C'était un plaisir de voir tous les efforts qu'il faisait pour me mettre à l'aise. À la fin du repas, j'avais ravalé cet avant-goût de larmes.

Lorsqu'on eut retiré nos assiettes, il murmura :

— Je sais que nous partageons l'addition, mais puis-je vous offrir le dessert ?

J'eus une hésitation.

— Hem, non. Mieux vaut pas. Après un sundae, je me sens coupable. Et puis, je surveille ma ligne...

— Je ne crois pas que vous ayez du souci à vous faire sur ce point, dit-il d'un ton naturel plus que flatteur.

J'eus un sourire modeste et bus une autre gorgée de vin. Non, je ne me tourmentais pas pour ma ligne. Mais pour ce qui est de la culpabilité... hum.

— Allons, insista-t-il, abattant mes dernières défenses.

— Bon, bon.

Je regardai de nouveau le menu et souris.

— J'avais cru voir qu'ils avaient des pêches Melba.

Nous passâmes commande ; la serveuse nous demanda si nous voulions des cafés. Chris et moi nous regardâmes, indécis, puis je dis :

— Nous pouvons toujours le prendre chez moi, si vous voulez.

Il accepta avec reconnaissance. J'eus une vague pointe de nervosité qui disparut alors que nous reprenions notre conversation. Les haut-parleurs diffusaient désormais une compilation de succès des années 80, celles de mon adolescence, ce qui me valut une pointe de nostalgie – mais sans la tristesse qui l'eût accompagnée si je m'étais trouvée seule. Un compliment amical me fit rougir, puis j'éclatai de rire après une plaisanterie. Vinrent les desserts, copieusement inondés de chantilly, et je me goinfrai sans une once de mauvaise conscience.

— Merci, dis-je ensuite. C'était vraiment un bon repas.

Il croisa les doigts d'un air solennel.

— Ce n'est rien. Vu la masse de travail qui pèse sur vous, je suis heureux de vous voir détendue.

Je souris malgré moi et finis mon verre de vin. Puis vint une autre chanson.

Et soudain, je fondis en larmes.

Chris fronça les sourcils.

— Vous êtes sûre que ça va ?

Je fis oui de la tête sans cesser de pleurer.

— Désolée... Cette chanson me prend toujours aux tripes.

New Order. *True Faith* – « La vraie foi ». Celle qui me ramenait à nos sorties lors de ma dernière année à l'école d'infirmières – lorsque la vie me souriait...

Il trouva un coin de serviette propre, se pencha et m'essuya les joues, puis tapota mes yeux jusqu'à ce que les larmes se tarissent. Je reniflai et tentai un sourire reconnaissant.

— Merci...

— Chut. Ne vous en faites pas.

Il se rassit, inébranlable, tandis que je me mouchais.

— Vous voulez toujours que je vous raccompagne ?

Je hochai la tête avec ferveur.

— Oui... ne vous laissez pas démonter. Cela m'arrive de temps en temps...

J'épinglai un sourire sur mon visage

— Mais c'est passé maintenant.

— Tu t'es bien amusée ? demanda Pat ; puis elle remarqua Chris, qui se tenait derrière moi dans le hall et hocha la tête avec une politesse intriguée.

— En effet, merci, lui dis-je. Chris, je te présente Pat... Christopher, Pat...

— Heureux de faire votre connaissance, dit-il.

— Pas de problèmes ? demandai-je en désignant du menton la chambre de Cathy.

— Aucun. Elle a dormi comme une souche...

— Parfait, ajoutai-je gaiement. Merci beaucoup.

Je ne te mets pas dehors, mais...

Elle comprit immédiatement et se mit à ranger ses livres de cours. Je me tins à ses côtés, puis réalisai que je devais ressembler à un boutiquier à l'heure de la fermeture et passai dans la cuisine pour faire du café. Chris resta debout dans le vestibule. Ni l'un ni l'autre nous n'avions retiré nos manteaux.

— Assieds-toi, dis-je, j'en ai pour une minute.

Pat passa la tête par la porte.

— Bonne nuit, Raitch...

— Merci encore, lui dis-je avec sincérité, tant pour son tact que pour avoir gardé Cathy. Je t'appelle demain, d'accord ?

— D'accord.

Elle me décocha un clin d'œil.

— Sois sage.

Je fis la grimace ; nous avons éclaté de rire toutes les deux, puis je la raccompagnai.

Lorsque je m'adossai au panneau, quelque chose de chaud monta en moi. La bouche sèche, je retirai mon manteau et allai verser le café. Lorsque j'apportai les tasses, je vis que Chris était assis sur le canapé, son anorak posé sur le dossier.

— Un sucre ?

Il secoua la tête. Je lui tendis sa tasse et battis en retraite vers le fauteuil, ramenant mes jambes sous moi.

Nous parlâmes pendant des heures ; du moins, je perdis toute notion du temps. Nous passâmes sans mal de sujets sérieux à d'autres plus légers, et réciproquement. Je lui parlai des hôpitaux où j'avais travaillé ; il me fit entrevoir des pans de son passé informe, une existence de nomade, de boulot en boulot ; mais ce qui m'étonnait le plus, c'était sa perception aiguë des campagnes qu'il traversait. C'était un thème récurrent dans sa conversation.

Peut-être était-ce cette atmosphère intime qui me déprima. Cela faisait bien trop longtemps que je n'avais pas passé une si bonne soirée – qui s'achèverait bientôt, je le savais. Ou peut-être était-ce les évocations de mon passé, tout ce que j'avais soigneusement contourné dans mes récits. Ces nids-de-poule sans fond jonchant mon chemin.

Quoi qu'il en fût, je sentis monter la mélancolie. Je devins pensive et taciturne. J'essayai de combattre mon sentiment, en vain. Mon humeur radieuse s'était consumée et, maintenant, il ne restait plus que les nuages.

Il le remarqua; il ne tarderait pas à s'en aller. Il ne me laisserait que cette pièce vide et les spectres réprobateurs du souvenir... et mon lit glacial.

— Tu es sûre que ça va? murmura-t-il, et je hochai vigoureusement la tête.

— Alors il est peut-être temps que je bouge...

J'avalai ma salive et tentai un sourire.

— D'accord... si tu veux.

Je me levai pour l'accompagner à la porte; un instant, nous nous retrouvâmes l'un face à l'autre, comme si nous ne savions plus où aller.

Puis il tendit la main et me caressa la joue.

Ses doigts éveillèrent des picotements sur ma peau et le long de mon échine. Je ne pus que le regarder. Il avait l'air si sérieux.

— Rachel, fit-il doucement.

Une onde de chaleur me coupa presque le souffle. Mes inhibitions tentèrent de surnager, puis disparurent. Ses lèvres partirent à la rencontre des miennes. Mes bras se refermèrent sur lui.

Lorsqu'il se retira, je chuchotai :

— Écoute, Chris, je ne veux pas rester seule cette nuit.

Ses yeux d'ambre plongèrent dans les miens.

— Tu en es sûre?...

— Oui.

Je pris ses deux mains et l'attirai dans ma chambre. Mon cœur battait la chamade, sinon, j'étais très calme. J'étais au bord du gouffre, mais c'était de mon plein gré, et il ne me restait qu'un pas à faire.

Il y eut un hiatus; le genre de chose qu'une infirmière ne peut oublier. J'étais déjà en sous-vêtements, une bretelle de soutien-gorge pendante, lorsque je posai mes doigts sur sa poitrine. C'était gênant, mais je devais le lui demander.

— Désolée... mais est-ce que tu as... hem...

— Chut. Bien sûr. Ne t'en fais pas.

Il m'embrassa et s'assit.

— Dans mon blouson.

Il prit un air faussement contrit :

— En fait, j'étais passé à la pharmacie pour acheter du dentifrice, mais j'étais trop gêné pour demander...

J'eus un rire nerveux et me laissai tomber sur le duvet. Il y eut une pause alors qu'il allait chercher le nécessaire ; l'œil du cyclone. *Ma dernière chance.* Je me rassis, haletante, un goût métallique dans la bouche. Je regardai la porte entrouverte, puis baissai les yeux vers mes seins. Mon crucifix luisait dans la vallée qui les séparait.

J'eus une hésitation, puis déglutis et mes derniers doutes s'évanouirent. *Désolé, Dieu.* Je retirai mon soutien-gorge et fit descendre ma culotte. Cela faisait des siècles que je n'avais pas été aussi heureuse d'être nue. Lorsque Chris revint, j'étais prête.

— Maman...

J'ouvris des paupières de plomb pour découvrir le visage de Cathy à trente centimètres du mien. Je bâillai et me redressai, puis écartai mes cheveux de mes yeux.

— Bonjour, chérie...

— C'est qui, m'man ?

Oh, mon Dieu ! Je jetai un regard furtif – ses propres cheveux cachaient son visage posé sur l'oreiller —, me levai et la poussai devant moi, attrapant ma robe de chambre en cours de route. En général, peu m'importait qu'elle me voit nue ; mais, ce matin-là, j'avais honte, comme si j'avais quelque chose à cacher.

Chris ne fit pas mine de s'éveiller.

Le couloir était rempli de ténèbres à demi diluées.

— Cathy ? Quelle heure est-il ? fis-je en la suivant jusqu'à sa chambre.

Elle n'aurait pas pu le dire, mais il n'était certainement pas encore sept heures.

— Y a un gros oiseau qui a frappé à ma fenêtre, expliqua-t-elle. Il m'a réveillée. J'suis venue te le dire.

— Il devait chercher un ver.

Je réussis à sourire malgré tout ce qui bouillonnait en moi et la recouchai.

— Il t'a fait peur ?

Elle secoua bravement la tête.

— Voilà une grande fille. Rendors-toi. Ce n'est pas encore l'heure de...

— C'était qui dans ton lit, m'man ?

— Oh... un ami, chérie. Il... était très fatigué la nuit dernière, alors je l'ai laissé dormir ici.

Elle ne questionna pas cette contre-vérité à trois francs et se blottit contre son panda. Je lui caressai le front et regardai vers la fenêtre. Les rideaux étaient tirés, et une lumière crasseuse tentait de s'infiltrer dans la maison. Je fronçai les sourcils.

— Dis, Cathy... comment sais-tu que c'était un oiseau ?

— J'ai vu son ombre, m'man. Une grosse ombre noire sur le rideau.

Je remarquai alors comme ces premières heures du matin étaient froides ; un courant d'air glacial s'était glissé sous ma robe de chambre. Je frissonnai et serrai le vêtement contre moi.

— Très bien, murmurai-je. Endors-toi, maintenant.

J'allai à la porte, la refermai doucement derrière moi – et soupirai profondément, mais la pression sur ma poitrine ne diminua pas pour autant. Je restai là une minute, puis me dirigeai vers la porte de ma propre chambre.

Oh, Rachel Young, qu'as-tu fait ?

J'étais comme barbouillée ; un indigeste mélange de doute et de culpabilité. Le pire était encore cette impression d'avoir souillé quelque chose, quelque chose d'irremplaçable...

— Je suis désolée, Nick, murmurai-je dans le silence hostile. Je ne voulais pas...

Et ma voix intérieure me murmura : *Oh, si, tu le voulais.*

J'allai dans la cuisine et fis du café afin de m'occuper les mains. Mais cela ne me laissa qu'un moment propice à la réflexion. La cuillère resta plantée dans la poudre noire. J'avais oublié mon bien-aimé perdu. J'avais été *infidèle...*

Je m'étais bien amusée le soir précédent, je ne pouvais le nier. Faire l'amour avait été une joie et une libération ; une oasis dans un désert de douleur.

Une nouvelle fois, mes défenses se dressèrent. *C'est tout naturel, Nick. Tu ne peux pas m'en vouloir d'être en vie.*

Je sentis une présence et me retournai d'un bond, le cœur battant – ce n'était que Chris. Il avait enfilé son jean, mais son torse et ses pieds étaient nus. Rien d'étonnant qu'il n'ait pas fait de bruit.

Mes épaules s'affaissèrent. Je lui fis un sourire pincé, puis me tournai de nouveau vers mon plan de travail.

— Désolé, dit-il. Je ne voulais pas te faire peur.

Il passa doucement ses bras autour de ma taille. Je me dégageai.

— Écoute..., marmonnai-je. J'ai besoin d'espace. De réfléchir... seule. S'il te plaît...

— Je t'ai blessée, Rachel ?

— Non. Non...

— Tu as tant pleuré la nuit dernière...

Et pas uniquement avant d'aller nous coucher. Son visage et sa poitrine étaient mouillés de mes larmes. Même en pleine action, j'avais sangloté. Et je risquais de remettre ça, ici et maintenant.

— C'est à cause de ton mari...

J'acquiesçai.

— Ce n'est pas ta faute. C'est la mienne. Je n'aurais pas dû rester.

— C'est faux, Chris.

Je me tournai face à lui.

— Je voulais que tu restes et suis contente que tu l'aies fait. Mais il faut que je réfléchisse...

— Tu veux que je m'en aille ?

Je déglutis.

— Je t'en prie. Mais je t'appellerai. Dans un ou deux jours...

Il caressa doucement ma joue.

— Très bien, Rachel. J'attendrai ton coup de fil.

Alors qu'il partait vers l'entrée, je le rappelai.

— Chris ? Tu sais, en général, je... tu es le second homme avec qui j'ai couché.

Il se tut, le temps d'absorber la nouvelle, puis sourit avec une affection qui semblait sincère.

— C'est un sacré compliment, dit-il.

Cet après-midi-là, j'allai faire la paix avec Nick.

J'avais appelé Alice dans l'espoir futile qu'elle puisse m'aider. Deux heures, pas plus ; promis, juré. C'était un cas d'urgence. Elle râla un brin avant de convenir qu'elle pouvait toujours s'arranger. Peut-être n'étais-je pas arrivée à déguiser mon empressement.

C'était un bel après-midi vaguement ensoleillé. En marchant le long de l'allée, entre les tombes, je vis que les arbres étaient nus : leur parure d'automne n'était plus qu'une masse craquante et racornie que ratissait le gardien. L'année finissait sa lente décrépitude. L'amour devenait hiver et l'or se changeait en pluie...

J'arrivai devant sa pierre tombale et fixai l'inscription qui y était gravée.

Je n'arrivais pas à concevoir notre vie commune comme un simple instant comprimé entre ces deux dates de naissance et de mort. On ne pouvait tout réduire aussi facilement. De plus, comme je le disais à Cathy, l'âme survivait au corps. Et parfois, elle revenait hanter ceux qu'elle avait aimés.

Cette tombe n'était qu'un point focal : je savais qu'il n'était pas là. L'essentiel était loin, bien loin de cet endroit.

— Bonjour, Nick, fis-je platement.

Silence total, sinon le bruissement des branches dans les arbres.

— Tu sais pourquoi je suis là, repris-je. Je veux t'expliquer... ce qui s'est passé la nuit dernière.

Il ne faisait rien pour me faciliter la tâche. Même pas un murmure pour témoigner de sa présence. Je dansais d'un pied sur l'autre ; je ne m'étais jamais retrouvée dans une telle situation lorsqu'il était en vie et ne savais que dire.

Agenouillée devant la sinistre pierre grise, je joignis les mains et fis lentement tourner mon alliance de la pointe du doigt.

— Tu te souviens de notre promesse ? lui demandai-je doucement en regardant l'or blanchi. Jusqu'à ce que la mort nous sépare ? Mais la mort ne nous a jamais séparés, Nick. Tu es toujours en moi. Et je t'aime tant...

Une éruption de larmes fit chanceler ma voix ; je dus m'interrompre jusqu'à ce qu'elles se tarissent.

— Mais il faut que je passe à autre chose, finis-je par chuchoter. Je ne peux pas porter le deuil toute ma vie.

Silence.

J'eus un soupir et levai mes yeux brûlants – pour entrevoir un mouvement au milieu des tombes. Là, contre l'arbre au tronc contorsionné, couvert de plaies et de bubons. Je clignai des yeux pour chasser mes larmes et vis qu'une silhouette s'était détachée du bois sombre ; une forme tout aussi inquiétante.

Celle de *Razoxane*.

J'eus un sanglot d'épouvante et reculai si violemment que je tombai sur le dos. C'était bien elle, avec son manteau de fossoyeur et son vieux chapeau noir. Elle tendait une main recouverte d'un gant aux doigts arrachés ; sa longue écharpe était rejetée sur son épaule. Ses lunettes noires me fixaient d'un regard d'aveugle.

Elle me sourit – et disparut.

J'étouffai un gémissement du plat de ma main ; mais elle était partie pour de bon. Il n'y avait pas une trace de semelle sur le gazon immaculé. L'arbre sombre et solitaire se dressait dans le lointain. J'étais seule.

Le choc m'avait laissée faible et nauséeuse ; je m'accroupis sur place le temps de reprendre mes esprits, puis me relevai et regardai autour de moi. Rien que de l'herbe et des pierres tombales. J'eus bien du mal à reprendre mon souffle.

Mon Dieu. Je deviens folle.

À cette idée, je reculai aussi violemment que devant ma vision. Ce n'était rien ; juste une réaction tardive à tout ce que j'avais vécu. *Rien de plus.* Normal, vu mon état de nerfs. Et...

Soudain, la voix de la raison se tut. Parce que je fus sûre, sûre et certaine, que Cathy était en danger. Là, à ce moment même.

C'était une terrifiante perception, une lame de glace qui me poignardait au cœur. Je retins un gémissement, baignée d'une sueur glacée.

Cathy. Elle m'appelait. Je ressentais son cri jusque dans ma chair. Comme si mon talent s'était amplifié au contact de mon instinct maternel. Un million de fois.

Mon Dieu, non! Mon ange!

Je n'avais pas le temps de dire au revoir; pas même à Nick. Avec un gémissement de peur, je me précipitai vers les grilles.

Dieu sait comment, je réussis à rentrer sans bousiller la voiture. Le trajet fut un vrai cauchemar. À chaque feu rouge, je brûlais d'impatience. Mon cœur affolé galopait plus vite que mon véhicule.

Les souvenirs n'ont pas de pitié. Ils firent resurgir un de ces vieux films de mise en garde qu'on nous montrait lorsque j'étais gamine. Ne laissez pas les allumettes à portée des enfants, ou quelque chose comme ça. La voix lugubre du narrateur me revenait par bribes.

En arrivant au coin de sa rue, elle vit la fumée...

Je faillis emboutir une voiture de police qui s'arrêtait au feu rouge. Je freinai à mort et attendis, priant et jurant tour à tour.

Lorsqu'elle put distinguer sa maison, celle-ci était en flammes...

Non, mon Dieu, je vous en prie, ne vous vengez pas sur Cathy. C'est *moi* la responsable.

— *Maman. MAMAN!*

En arrivant près de chez nous, je me cramponnai au volant, redoutant le pire; mais pour autant que je pouvais voir, le bâtiment était intact. Pas de camions de pompiers, de badauds rassemblés. Je m'arrêtai en coup de vent contre le trottoir et sortis en trombe.

Tout ira bien maintenant. Maman est là. Maman est rentrée...

Haletante de soulagement, je déverrouillai la porte, l'ouvrit...

Et une horrible odeur me sauta aux narines; je fis la grimace sur le seuil. On aurait dit que je venais de pénétrer dans un dortoir qu'on aurait bouclé à double tour, abandonnant les patients à leur triste sort. Des mois de déchets. La mort. La putréfaction. Exhalés contre mon visage comme le dernier souffle d'un agonisant.

Puis il n'y eut plus qu'un silence de mort.

Je restai là, incapable d'avancer. À première vue,

il n'y avait rien d'anormal – et pourtant, notre petit logis parfumé au pot-pourri puait désormais l'abattoir. On avait tranché son caractère, excisé sa tranquillité. On avait étripé notre maison...

Puis une petite voix domina le silence. Un gémissement... suivi d'un bruit rauque.

— Cathy ?

Je me secouai et fis un pas en avant. Le bruit provenait de la salle de bains. J'ouvris la porte – et trouvai Alice accroupie devant la cuvette des toilettes, secouée de spasmes douloureux.

— Oh mon Dieu, que s'est-il passé ?

Elle me montra un visage strié de larmes. Sa peau était blanche et ses yeux écarquillés.

— *Alice !*

— Oh Rachel... bon sang !...

Je tombai à genoux à côté d'elle et lui pris l'épaule.

— Où est Cathy ? demandai-je d'une voix proche de l'hystérie. Que s'est-il passé, bon Dieu ?

— Elle s'amusait tranquillement, gémit-elle, avec son nouveau jouet. Puis elle s'est mise à pleurer... elle prétendait avoir vu le Croque-mitaine là-dehors et qu'il venait la chercher. Alors je lui ai dit qu'il n'y avait personne... et puis... Oh, Rachel... Je l'ai vu. Le Croque-mitaine est *entré*.

Je la regardai droit dans les yeux. Ils brûlaient de terreur.

— Il est passé par derrière... fit-elle entre deux sanglots. Par la porte. Son manteau était pourri. Une capuche couvrait son visage... mais je pouvais voir ses yeux derrière les trous...

— Écoute, Alice...

— J'ai vu ses yeux, Rachel, insista-t-elle. Horribles. Blancs, comme bouillis...

— Et *Cathy*, où est-elle ? bafouillai-je en serrant les mâchoires.

Elle secoua la tête, projetant des larmes.

— Je ne sais pas. Je suis restée planquée dans mon coin jusqu'à ce qu'il s'en aille. Je suis désolée, mais j'avais tellement peur...

Je la laissai et fouillai sommairement le reste de la maison dans l'espoir que ma fille se soit elle aussi terrée quelque part en attendant qu'il s'en aille. Mais toutes les pièces étaient désertes. Et partout, ce relent de charnier...

La porte de la cuisine était grande ouverte ; il était entré par là. Au-delà s'étendaient les champs obscurs. Je pouvais m'imaginer sans peine une grande silhouette en haillons qui marchait vers les arbres en portant un fardeau miaulant. Maintenant, il n'y avait personne et les bois n'étaient qu'une masse noire et indistincte. Je résistai à l'envie de m'y précipiter. Mais j'étais sûre de ne jamais les rattraper.

Oh, mon Dieu !...

Mon ventre était vide, comme si on avait arraché ma fille de ma matrice même. Je rassemblai le peu de forces qui me restaient et me traînai vers la salle de bains.

Je faillis ne pas voir ce qu'il y avait sur la table, mais je tournai la tête.

C'était une petite liasse de papier moisi comprimé sous une couverture noire et friable comme une mouche morte. Il me fallut un certain temps pour comprendre qu'il s'agissait d'un livre.

Je m'approchai, le cœur au bord des lèvres. On aurait dit qu'il sortait tout droit d'une cave humide ; de la toile d'araignée adhérait encore au cuir. Les mots gravés sur la tranche étaient illisibles.

Je n'osai pas le toucher, encore moins lire la première page. Mais cette antiquité m'évoquait quelque chose. Des connections se firent d'elles-mêmes.

Le Croque-mitaine. Son manteau pourri...

Je posai ma main sur ma bouche, reculai et rejoignis Alice.

— Est-ce qu'il a dit quelque chose ? demandai-je d'un ton plaintif.

Elle secoua la tête comme pour rejeter jusqu'au souvenir de ce terrible intrus.

— Qu'est-ce qu'il *voulait ?...*

— Je devrais être en train de réviser, grommela Alice. Comment pourrai-je étudier à nouveau ? Je vais rater tous mes exams...

J'avais assez d'expérience pour comprendre qu'elle était en état de choc et ne savait plus ce qu'elle disait.

— Chut, Alice...

— Pourquoi ne m'a-t-il pas tuée? s'écria-t-elle. Comme ça, je n'aurais pas à me rappeler...

— Alice!

Elle cligna des yeux comme si je l'avais giflée. Ce qui m'évitait de le faire réellement.

— Écoute-moi bien, fis-je d'une voix tremblante. Rentre chez toi. Va te coucher. Dis à ta mère que tu as vu un accident, que tu as une intoxication alimentaire, n'importe quoi. Mais... je t'en prie, ne dis rien de ce qui s'est passé ici.

— Mais... la police...

— *On ne peut pas prévenir la police.* Sinon, il pourrait faire du mal à Cathy. Il faut que j'attende... qu'il me contacte.

— Mon Dieu, Rachel...

— Ce n'est pas ta faute, Alice. Crois-moi. Maintenant, rentre chez toi. Je me charge du reste.

— Mais si ce n'est pas un kidnappeur?...

Elle se tut sur cette horrible idée; mais je ne pouvais croire qu'il eût d'autres mobiles. Pourquoi laisser ce souvenir macabre, sinon en prologue à une future confrontation? Et si je le voyais face à face, je pourrais plaider ma cause, marchander...

À moins que ce ne soit qu'un aide-mémoire, un sceau prouvant que le pire s'était déjà produit.

Combattant ma nausée, j'aidai cette pauvre Alice à se relever et la serrai contre moi.

— Je m'en tirerai, insistai-je. Je t'appelle... dès que possible. D'accord?

Elle hocha la tête, encore secouée; lorsqu'elle eut repris assez de forces, elle alla récupérer sa voiture. Une fois à l'intérieur, elle me jeta un regard éploré, puis démarra et s'en alla.

Je restai là, à fixer la rue bien longtemps après qu'elle eut disparu. Mon cœur s'était ralenti comme s'il avait été bout de souffle. Il ressemblait à un tambour funèbre.

Je fis demi-tour pour rentrer dans la maison. L'odeur de mort s'estompait peu à peu. J'allai ouvrir toute les fenêtres, comme un robot, afin de chasser ce relent rance. Puis je retournai dans le salon et me laissai tomber dans le fauteuil. Je portais toujours mon manteau et mes bottes et étais toujours baignée d'une sueur froide.

Le livre ancien restait posé sur la table comme quelque chose de vivant. Je le fixai en pleurant des larmes silencieuses. Pas moyen de détourner les yeux. Le choc en retour m'avait laissée paralysée.

Mon Dieu. Je vous en prie. Je sais, je n'aurais pas dû... mais vous n'aviez pas le droit de me faire ça...

Le jour grisâtre agonisait peu à peu, et les ombres envahirent la pièce, avalant la télévision morte, l'arbre de Noël et ses décorations. L'air se fit glacial.

Et quelque chose s'éveilla.

Une épine de terreur traversa mon cœur. Le mouvement provenait d'une chaise près de la table, à peine visible dans la pénombre. Une chaise que je fixais depuis des heures et qui ne pouvait qu'être vide.

Puis vint de nouveau ce reflux d'ombre. Ma chair se hérissa. Il y eut un raclement qui donna naissance à une flamme ; une simple allumette. Sa lumière se refléta sur les lunettes noires de Razoxane et sur son sourire glacial.

CHAPITRE IV

LES SŒURS

— Je ne t'ai pas fait peur, j'espère, dit-elle.

Cette question ! En la voyant, j'étais restée sous le choc. Puis la peur avait enflé en moi. En un mouvement de recul, j'étais tombée par terre pour ramper loin du halo de lumière de l'allumette. Et je me retrouvais coincée, dos au mur, à la fixer de mes yeux écarquillés. Prise au piège.

Je tentai de reprendre mes esprits. Mon cerveau même vibrait de terreur – mais n'avais-je pas déjà connu, le jour même, un moment semblable ? J'eus un hoquet douloureux et regardai autour de moi.

L'allumette s'était éteinte, replongeant la pièce dans l'obscurité ; mais je l'avais vue se lever de sa chaise. Tel un fantôme, elle se dirigea vers la porte – une silhouette informe plus noire que le crépuscule ; pourtant, le grincement de ses bottes était bien réel. Elle trouva l'interrupteur et alluma la lumière.

Oh mon Dieu, c'est bien elle !

Razoxane n'avait pas disparu sous le flot de lumière. Son sourire restait figé sur ses lèvres. Elle alla reprendre son siège, dans la pénombre, près du livre abandonné par le mystérieux ravisseur.

Le livre. Sombre et poussiéreux, tout comme elle. Je déglutis douloureusement et me levai.

— Que lui as-tu fait ?

— À ta fille ? fit-elle sans sourire.

Ma gorge se serra sous l'effet de ma rage.

— Non, au pape ! Bien sûr, à ma fille !

— Rachel, je ne l'ai pas touchée.

— *Razoxane*...

— J'étais venue pour les empêcher de la prendre, coupa-t-elle. Ils se sont déjà déplacés de nuit, mais je ne pensais pas qu'ils attaqueraient en plein jour.

J'hésitai, bouche bée, avant de demander :

— Qui ça ?

Elle expira lentement, retira son chapeau, puis le regarda longuement comme si elle pouvait y lire une réponse avant de le poser sur la table.

— Je ne sais pas, admit-elle.

— Comment, tu ne sais pas ?

Elle haussa les épaules.

— Ils répandent du grain. Les signatures sont illisibles.

Ces mots ne signifiaient rien ; c'était un mur de brique emprisonnant ma fille. Mais je m'y cognerais le crâne jusqu'à ce qu'il saigne.

— Alors qui sont-ils ? insistai-je.

— Des ennemis.

Silence ; j'avalai ma salive.

— Les tiens ou les miens ?

— Les nôtres.

Je scrutai son visage pâle et placide, puis tentai une nouvelle approche.

— Tu disais... qu'ils avaient déjà essayé de s'introduire ici ?

Elle hocha la tête. Je compris soudain.

— Mon Dieu, cet homme à la fenêtre...

— Ce devait être l'un d'entre eux. Je l'ai chassé.

— C'était *toi* qui étais dans le champ, pas vrai ?

Je me souvins de l'éclair de l'allumette. Pas étonnant que le compas se fût réveillé : il flairait la présence de sa propriétaire. Et maintenant qu'elle était sortie de la nuit, il devait s'affoler au fond de son tiroir.

— Je t'en prie, dis-moi ce qui se passe.

Elle me rendit mon regard, puis fixa le livre fermé.

— Je ne peux te dire que ce que je sais.

— Ils ont enlevé ma *fille*, Razoxane ! Ça, tu le sais !

Elle pencha la tête, indifférente à mes éclats de voix. J'hésitai ; j'avais toujours peur de m'aventurer dans son univers de ténèbres. Elle errait dans des cercles magiques, où grouillaient toutes sortes d'abominations. Elle m'avait fait voir les sorcières et les démons qui hantaient notre quotidien. Dieu sait de quels *ennemis* elle parlait cette fois-ci.

Mais je n'avais pas le choix. Je rassemblai mon courage avant d'attaquer :

— Tu... enfin, est-ce qu'ils... sont humains ?

— Oui.

J'eus un soupir de soulagement.

— Mais ils sont morts, ajouta-t-elle.

Oh, mon ange. Je pressai mes deux mains sur ma bouche.

— Ils doivent être très anciens, reprit-elle. Des siècles, probablement.

J'avalai ma salive, puis posai la question qui me travaillait depuis qu'Alice l'avait fait surgir :

— Est-ce... des Cliniciens ?

L'ordre des démons qui avait engendré Razoxane elle-même ; mais elle secoua la tête en tapotant la couverture du volume.

— Les Cliniciens ne prient pas.

Je m'approchai d'elle.

— Qu'est-ce que c'est que ça ?

— D'après moi, fit-elle en soulevant la couverture, c'est un exemplaire des *Actes et Monuments*.

Le relent de charnier, qui s'était presque dissipé, infectait de nouveau l'atmosphère comme si le livre lui-même exsudait ses effluves malsains.

— Quels actes et monuments ? demandai-je.

— Un millénaire d'atrocités, répondit-elle sèchement. On le connaît mieux sous le nom de *Livre des Martyrs*, de Foxe.

J'avais déjà entendu ce nom ; c'était un véritable catalogue de tortures. Abasourdie, je tirai une chaise et m'y laissai tomber.

— Alors pourquoi... me l'a-t-on laissé ?

Elle haussa les épaules sans cesser de le feuilleter.

— Ce doit être un message quelconque.

J'essuyai mes joues de nouveau mouillées.

— Mais si je ne peux pas le comprendre...

— C'est peut-être à moi qu'il est adressé.

Je la dévisageai en silence, puis laissai libre cours à ma colère et à ma frustration.

— Alors tout est de ta faute, une fois de plus ? Bon Dieu, pourquoi n'es-tu pas morte ?

Elle ne se laissa pas démonter et eut une ombre de sourire.

— Comment s'exerce le Jugement de Dieu, sergent ?

Elle leva une main gantée, la paume en avant.

— Avec fermeté, mais équitablement... inspecteur.

Le gant de sa main droite était de laine, l'autre en cuir fendillé. Il lui manquait aussi plusieurs doigts, révélant des anneaux d'argent.

Je sus immédiatement à qui il appartenait, avait appartenu. Ma bouche s'ouvrit en un O incrédule.

— Tu l'as vaincu ?

Elle eut une hésitation.

— Pas exactement.

Je pouvais encore sentir l'horreur de cette ultime confrontation ; la rage du démon qu'elle avait invoqué. Tous deux emprisonnés dans un cercle magique comme deux chiens d'attaque dans la même cage. J'étais sûre que, cette fois-ci, elle avait été détruite. Qu'elle brûlait en *enfer*...

— Après que tu m'eus abandonnée..., souligna-t-elle avec emphase, j'ai essayé de communiquer avec lui. J'ai employé tous mes artifices, la moindre parcelle de pouvoir à ma disposition. Et finalement, j'ai conclu un marché...

— Il y avait des ossements dans les cendres, insistai-je.

— Je sais.

— Les siens ?

Elle eut un hochement de tête sardonique.

— Sa forme matérielle a été entièrement consumée.

— Mais alors..., commençai-je.

Il n'y avait pas de troisième possibilité. En fixant ses lunettes noires, je me souvins de la façon dont elle avait disparu dans le cimetière, pour renaître dans les ombres de la pièce.

La conclusion s'imposa d'elle-même.

— Oh mon Dieu, aidez-moi... murmurai-je.

— Tu n'as pas à avoir peur, répondit-elle sur le même ton. Après tout, n'as-tu pas toujours cru aux fantômes ?

Je restai là, paralysée, puis ma main jaillit et enserra son poignet. Sous sa peau glacée, je pus sentir des os bien solide.

— Tu es réelle, dis-je. Regarde : tu es là, en chair et en os. C'est ta folie qui te fait dire...

Elle ne fit pas un geste pour se dégager. Elle parla d'une voix douce et ferme.

— Alors, comment ai-je pu me retrouver ici sans que tu me voies arriver ?

— Mais je peux te toucher...

Elle tapota sa tempe avec une solennité parodique.

— L'ennui avec toi, Rachel, c'est que tu as trop d'*idées préconçues*.

— Alors, comment es-tu rentrée ?

Elle haussa les épaules, mais sa voix se chargea de tension.

— C'est difficile... mais pas impossible. Lorsque les ténèbres sont assez denses. Assez noires. On atteint une sorte de masse critique...

— Mais lorsque tu m'es apparue au cimetière, il faisait encore jour... protestai-je.

— À ce moment, j'étais encore dépourvue de substance.

— Et maintenant ?

En guise de réponse, elle étendit les bras. Touche-moi et crois en moi...

— Et tu peux... aller et venir à volonté ?

— Ce n'est pas... plus... si facile.

Je n'avais pas envie de l'interroger sur ce point ; j'avais d'autres questions plus pressantes.

— Pourquoi ont-ils enlevé Cathy ?

— Je ne sais pas.

— Tu as bien une idée ? insistai-je, au bord du désespoir.

Elle passa sa main dans ses cheveux courts, puis leva les yeux pour me regarder.

— J'ai besoin d'autres indices avant de pouvoir déterminer qui ils sont. Nous devons attendre.

Attendre ? Compter les minutes où mon ange était aux mains du Croque-mitaine équivaudrait à subir le supplice des mille plaies.

La veille du soir, j'étais si heureuse de sortir qu'elle avait eu droit à un surcroît de tendresse ; je l'avais appellée ma Cathy, mon trésor. Ma fille aux cheveux d'or.

Et si c'était la dernière fois que j'embrassais son front ? À cette idée, j'éclatai en sanglots.

— Écoute, Rachel...

Elle devait m'avoir appelée à l'aide pour que je la sauve des griffes du Croque-mitaine. Mais maman n'était pas venue...

Razoxane frappa la table ; le *Livre des Martyrs* fit un bond. Je sursautai, moi aussi, et serrai les dents alors qu'elle se penchait vers moi.

— Écoute-moi rien qu'une minute. Quelque chose de maléfique a enlevé ta fille. Je ne sais ni qui, ni pourquoi. Mais ils nous ont laissé un livre qui, apparemment, a passé quelques siècles dans une tombe ; et ils emploient une forme de grain qui a bien trois siècles.

— Alors... que fait-on ? demandai-je, sans même me demander ce qu'était ce « grain ».

— Je te l'ai déjà dit : on attend. On attend qu'ils bougent.

Je la dévisageai, puis secouai la tête, incrédule.

— Qu'y a-t-il ?

— Non, ce ne peut pas être toi, dis-je. C'est impossible.

Elle regarda par-dessus son épaule, en direction de la cuisine, puis revint à moi.

— Tu as quelque chose à manger ?

Peut-être est-ce l'audace de cette référence à la Résurrection qui me convainquit que c'était bien Razoxane qui se trouvait en face de moi.

— Inutile de blasphémer, marmonnai-je.

— Voila qui te ressemble davantage.

Son sourire s'assombrit.

— Mais tu ferais mieux de te préparer un bon repas. Je sais que tu n'as pas faim, mais là où nous allons, tu auras besoin de toutes tes forces.

Je me contentai de soupe et de pain ; je n'aurais pas pu avaler davantage. J'avais enfin retiré mon manteau, et me penchai au-dessus de la casserole. Razoxane se tenait toujours sur le seuil, cachée sous les rebords de son chapeau.

— Tu nous surveillais ? demandai-je.

Elle en convint ; je me tournai pour la regarder en face.

— Alors tu savais ce qui allait se produire ?

Elle eut un geste évasif.

— J'ai senti s'amasser les ombres et su que quelque chose se tramait ; quelque chose de menaçant.

J'hésitai à poser ma question, redoutant la réponse, quelle qu'elle puisse être.

— Alors, qu'est-ce qui t'amène, cette fois-ci ?

— Je viens protéger ma sœur, dit-elle calmement. Je lui dois bien ça, non ?

Ma bouche s'affaissa. Je n'en croyais pas à mes oreilles.

— Razoxane... tu as tenté de me tuer !

— Rien de personnel. Tu le sais bien.

— Et... ce n'était pas la première fois, remarquai-je.

Elle haussa les épaules et n'épilogua pas.

J'étais sa sœur spirituelle, comme elle me l'avait dit la dernière fois. Les deux faces de la lune. Néanmoins, elle s'était servie de moi comme d'un pion et, au cours de ses manipulations, avait failli causer ma perte.

Tout ça pour sauver son âme ; la partie d'elle qui, jadis, avait été un ange. En cherchant à raviver cette flamme angélique, elle s'était perdue dans les ténèbres et avait commis les pires atrocités. Elle était devenue une sorcière, une meurtrière, une pilleuse de tombe...

Tout ceci en vain. Elle n'avait toujours pas trouvé le repos.

La soupe bouillonnait à grosses bulles. J'éteignis le gaz machinalement et la regardai de nouveau. Elle baissait la tête, pensive – ou comme si elle rechignait à exposer son visage à la lumière.

Pourquoi était-elle revenue me hanter ? Pourquoi maintenant ? Comme une réponse ironique à mes prières ?

— Rachel, je veux t'aider à sauver ta fille, murmurat-elle. C'est vrai. Mettons qu'ainsi, je paierai ma dette...

La voix du Diable cherchait à m'embobiner. Je grinçai des dents et secouai la tête.

— C'est fini. Je ne te crois plus.

— Je ne peux pas t'en blâmer. Mais, pour l'instant, tu n'as pas le choix.

Je m'avançai, brandissant ma cuillère comme une épée.

— Écoute-moi bien. Tu m'as toujours manipulée, Razoxane. *Toujours*. Et toujours pour ton propre bénéfice. Alors ne viens pas dire que tu es de mon côté.

Ma voix tremblait. Je ravalai un sanglot.

— Il n'est pas question de choisir un camp, dit-elle. Il s'agit d'*âmes*. Toi et moi sommes liées.

Cette idée me fit frissonner, comme un avant-goût des horreurs à venir. Deux sœurs aussi inséparable que des amants. Si proches que même la mort ne pouvait nous séparer...

Croyait-elle toujours pouvoir expier ses péchés et trouver le salut ? Mon estomac bouillonnait à son tour ; des bulles de malaise. Dans la vie, avais-je appris, il n'y a rien de gratuit ; et encore moins sa sinistre protection.

Avec Razoxane, il y avait toujours un prix à payer.

J'avais eu du mal à accepter la nourriture, mais à la simple idée de dormir, toutes mes cellules se rebellaient. Pourtant, ses dons de persuasion eurent raison de mes réticences.

— Demain, il faudra que tu ailles travailler, dit-elle. Tu devras faire comme si tout était normal. Quelque chose se prépare, c'est sûr ; mais on ne peut rien faire tant qu'ils n'auront pas abattu leur jeu.

Elle était allongée sur le canapé au milieu des chats en peluche. Elle se cachait toujours de la lumière et, remarquai-je, n'avait pas retiré ses gants, ni son manteau. Comme si, encore maintenant, elle devait se protéger du froid.

Je la regardai depuis l'entrée en serrant contre moi le panda de Cathy, bien qu'il fût encore imprégné de l'odeur du monstre qui l'avait emportée. Ce soir-là, il dormirait avec moi ; ce serait un bien piètre réconfort, mais je devais m'accrocher au peu qui me restait.

116

La boîte à musique avait disparu, elle aussi ; elle n'était plus là où je l'avais mise. Dieu sait ce qu'il avait pu encore dérober. Je n'osais pas regarder dans la chambre de Cathy...

— Tu vas t'en sortir ? demanda Razoxane.

Je me mordis les lèvres et hochai affirmativement la tête. Encore un jour avant les vacances. J'y arriverais ; minute par minute. Si toutefois j'étais encore en vie.

— Tu crois qu'il peut revenir ? murmurai-je.

— En ce cas, il me trouvera en face de lui, répondit-elle. Certains d'entre nous n'ont pas besoin de sommeil.

Elle voulait me rassurer, mais ses mots eurent l'effet opposé : je me demandai ce qui pouvait bien rôder là-dehors pendant que le reste du monde dormait...

— Razoxane ? tentai-je. Cette... chose, celle de Londres. Elle ne va pas te suivre jusqu'ici, non ?

Elle secoua la tête.

— L'Ankérite est retourné dans les souterrains de la City. À son point d'ancrage. Il va dormir pendant un siècle au moins.

— Alors que lui as-tu donné ? Ton âme ? demandai-je ; le Diable risquait-il de venir réclamer son dû ?

— Ma chair tout au plus ; c'était équitable.

Je déglutis et repris :

— Pour que tu puisses continuer ta route en tant que fantôme ?

— J'ai vendu chèrement ma peau, convint-elle, puis elle rabattit son chapeau sur son visage.

Je détournai les yeux et frissonnai sous ma chemise de nuit. Je sentais monter les larmes ; elles jaillirent sous forme de mots remplis d'amertume.

— Pourquoi moi ? Pourquoi est-ce que cela tombe *toujours* sur moi ? Qu'ai-je fait pour mériter ça ?

Elle resta immobile comme un cadavre, puis releva son chapeau et me jeta un regard presque compatissant.

— Est-ce que les patients de ton hospice méritent leur maladie ? Non, tu le sais bien. Ce n'est pas comme ça que cela fonctionne.

Elle avait raison ; bien sûr. Je ne le savais que trop.

Mais parfois, j'aurais bien aimé qu'il y ait une justice.

CHAPITRE V

LES CORBEAUX

Quelque chose était mort, là, en bordure des bois. Les corbeaux se rassemblaient autour de la dépouille comme des clochards attirés par un feu de camp.

Debout face à la fenêtre du salon, je les regardai voleter. Des charognards. Des nécrophages.

Quelque chose était mort.

Un animal, bien sûr : un lièvre, peut-être même un renard. Pas un être humain. Pas un enfant...

— Il est trop tôt pour attendre le père Noël, murmura gentiment Kate Thompson, qui se tenait derrière moi. Il ne viendra pas avant la semaine prochaine.

Je sursautai et me tournai vers elle, m'arrachant à ma spirale d'idées noires. En fait, j'étais venue vérifier qu'elle était bien installée ; mais alors que je me redressais, les oiseaux avaient attiré mon attention.

Il faisait chaud dans la pièce, et les fenêtres étaient légèrement embuées. À l'extérieur, l'air semblait bien gris et bien lourd.

— Ma petite fille aussi l'attendait, murmura Kate. Le matin de Noël, nous montions pour la trouver agenouillée sur son lit, la tête sous les rideaux, cherchant une brèche dans les nuages...

Cette idée amena un sourire sur son visage las.

Je déglutis avant de hocher la tête, mais elle ne le remarqua pas. Je m'adossai à la fenêtre et fis un effort pour oublier le monde extérieur.

— Quel âge a-t-elle maintenant ? demandai-je.

— Vingt-deux ans. L'année dernière, elle a fini ses études à l'université. Je suis heureuse d'avoir pu voir ça.

Elle se reposait sur un fauteuil, adossée à un coussin, un plaid sur ses genoux. Elle avait longtemps lutté contre le cancer, mais maintenant, elle était au stade terminal. Ils l'avaient opérée plusieurs fois, en vain. L'hydre avait bien trop de têtes.

— Vous avez une fille, n'est-ce pas, Rachel?

— Oui.

— J'imagine qu'elle doit attendre Noël. Les jeunes sont toujours sensibles à sa magie, pas vrai?

Je ne pus qu'acquiescer.

La chambre était plutôt accueillante. Nous avions installé un arbre dans un coin avec des décorations de Noël et des guirlandes de papier au plafond. Trois jours plus tôt, c'était moi qui dirigeais les opérations en riant avec les autres infirmières pendant que les résidents nous regardaient avec indulgence. Maintenant, tout cela semblait bien lointain.

Malgré moi, je regardai dehors. Les corbeaux semblaient plus nombreux désormais, comme si on se passait le mot à travers les champs et les haies. De la viande. De la viande morte. À table...

Je me retournai en espérant que le poison qui emplissait mon estomac ne ravagerait pas mon sourire.

— Je suis en congé la semaine prochaine, lui dis-je. C'est mon dernier jour. Mais je viendrai vous dire au revoir avant de partir.

Même en temps normal, cette promesse aurait été douloureuse. Au cours d'un week-end prolongé, tant de gens pouvaient disparaître. Peut-être ne la reverrais-je plus jamais.

Ou peut-être ne me reverrait-*elle* plus.

Mais cette perspective n'avait rien d'effrayant. J'étais résignée à ce qui allait survenir. Si le chemin que Razoxane voulait me faire emprunter menait au néant, ce serait un soulagement.

Oh, Cathy, ma chérie, j'arrive. Attends encore un tout petit peu...

Nicola se tenait dans l'entrée, l'air déprimée; elle avait fait la tête toute la journée, ce qui lui donnait l'air encore plus jeune, plus frêle.

— Nicky, quand tu auras fini, tu pourras aider Mel à emballer le linge?

Elle me regarda d'un œil atone, puis hocha la tête.

— Tout va bien? demandai-je un peu imprudemment.

Elle hocha encore la tête. À la façon dont elle pinça les lèvres, je sentis que sa timidité la desservait, l'incitant à me rejeter alors qu'elle avait besoin de parler. Mais j'avais trouvé une porte de sortie. *En ce cas, je te laisse faire...*

— Arrange-toi pour partir à l'heure, dis-je afin d'alléger ma propre conscience. Et bon Noël, si je ne te revois pas avant.

Elle marmonna une vague réponse, et je repartis le long du couloir. Une fois hors de ma vue, elle sortit de ma tête. Ce nuage de corbeaux revint me hanter. Pour qu'ils soient si nombreux, il fallait qu'un vrai *festin* les attendît là, dehors. Pas de fumée sans feu...

Un froid malsain envahit mon estomac; je dus m'arrêter pour essuyer mon front glacial. Peut-être y avait-il une petite chaussure au milieu des feuilles; un morceau de tissu accroché à une branche. Et là, dans le fossé, quelque chose d'autre. Un petit paquet informe que quelques oiseaux avaient découvert.

Heureusement, personne ne me vit m'adosser au mur pour éclater en sanglots. Finalement, le spasme se dissipa le temps que je regagne mon bureau et m'y enferme.

Oh, Cathy, Cathy, Cathy...

Il fallait que j'aille voir ce qu'il en était. Dès que j'aurais fini mon service. Vérifier que je me trompais. Je consultai ma montre, et mes épaules s'affaissèrent. Encore une heure. Autant dire une éternité.

Je me laissai tomber sur ma chaise et pensai à ce qu'il y avait écrit sur les notes de Kate. *Néoplasme malin.* Un joli terme pour désigner un cancer, mais qui fit resurgir tout ce qui m'était arrivé à Londres. La chose qui se cachait sous la City était comme une tumeur cancéreuse, incroyablement maligne. L'exciser n'avait servi à rien. Je réalisai que le monde entier était malade; dévoré par le mal. Même si l'on soignait une tumeur, deux autres se développaient à un autre endroit.

Mon nom est Lésion... et nous sommes nombreux.

Mais cette fois-ci, quelle hydre avait levé la tête ?

Quelqu'un frappa timidement à ma porte. Je jurai à mi-voix et lui dis d'entrer.

C'était Nicola ; pâle et malheureuse.

— Rachel... tu as une minute ?

Une minute ? J'en avais même soixante, longues et interminables. Peut-être en ferait-elle passer quelques une.

— Bien sûr.

En fait, c'était son copain qui l'avait fichue dehors. Je l'écoutai en émettant des bruits compatissants pendant qu'elle soulageait son cœur. Elle réussit à ne pas pleurer devant moi, mais il était évident qu'elle retenait ses larmes.

— Il a dit que cela devenait trop sérieux. Comment peut-on devenir trop sérieux ? On est amoureux ou on ne l'est pas...

Je regardai ma table, puis levai les yeux : on frappait de nouveau à ma porte.

— Désolée..., fit Nicola.

Elle se leva pour ouvrir ; j'eus un geste pour lui faire comprendre qu'elle n'avait pas à s'excuser. C'était Diane.

— Tu as une minute ? demanda-t-elle.

Elle remarqua ma visiteuse éplorée et fronça les sourcils.

— Tout va bien ?

— Oui... Nicky s'est fait plaquer, elle avait besoin de parler.

Je savais, d'instinct, que j'avais raison de la mêler à notre discussion : plus on est nombreux, plus on est forts. Diane parut s'offusquer du sort de sa collègue.

— Si près de Noël ? Quel salaud !

— Non, ne t'en fais pas, répondit Nicola. Je suis heureuse qu'il me l'ait dit maintenant ; au moins, je sais où j'en suis...

— Tu pardonnes trop facilement, Nick. C'est un salaud, point à la ligne.

Je finis par me reprendre et remontai quelque peu le moral de Nicola – tout en m'efforçant de ne pas penser aux corbeaux. Plus on s'approchait de l'heure fatidique, plus les minutes défilaient – jusqu'à ce que j'aie l'impression d'être prise dans un tourbillon. J'en vins à souhaiter qu'elles passent plus lentement.

— Merci beaucoup, dit Nicola en repartant. J'avais vraiment besoin de parler.

— Je t'en prie. La prochaine fois, ne te gêne pas.

Je crevais d'envie de consulter ma montre.

— Passe un bon Noël.

— Toi aussi.

Dès que la porte se referma, mon sourire se fana. Je soupirai et posai ma tête entre mes mains.

Au bout d'un moment, je regardai ma montre.

Il était temps de partir.

Lorsque je sortis, le ciel s'était épaissi : la lumière était trouble et grumeleuse. J'allai poser mon sac dans la voiture. Je me blottis dans mon manteau et traversai le parking.

Les corbeaux avaient disparu. Le champ qui s'étendait entre Sainte-Catherine et la forêt était désert. Pas de croassements en provenance de la masse des arbres dénudés.

Je me retournai pour regarder l'aile la plus proche du bâtiment. Deux fenêtres étaient éclairées, dont celle de l'infirmière-chef. Les autres étaient noires. Une fumée à l'odeur de lessive s'élevait vers le ciel.

C'était maintenant ou jamais ; avant que quelqu'un ne me voie et se pose des questions. Je suivis la clôture jusqu'au panneau *voie publique*, puis l'escaladai et partis sur l'étroit sentier menant à la forêt.

Alors que la masse de l'hospice diminuait, le paysage me parut bien vide. À chaque pas, le champ devenait plus lugubre, plus désolé. Je me surpris à regarder le bâtiment et ses fenêtres, promesse de chaleur et de compagnie ; des plaisirs qui m'étaient désormais refusés. Je devais cheminer seule.

Les battements de mon cœur étaient étouffés et ma gorge était sèche. En atteignant la bordure des bois, je tournai à gauche pour longer un petit fossé. J'avais des feuilles jusqu'aux chevilles. L'hospice semblait bien loin désormais.

Voilà. C'était là qu'ils s'étaient rassemblés. Je m'humectai les lèvres et regardai autour de moi. Mon estomac se serra lorsque j'entrevis un bout de tissu.

Plus un oiseau en vue. La brise agitait légèrement les branches, et seul leur crissement rompait le silence.

Je serrai les dents et me rapprochai. L'air entre les arbres grisonnait comme pour annoncer le crépuscule.

Bien sûr, me dis-je, il n'y avait rien. Ils ne pouvaient pas l'avoir... abandonnée là. Il fallait qu'ils aient une bonne raison pour enlever mon enfant. Le message, le livre n'était qu'un début.

Mais si je me trompais... au moins, ce serait à moi de le découvrir... et de ramener son petit corps à la maison.

Je trébuchai et me rattrapai à un arbre, hors d'haleine. Je posai mon front contre le tronc, restai là une minute, puis me forçai à reprendre mes recherches.

La lumière déclinait et l'atmosphère se faisait de plus en plus pesante ; je commençais à voir des silhouettes tourmentées là où il n'y avait rien du tout. Chacune était un tison ardent poignardant mon estomac qui se retirait lorsque je constatais la vérité, mais laissait derrière lui une plaie fantôme.

Je finis par admettre qu'il n'y avait rien. Les corbeaux s'étaient rassemblés pour des raisons qui leur étaient propres... puis ils étaient repartis. J'eus un éblouissement et m'adossai à un autre tronc ; j'attendis le temps de reprendre mon souffle.

Lorsque le sang cessa de pulser à mes oreilles, les bois se refermèrent sur moi, et je remarquai quelque chose de bizarre. Je me rappelai soudain cette superstition qui veut que même les oiseaux de mauvais augure fuient devant l'imminence d'un désastre...

Soudain retentit un battement d'ailes qui me surprit au point de me faire trébucher. Déséquilibrée, je vis une forme sombre qui rasait la cime des arbres pour se percher sur une branche toute proche.

Tous les oiseaux n'étaient pas partis.

Ce retardataire avait l'air hagard ; un marginal exclu de la colonie, peut-être ? À la forme de son bec, je reconnus une corneille. Elle resta là, immobile comme un pion sur un jeu d'échecs. Encore sous le choc, je lui lançai un regard furieux, puis tressaillis une fois de plus : quelque chose venait de briser le silence.

C'était un craquement de brindilles qui provenait du

cœur de la forêt, là où il faisait le plus sombre. Je scrutai ses profondeurs, mais les buissons barraient ma vue. Certains frémissaient encore.

Mon cœur s'accéléra; pourvu qu'il s'agisse d'un simple promeneur... quelqu'un qui sortait son chien. Il ne tarderait pas à apparaître, engoncé dans son anorak, et me saluerait au passage d'un hochement de tête amical. Mais les bruits commençaient à prendre forme. Une silhouette trop grande pour être celle d'un chien – ou même d'un homme.

Un réflexe me fit regarder la corneille. Et elle crailla en me dévisageant.

Ce cri était aussi insupportable que le crissement d'une craie sur un tableau noir. Mais plus terrible encore fut la sensation qui l'accompagnait; un coup de froid soudain qui me transperça le front. Comme si son bec m'avait fracassé le cerveau.

La chose dans les buissons s'arrêta, comme un animal las, puis reprit sa progression implacable.

Je fis un pas en arrière sans détacher mon regard de la corneille, qui pencha la tête pour me suivre des yeux. Elle semblait étrangement *consciente* de ma présence; ou peut-être me faisais-je des illusions. L'éclair de douleur était passé, mais laissait derrière lui un froid lancinant. Je sentis monter la nausée.

Il y eut un nouveau cri qui me fit baisser la tête, redoutant un coup de bec. L'oiseau défendait son territoire, et son cri aigu me donnait la migraine. Les bruits en provenance du sous-bois venaient droit sur moi. La panique m'enserra la poitrine. Je battis en retraite vers la bordure des arbres et partis sur-le-champ, à découvert, pour rejoindre le chemin. Je ne pouvais distinguer le sol glissant et faillis tomber. Ce ne fut que lorsque je me retrouvai en terrain plus ferme, et à mi-distance de l'hospice, que je me risquai à regarder derrière moi.

La forêt était déserte. Rien ni personne ne s'était lancé à ma poursuite. Je restai là, haletante, scrutant les arbres figés, puis repartis vers les bâtiments.

Ce fut en atteignant le parking que je ressentis le besoin de regarder une dernière fois. Avec la distance, la masse des bois semblait plus sombre, inquiétante. Pourtant, tout restait immobile.

Mon cauchemar resurgit alors que je rentrais chez moi. L'ennui, c'est qu'à ce moment-là, j'étais bien éveillée et au volant de ma voiture.

Je ralentissais pour prendre un tournant lorsque soudain, sans crier gare, je me retrouvai projetée à terre. Des griffes déchiraient ma robe légère. La neige brûlait ma peau nue, comme l'air ma gorge. Je me débattis, prise de panique, les narines emplies par l'odeur des flammes et de la chair brûlée. Ce n'était pas la mienne ; pas encore. Mais, alors que mes ravisseurs me relevaient de force, j'entrevis un grand bûcher qui ne demandait qu'à flamber.

Puis je fus de nouveau dans la rue, fonçant vers le trottoir. La voiture m'entourait comme une coquille ; je savais où j'étais, mais ne pouvais pas bouger un muscle. On aurait dit un accès de paralysie du sommeil : ce moment où l'esprit s'extirpe d'un rêve pour découvrir que le corps est toujours endormi.

Des hommes vêtus de fourrures moisies. J'avais senti leur odeur ; leurs *doigts* sur ma peau. Si j'avais pu réagir, je me serais débattue...

Puis la voiture escalada le trottoir et s'immobilisa. Le moteur cala dans un ultime tressaillement.

Je me laissai aller contre mon siège en avalant de grandes goulées d'air, puis écartai mes cheveux de mes yeux. Mon corps m'était revenu, bien que je fusse toujours sous le choc. Il ne tarderait pas à devenir douloureux.

Des yeux jaunes...

Je levai les yeux. Au-delà du halo des phares, il n'y avait que des ténèbres.

Cette vision avait été si rapide, si confuse, des images heurtées, bruyantes... mais c'était ces yeux qui m'avaient le plus marqué. Quelqu'un me regardait alors qu'on m'entraînait. Je ne me rappelais pas son visage ; juste ces deux yeux jaunes, comme des puits remplis de pus...

La route était silencieuse : d'un côté, des entrepôts, de l'autre des champs et des arbres. Le réverbère le plus proche semblait plier sous le vent. Je regardai tournoyer les brindilles emportées par la tourmente comme si elles avaient une volonté propre. Je pensai à ces doigts arachnéens tendus vers la lumière.

J'avalai ma salive et tournai la clé de contact. Le moteur repartit au troisième essai. Je regardai une fois de plus le vide orangé, puis retournai sur la route et appuyai sur l'accélérateur ; puis me cramponnai au volant alors que je mes bras se mettaient à trembler.

Razoxane était assise devant la table de cuisine, le menton posé sur ses mains ; elle regardait le compas.

J'hésitai sur le seuil, pleine d'appréhension et de dégoût. Elle devait l'avoir cherché en mon absence ; peut-être s'était-il remis à bourdonner comme un insecte de métal afin d'attirer son attention. Mais maintenant, il restait immobile, ouvert comme une huître, son aiguille inerte. On aurait dit qu'elle était là depuis des heures, à le fixer d'un regard mort.

Un éclair d'agressivité et de fierté me poussa à allumer la lumière ; mais elle tressaillit à peine. Peut-être s'y accoutumait-elle. Je m'avançai à contrecœur, non sans rester à bonne distance de la table. Au passage, je jetai un coup d'œil au compas. Sa simple vue me fit frissonner instinctivement.

— La journée a été bonne ? fit Razoxane sans prendre la peine de lever les yeux.

— Personne n'est mort, si c'est ce que tu veux savoir.

— Il s'en est fallu de peu, pourtant.

J'hésitai ; sa voix était si douce que ses mots eurent du mal à s'imprimer dans mon esprit.

— Que veux-tu dire ?

— Que si j'étais toi, je ne m'aventurerais pas si près des bois.

Je la dévisageai. Un froid glacial s'empara de moi. Cette chose lourde qui écrasait les brindilles... Je dus faire un effort pour revenir au présent.

— Tu étais là ? chuchotai-je.

— Inutile, rétorqua-t-elle. Mon agent secret m'a tout raconté.

Je clignai des yeux et la regardai.

— Ton quoi ?

— Mon agent secret. Un esprit familier à qui on a donné un corps. Mes yeux derrière la tête.

Soudain, je compris et tressaillis.

— La corneille ?

— Elle s'appelle Vedova.

J'eus une grimace de dégoût en absorbant la signification de ce qu'elle venait de me dire. Même ce nom avait quelque chose de lugubre ; une bouffée de désolation et de désespoir.

— Vedova, répéta-t-elle. C'est un magicien florentin qui l'a invoquée il y a trois siècles de cela. Tel est le nom secret par lequel il l'a entravée.

Un oiseau noir à la fenêtre, maman.

La voix aiguë de Cathy résonna dans ma tête. J'écarquillai les yeux.

— Cette chose nous surveillait ?

Razoxane branla du chef.

— Et les cherchait en même temps. Elle va là où je ne peux pas me rendre ; elle farfouille dans tous les recoins. Elle cherche des traces, des indices. Même dans l'esprit des hommes, elle trouve des *vers*.

Je réalisai que je me frottais le front et laissai vite retomber ma main. Il y eut un silence. Puis j'humectai mes lèvres desséchées.

— Et l'un d'entre eux... était là, dans les bois ?

— C'est ce que nous pensons, oui.

— Mais *qu'est-ce* que c'était ?

Elle haussa les épaules.

— Son esprit était crypté. Rien à en tirer, sinon des bribes incohérentes

— Ton oiseau aurait pu le suivre ?

— Il l'aurait perdu. Je te l'ai dit, il y a trop de grain dans l'air.

— Comment ça, du *grain* ?

— C'est du vieil anglais. Quelque chose qui bloque ou éparpille les signaux psychiques. En général, il est extrait de tissus morts ou désacralisés. Avec ça, on peut se protéger des sorcières ; couvrir ses traces. Même s'il est issu de la sorcellerie.

Du grain. Je pensai à sa version biblique ; tiré du blé et jeté dans les flammes.

— Donc, il s'agit de sorcières.

— Peut-être

Elle se plongea dans ses pensées, ses verres opaques braqués sur le compas posé devant elle.

— Comment ?

— On peut utiliser le grain de bien des façons. Éparpiller des morceaux de chair ; enterrer de faux organes. Mais ceux-ci l'emploient pour couvrir leurs traces. Comme je te l'ai dit, cela les situe dans le temps. La dernière fois que j'ai vu un encensoir à grain, j'étais toute jeune... trois ou quatre années de cette vie-là. Je me souviens de les avoir vus passer devant notre cottage ; des hommes à cheval ou à pied. Des soldats. L'un des fantassins tirait un vieux cercueil au bout d'une corde. J'ai demandé à ma mère ce que c'était.

Je l'écoutai en me mordant la lèvre. Maintenant, cela devenait facile de la croire ; croire qu'elle était sur cette terre depuis des siècles, un guetteur sans âge. La dernière incarnation d'un ange déchu...

— ...ils ont dû le déterrer dans un cimetière, m'a-t-elle dit. Il y a certainement un cadavre dedans. Préparé par sorcellerie, afin qu'en se décomposant, sa chair libère de l'énergie pour aveugler jusqu'aux plus clairvoyants...

Et sa mère le savait. Elle était elle-même une sorcière ; Razoxane me l'avait dit. Une sorcière blanche. Cette femme pouvait-elle se douter que sa fille irait si loin dans la noirceur ?...

— Écoute-moi, Razoxane. Comment va-t-on les retrouver ?

— Assieds-toi et sois un peu patiente. Ce compas devrait enregistrer leurs mouvements, même s'il ne peut les localiser avec précision. Et dès qu'il les aura débusqués, nous pourrons nous lancer à leur poursuite.

— Cathy...

Ma gorge se serra.

— Comment peut-elle supporter tout ceci ? Elle va perdre la tête.

— Ne t'en fais pas trop, Rachel. D'après moi, ils l'ont endormie à l'aide d'un sortilège ou d'un soporifique. Sinon, ses ondes de peur les trahiraient...

— Elle... est toujours vivante, en tout cas. N'est-ce pas ?

Ce n'était pas une question, plutôt l'expression d'une foi aveugle.

— Oui. Sinon, tu le sentirais.

Un instant, je redoutai de sonder mes propres sentiments au cas où je saurais, au fond de moi, que le pire s'était déjà produit. Et où je serais incapable de le supporter. Mais non : la lumière de l'espoir brûlait toujours en moi.

— Tu vas devenir une vagabonde, dit Razoxane alors que je m'adossais au placard le plus proche. Tu dois être prête à partir à tout instant. À partir de maintenant, tu dormiras tout habillée. Il y a de fortes chances qu'ils se déplacent de nuit.

Je ne pus qu'acquiescer d'un air soumis.

— Écoute : si tu disparaissais sans laisser de traces, y a-t-il des gens qui s'en inquiéteraient ?

Je haussai les épaules.

— En ce cas, tu devrais passer quelques coups de fil.

— Nous ne viendrons pas à la fête, dis-je à Pat. Cathy est tombée malade. Elle... le regrette.

J'écoutai ses mots compatissants en ravalant mes sanglots ; tout ce qu'elle disait ressemblait au bourdonnement d'un insecte. Je grognai et acquiesçai aux bons moments sans quitter Razoxane des yeux. Elle se tenait là, le menton sur les mains, à fixer le compas.

— Monsieur Wheeler ?... Richard, oui, c'est vrai... j'emmène Cathy voir ses grands-parents pour Noël, ça ne vous ennuie pas de surveiller la maison ? Merci, merci beaucoup...

L'aiguille avait-elle bougé, là, tout de suite ? Non. Pas même d'un cheveu.

— Steve ? On va voir la belle-famille, alors je voulais... vous souhaiter un bon Noël. Je vous rappelle pour le nouvel an...

Il faisait si noir dehors ; la nuit semblait se masser contre les vitres.

— Christopher ?

— Rachel ? répondit-il calmement.

— Comment vas-tu ? fis-je, mal à l'aise.

— Bien, merci. Heureux d'entendre le son de ta voix.

Le sentiment était réciproque ; en imaginant son visage, j'eus soudain besoin de sa présence. Si seulement j'avais pu l'atteindre par-delà l'éther ; lui faire comprendre mon malheur – et m'accrocher à son sang-froid infaillible. Lui pourrait tout arranger et me ramener Cathy. Mon optimisme chrétien m'incitait à croire en son honnêteté plutôt qu'en tous les artifices tordus de Razoxane.

Ce moment fugitif passa et me laissa coincée dans ma cuisine en compagnie d'un fantôme. Je détournai les yeux de son demi-sourire de goule.

— Écoute... dis-je dans l'écouteur, je pars pour quelque jours avec Cathy. Je t'appellerai quand... quand nous serons de retour.

Peut-être crut-il que je tentais de gagner du temps, mais il n'en laissa rien paraître.

— Ça me va, Rachel. À plus tard.

— Qui était-ce ? demanda Razoxane lorsque je coupai la communication.

— Un ami, répondis-je, sur la défensive.

Elle me regarda un moment comme si elle voulait m'interroger, puis retourna à son compas immobile.

Il me restait le plus dur de tous les coups de fil, celui que j'avais gardé pour la fin. Je savais que ça ne serait pas facile. J'avais raison.

— Rachel ! s'écria Ellen d'un ton capricieux cachant une réelle blessure. Vous aviez promis de venir.

Je n'ai rien promis du tout, pensai-je, mais ma réponse fut plus polie.

— Alors c'est nous qui venons, contra-t-elle. Il faudra annuler quelques petites choses...

— Ellen, je vous en prie. Elle a vraiment mal au ventre et je tiens à ce qu'elle se repose. Nous allons passer un Noël au calme, rien que nous deux...

— Si votre fille est malade, vous aurez besoin d'aide. Et pour ses cadeaux ? Et...

— Ellen. Je ne veux pas que vous veniez, fis-je fermement malgré la boule qui se formait dans ma gorge.

J'avais l'impression de refuser une bouée à un naufragé.

Peut-être ressentait-elle la même chose : c'est d'une

voix vibrante de détresse qu'elle fit une nouvelle tentative.

— Rachel. C'est l'enfant de notre *fils*.

Je fermai les yeux pour retenir mes larmes, qui s'accumulaient derrière mes paupières. *Ellen, je vous en prie, c'est inutile de me le rappeler...*

— Écoutez... repris-je après un lourd silence. Nous viendrons au début de l'année prochaine. Je vous le promets, d'accord ?

Comme si j'étais en position de m'engager ainsi. Comme si nous devions reprendre un jour une vie normale.

— Rachel Young, vous êtes cruelle et égoïste, rétorqua-t-elle d'une voix tremblante. Je l'ai toujours su. Si... si Nick savait ce que...

Je coupai le flot d'amertume en raccrochant.

Je soupirai. Nous étions allés très loin. Pourrions-nous un jour recoller les morceaux ? Pour l'instant, le premier pas me semblait inconcevable.

— Tout est prêt ? demanda Razoxane.

Je reniflai et hochai la tête.

— Alors tu ferais mieux de te reposer. Inutile d'attendre en comptant les heures. Une araignée ne bouge que lorsqu'on ne la regarde pas.

C'est la chute brutale de température qui me réveilla.

J'avais eu bien du mal à trouver le sommeil, tant je me faisais du souci ; mais après une heure ou deux à me tourner et me retourner, la fatigue de la nuit précédente finit par réclamer son dû. Je plongeai dans le noir.

Puis refis surface.

À peine mes yeux s'étaient-ils ouverts que mon esprit s'éclaircit. Je restai allongée une minute, puis levai la tête avec précaution. Aucune présence en vue, cette fois-ci ; rien que le vide et la solitude.

Mais le froid taillait ma peau comme une lame de rasoir. Il avait réussi à traverser mon duvet pour glacer mes pieds sous mes chaussettes. En m'asseyant, je sentis qu'il transperçait ma culotte et mon sweat. Instinctivement, je regardai la fenêtre en m'attendant à la trouver ouverte... mais elle était bien fermée.

Je ramassai mes jambes sous moi et restai là, dans la pénombre, à écouter le silence. J'avais déjà connu de tels coups de froid et savais ce qu'ils signifiaient. Quelque chose de surnaturel était là, tout proche. Peut-être était-ce déjà dans l'appartement. Peut-être cela écoutait-il de l'autre côté de la porte.

Razoxane, appelai-je mentalement, la bouche trop desséchée pour pouvoir parler. Pas de réponse. Je réalisai alors qu'elle-même n'exhalait pas de sensation de froid. Fantôme ou pas, elle était bien faite de chair et d'os. Alors était-ce... autre chose ?

Elle ne dormait jamais, m'avait-elle dit. Elle était là, quelque part, à veiller sur moi. Mon ange gardien.

À moins qu'elle ne soit partie sous le couvert de la nuit, m'abandonnant à mon destin.

Soudain, cette impression d'isolement me fut insupportable, comme si je me retrouvais dans la dernière poche d'air d'une mine inondée. Au-delà de tout espoir, incapable de combattre ce froid glacial.

Mais de quoi pouvais-je encore avoir peur ?

Je me levai lentement, allai à la porte et posai ma main sur la poignée. Durant le silence qui s'ensuivit, rythmé par les battements de mon cœur, je m'imaginai toutes sortes de choses. Peut-être que le Croque-mitaine était là, prêt à bondir. En ce cas, il serait le bienvenu. Ainsi, Cathy et moi serions réunies. D'une façon ou d'une autre.

Je tirai la porte d'un coup sec.

Le couloir était vide.

J'hésitai sur le seuil, puis m'avançai dans les ombres stagnantes. Mes jambes se hérissèrent de chair de poule. Le silence était profond comme si j'évoluais au fond d'un lac glacé. À chaque pas, le froid se faisait plus intense. Lorsque j'entrai dans la cuisine, même ma température interne devait être au plus bas.

Razoxane était assise à la table, là où je l'avais laissée ; son chapeau cachait ses traits. La lune faisait luire son bandeau argenté.

— Tu n'arrives pas à dormir ? fit sa voix sardonique.

Je m'adossai à l'entrée, ma joue contre le chambranle, pendant que mon estomac brûlait lentement. Je n'aurais jamais cru que je serais si heureuse de la voir.

Ce sentiment ne dura pas. Étonnée, je vis qu'elle avait tiré un jeu de cartes et les jetait négligemment sur la table. Puis je compris qu'elle les distribuait face à trois chaises vides tirées autour de la table, et me sentis mal à l'aise.

— Que fais-tu ? demandai-je.

— Une petite partie, répondit-elle. En fin de compte, la nuit est longue.

Je me redressai, mais restai sur le seuil. Le froid était beaucoup plus vif dans cette lumière digne d'un iceberg. Je frissonnai.

Le silence était à peine rompu par le claquement des cartes. La connaissant, ce devait être un tarot.

— Avec qui ? fis-je avec une pointe de sarcasme. Des amis absents ?

— Non. Pas vraiment des amis.

Elle finit de distribuer, ramassa sa propre donne et l'étudia.

— Et pas si absents que ça, non plus.

Je la regardai un instant avant de passer aux chaises vides. Cinq cartes étaient posées devant chacune d'entre elles. Leur présence ne provoqua pas de mouvement ; il n'y eut pas de main invisible pour les tourner, mais, soudain, je sus que les joueurs étaient bien là, à attendre. Trois silhouettes informes et mélancoliques qui me regardaient.

Mes mains enserraient mes épaules ; mes doigts se crispèrent, plongeant dans ma chair.

— S'il y a une chose que j'ai apprise, fit tranquillement Razoxane, à propos de cet... état que j'ai atteint, c'est qu'on peut voir les fantômes de ceux qu'on a tués. Quoi que tu fasses, ils sont toujours là, à suivre tes pas. De plus ou moins loin...

Un autre frisson, plus violent, me secoua.

— Et tu leur proposes une partie de *cartes* ?

Elle haussa les épaules.

— Ce n'est pas le jeu qui compte, mais le fait que j'admette leur présence. Et qu'ils puissent faire face à leur meurtrier, d'égal à égal.

Elle retourna ses propres cartes et me regarda.

— Mais maintenant que tu es là, on peut passer à autre chose.

Son ton était aimable, ce qui était un mauvais présage en soi.

— Quoi, par exemple ? demandai-je avec lassitude.

— La divination.

Je jetai un regard peu enthousiaste à ses cartes éparpillées.

— Alors c'est bien un de tes tarots ?

— Celui des origines, répondit-elle. L'Elder Arcana. Il a tant de choses à nous dire.

— Comment ?

— C'est très simple. J'ai distribué les cartes. Il te suffit d'en choisir une sur chaque pile.

— Et... eux ? fis-je après avoir avalé ma salive.

Razoxane inclina la tête ; la clarté lunaire souligna son sourire.

— Ils peuvent regarder, mais pas toucher.

Je me frottai la gorge en fixant les chaises vides, l'une après l'autre. Leur silence ressemblait à un défi, ou à un leurre. Les cartes étaient là, devant eux. Je n'aurais reculé devant rien pour sauver mon ange ; mais quelles horreurs grouillantes pouvaient-elles révéler ?

— Vas-y, m'encouragea-t-elle.

J'hésitai encore un peu, puis fit un pas en avant et tirai l'une des cartes.

— Ne la regarde pas, fit-elle aussitôt, et je faillis la laisser tomber. Prends-en une autre.

Je fis le tour de la table d'un pas circonspect, comme si je progressais sur un champ de mines. Le siège suivant se trouvait devant moi, menaçant de par sa vacuité même. En tendant la main pour m'emparer d'une carte, je m'attendais presque qu'une main spectrale se referme sur mon poignet.

Razoxane avait posé ses coudes sur la table et me regardait de sous le rebord de son chapeau. Son compas, remarquai-je, était à équidistance de chacun des joueurs ; immobile et luisant sous la lune.

En m'approchant de l'autre pile, je pris conscience de l'atmosphère bien particulière qui planait sur la pièce. Elle s'élevait des chaises comme une respiration sinistre : une sorte de *désir* malsain, maléfique, qui me donnait l'impression d'être à moitié nue. J'eus un sursaut, mais Razoxane me dit d'une voix calme :

— Ne t'inquiète pas. Ils ne pourraient même pas te toucher.

Une hésitation, un regard en arrière, et je tirai une autre carte comme on soulève une pierre du jardin, sous laquelle grouille la vermine.

Razoxane m'encouragea d'un hochement de tête.

Lorsque je choisis la dernière carte, je grelottais de froid et dus serrer les dents pour les empêcher de jouer des castagnettes. Les quatre rectangles de carton étaient doux et râpeux, comme s'ils étaient restés des années durant dans un recoin de cave. Leur texture évoquait le livre du Croque-mitaine. Celui-ci gisait toujours sur la table du salon ; malgré le froid, il attirait encore les mouches. À moins qu'elles n'eussent éclos entre ses pages pourries.

— Ensuite ? demandai-je.

— Pose-les au milieu de la table, à l'envers.

J'obéis.

— Et maintenant, retourne te coucher.

Je clignai des yeux ; après tout ce suspense, je n'allais pas rater la conclusion.

— Tu vas t'en servir ?

— Pas avant le matin. Mieux vaut les laisser mûrir un moment.

— Et tu penses que je vais pouvoir dormir ?

— Ton corps a besoin de repos.

Elle ramassa les cartes restantes, les bras étendus sur la table comme une chauve-souris géante. Cette image me révulsa, mais évoqua une vision pire encore : celle de la Mort elle-même récoltant sa moisson humaine.

Soudain, ma chambre vide me parut bien accueillante.

— Alors, bonne nuit, marmonnai-je.

Et voilà. Un puits sans fond, sans lumière, sans chaleur, dépourvu de la moindre étincelle de bonté.

Razoxane ne répondit pas : elle battait lentement les cartes, cachée sous le rebord de son chapeau. Alors que je me retournais, je sentis que la partie spectrale venait de reprendre.

De retour dans mon lit, roulée en boule sous le duvet, je plongeai brutalement dans le sommeil, contre toute attente, comme on tombe du haut d'une falaise.

— Bientôt Noël! Plus que trois jours pour finir vos achats...

La voix du présentateur radio vibrait d'un enthousiasme factice. Je lui coupai la parole et posai mon café sur la table.

Razoxane était toujours là, mais les trois autres chaises étaient vides pour de bon. En entrant, j'avais fait un écart pour les éviter, mais n'avais pas ressenti leur présence. Deux avaient été repoussées et l'une d'entre elles était de guingois, comme si les invités s'étaient levés précipitamment pour s'éparpiller aux quatre vents.

Elle avait retiré ses gants pour se masser les doigts, les yeux baissés. On avait rangé le jeu de cartes, ne laissant que celles que j'avais tirées, deux de chaque côté du compas immobile.

Je tirai une chaise pour m'installer en face d'elle. Un froid glacial traversa ma culotte et me fit frémir. Je portais encore les vêtements dans lesquels j'avais dormi avec ma robe de chambre par-dessus ; sa ceinture était déjà dénouée. Je n'avais même pas pris la peine de me peigner, et mes cheveux avaient besoin d'un bon shampooing. Tout mon corps sentait le rance et la sueur. À ce train-là, pensai-je amèrement, encore une journée et je puerais comme le manteau de Razoxane.

Elle leva les yeux avec un sourire ironique.

— Je te laisse cet honneur ?

Je secouai la tête.

— D'accord.

Elle finit de se frotter les phalanges et réfléchit un instant, puis :

— Avant de commencer, je vais te parler de ces cartes. Elles sont très anciennes, conçues avant même qu'on ait mis en forme le tarot tel que nous le connaissons de nos jours. Certaines ont été rejetées ou transformées ; quant à savoir pourquoi, il y a toutes sortes d'explications. Le tarot traditionnel comprend un arcane majeur et un arcane mineur. Ce jeu est collectivement désigné sous le nom d'Ancien Arcan. Quant à leur statut...

Elle fit un geste, cherchant le mot approprié.

— Apocryphe ?

— Merci. C'est bien ça. Prenons comme parallèle la Bible qui t'est si chère. Pour les protestants, certains passages sont apocryphes, et leur provenance douteuse ; mais des livres entiers ont été expurgés ou totalement détruits. Des Évangiles qui traitaient de visions, de mythes hérétiques et de magie. Il en est de même avec le tarot. Après tout, on l'appellait bien la Bible du Diable.

Je fixai les rectangles de carton moisi d'un regard lugubre en me remémorant tout ce que j'avais appris sur les livres secrets de la Bible. Comme le Livre d'Enoch et ses visions d'anges déchus...

— Quant à ces fausses écritures... puisque tel est le nom qu'on leur donne, continua-t-elle, certaines sont totalement oubliées. On en retrouve la trace dans d'autres textes. Certains cantiques sont dérivés d'un mystérieux document disparu à jamais. Mais personne ne sait de quoi il s'agissait...

— Oh, abrège un peu, marmonnai-je.

— J'y viens, j'y viens, rétorqua-t-elle, et elle retourna la première carte.

D'instinct, je refermai ma robe de chambre.

L'image était décolorée et égratignée par l'âge. Je scrutai les gravures médiévales sans trop oser m'approcher.

Il Monco.

Razoxane hocha la tête.

— C'est l'une des figurines perdues. Le Soldat Blessé, aussi parfois appelé le Bretteur Manchot. Sans doute l'a-t-on ultérieurement confondu avec le Roi des Épées.

— Et les épées... sont signes de malchance, non ?

— En effet. Celle-ci représente un mercenaire ; un *soldat*, non pas de fortune, mais d'infortune. Si elle sort juste après la carte du Diable, on l'appelle la Main Gauche du Diable.

— Et que vient-il faire ici ?

Razoxane eut un sourire moqueur.

— Dans le temps, tu disais ne pas croire en ces superstitions, Rachel.

— Je n'y crois toujours pas. Je me... posais la question.

— Pour l'instant, je ne peux y répondre, fit-elle en

138

haussant les épaules. Voyons donc ce que les autres vont nous dire.

La carte suivante était en mauvais état et partiellement effacée ; je tentai, en vain, de lire son intitulé.

— *Il Becchino*, suggéra-t-elle, pensive. Le Fossoyeur.

— C'est toi, alors.

— Je ne pense pas. C'est une autre carte oubliée ; mais en général, elle désigne un secret enterré. Quelque chose que l'on cache...

Je repensai au livre sur la table du salon. Elle-même avait dit qu'il devait sortir d'une tombe.

Razoxane retourna la troisième carte, et me regarda. Son expression trahissait quelque chose comme de l'avidité.

— Tu vois ? J'avais un jeu entier, je l'ai battu consciencieusement, et pourtant, tu as tiré les anciennes cartes.

Je fis une grimace empreinte d'amertume.

— C'est le *Castigo di Dio*, reprit-elle. Le Fléau de Dieu. Un présage particulièrement puissant. Il peut signifier le bien ou le mal, tout dépend du contexte. La terre peut être purifiée... ou punie.

La silhouette portait une capuche, comme un bourreau, mais dépourvue de trous pour les yeux. Peut-être représentait-elle la justice aveugle. Celle qui frappait au hasard...

La quatrième carte montrait une femme.

— La Prêtresse, murmura Razoxane.

Elle resta silencieuse une bonne minute à fixer le dessin. Je me tortillai, mal à l'aise. Je me gelais comme si j'étais assise sur un siège de toilettes froid.

— C'est une carte de survie, dit Razoxane. Elle représente une figure maternelle ou un guide...

L'évocation de la maternité me poussa à me redresser.

— ...mais une autre théorie veut qu'elle se soit développée à partir de l'image ancienne : la femme solitaire avec une blessure à l'âme. La Veuve. Donc, conclut-elle, c'est peut-être toi. Ou peut-être pas.

Je pris ma tasse d'une main tremblante et bus une gorgée de café. Celui-ci refroidissait déjà.

— Je me demande ce que les cartes veulent nous dire. Quatre figures d'anciens : le Mercenaire, le Fossoyeur, la

Veuve et le Fléau. Mais symbolisent-elles le passé, ou l'avenir ?

— C'est toi l'expert, grognai-je.

— Mmmm.

Elle continua de les examiner. Et en l'étudiant *elle*, je vis une idée traverser son visage blême.

— Alors ? insistai-je.

— Rien de sûr, répondit-elle, évasive.

Quoi qu'elle ait pu décrypter, il était inutile d'insister ; elle me dirait tout en temps voulu, comme toujours. Incapable de supporter une gorgée de plus de ce café tiédasse, j'allai le vider dans l'évier. En le voyant s'écouler dans la bonde, une étrange apathie s'empara de moi, comme un prélude au désespoir. Je me cramponnai au rebord de l'évier en attendant que cela passe.

Je ne t'abandonnerai pas, mon ange. Je te le jure.

— Il faut qu'on y aille, dit soudain Razoxane.

Je me retournai si vite que je faillis tomber.

— Quoi encore ?

Elle rangeait les cartes sous son manteau. Je m'approchai et jetai un coup d'œil au compas, mais l'étoile noire n'avait pas bougé.

— Ils ne se sont pas encore manifestés, confirmat-elle, et ils vont sans doute rester immobile. Aujourd'hui, nous devons aller à Londres. J'ai quelque chose à récupérer.

— Quoi ?

— Des instruments, rétorqua-t-elle.

— Mais si nous quittons la ville, nous perdons tout contact avec eux, protestai-je.

Elle se leva et partit vers le salon. Je la suivis dans ma robe de chambre en balbutiant :

— Je t'en prie, Razoxane... On ne peut l'abandonner !

— Ta fille ne risque rien, répondit-elle.

Elle prit le *Livre des Martyrs* et le feuilleta, détachant soigneusement ses pages collées l'une à l'autre. L'odeur de moisi se répandit de nouveau dans la pièce.

— Nous serons de retour ce soir, dit-elle. De plus... mon esprit familier restera là, à monter la garde.

Elle scrutait la fenêtre ; je suivis son regard en m'attendant à voir la corneille perchée sur l'appui. Mais le jardin, noyé sous une brume de condensation, était aussi vide que la route. Je revins à Razoxane :

— Maintenant, tu sais qui ils sont, n'est-ce pas ?

— Non, Rachel, pas encore.

Elle referma le livre et fixa ses mains posées sur la couverture.

— Ce dont je suis sûre, c'est que leur univers mental remonte au XVIIᵉ siècle. Les résonances que j'ai interceptée étaient aussi profondes. Mais il y a bien des façons de déchiffrer le message laissé par les cartes...

— Par exemple ? insistai-je.

— Bon. Il est possible qu'un acte atroce ait été commis il y a trois siècles de cela. Des martyrs sacrifiés, peut-être...

Elle tapota le livre.

— Découlant d'une lutte entre deux factions aussi sanguinaires l'une que l'autre. On a dispersé les cendres pour oublier cet acte maléfique... les condamnant aux ténèbres. Enterrées. Mais maintenant, quelqu'un s'est mis à creuser...

— Un membre d'une de ces factions ?

— C'est une possibilité.

— Mais qu'ai-je à voir avec tout ça ?

Elle étendit les mains en tenant toujours le livre, tel un prêcheur sinistre.

— Pour l'instant, c'est impossible de le dire. Peut-être qu'ils se figurent que tu détiens ce qu'ils cherchent. Mais maintenant que je suis avec toi, ils font plus attention...

Je secouai la tête avec énergie.

— Je n'ai rien qui puisse les intéresser.

— Inutile de vouloir raisonner les morts, répondit-elle froidement. Car quoi qu'ils puissent être, leur origine est dans la *tombe*. Et si je veux les débusquer et les détruire, il me faudra un surcroît de puissance.

Je la dévisageai, puis secouai lentement la tête.

— Je ne te crois pas, Razoxane.

— Eh bien, tu n'as pas le choix, pas vrai ? rétorqua-t-elle avec tant de férocité que j'eus un mouvement de recul.

Elle reprit le contrôle d'elle-même, inspirant profondément avant de reprendre :

— Notre ennemi est implacable, Rachel. Je n'ai pas le temps de te convaincre.

Son éclat m'avait laissée pantelante. J'avais entrevu la rage qui se cachait derrière cette apparence placide. Maintenant, elle avait remis son masque; mais que dissimulait-il?

— Peut-on rentrer avant la nuit? demandai-je timidement. Au cas où ils sortiraient ce soir...

Elle secoua la tête.

— Il faut qu'on soit de retour avant le crépuscule.

Je croisai mes bras pour les empêcher de trembler. Depuis mon départ de Londres, j'y étais retournée une ou deux fois, mais toujours, je reprenais le train qui me ramènerait chez moi avant la tombée de la nuit. J'y avait laissé trop de souvenirs; trop de coins d'ombre...

— Pourquoi? lui demandai-je, et Razoxane sourit.

— Parce que c'est l'heure à laquelle on ferme les cimetières.

— On va prendre un train fantôme, alors? demandai-je d'un ton rogue alors que nous achetions nos billets.

— Il n'y a pas de quoi rire, répondit-elle.

Je la regardai, puis me tournai vers les portes de la gare; mais à part quelques papiers gras emportés par le vent, la cour était vide. Lorsque les panneaux coulissèrent, ce fut pour laisser entrer un couple de voyageurs et un courant d'air froid – sans rien d'autre.

Ils me suivent à la trace, avait-elle dit. Mais n'était-ce valable que la nuit, ou aussi de jour?

J'avalai ma salive et m'assit à côté d'elle. Elle avait sorti le *Livre des Martyrs* de sa poche et scrutait sa couverture. Je m'humectai les lèvres.

— Ce... cette corneille. Peut-elle trouver Cathy?

— Je t'ai dit qu'elle s'appelle Vedova, fit Razoxane. C'est un esprit ancien et vénérable; un des plus éclairés. Certains parmi ses semblables sont devenus des corbeaux ou des pies : des charognards et des voleurs. Mais lui a toujours été un chercheur, assez sage pour déterrer ses trésors...

La corneille se nourrit de blousons-de-cuir. À savoir

de simples patates émergeant d'un sol fraîchement remué, en anglais populaire. Pourquoi cette phrase apprise à l'école primaire me semblait-elle pleine de sombres présages ? J'entrevis une signification plus littérale – de grandes silhouettes vêtues de manteaux tannés – puis revins à la réalité.

Je jetai un coup d'œil à Razoxane, qui ressemblait elle-même à une corneille – et me refusai à laisser vagabonder mon imagination.

— Pour répondre à ta question : non, dit-elle. Pas toute seule. Le grain l'a aveuglée. Par contre, comme tout non-voyant, elle peut percevoir leurs mouvements...

Le silence retomba entre nous, malgré les bruits de la gare. Nous aurions aussi bien pu être seules, toutes les deux.

Je sentis qu'elle mijotait quelque chose. Elle pressait le livre contre sa bouche.

— Tu as toujours ton don de clairvoyance, pas vrai ? dit-elle au bout d'une minute. Tu n'as pas que ta foi pour te guider dans les ténèbres.

— Et alors ? répondis-je.

— On peut toujours l'utiliser. Si nous unissons nos forces... ensemble... nous pourrons voyager vers d'autres pays, d'autres temps. Peut-être pourrons-nous remonter jusqu'à l'origine de toute cette histoire.

J'eus un mouvement de recul.

— Tu laisses mon esprit tranquille.

— Mais tu es déjà en plein dedans, insista-t-elle. Tes rêves le prouvent. Avec mon aide, tu peux les contrôler ; les forcer à nous montrer ce que nous voulons voir.

— Je ne veux pas de ce don, Razoxane. Et je refuse que tu t'infiltres dans ma tête.

Elle l'avait déjà fait, et mon esprit avait mis des années à s'en remettre. Cela ne se reproduirait pas.

Razoxane se contenta de hausser les épaules et, une fois de plus, posa le livre moisi contre ses lèvres.

Alors que nous montions dans le train qui nous mènerait à Londres, je ne pus m'empêcher de jeter un coup d'œil derrière moi pour étudier les quais et les rails, de même que les arbres de l'autre côté de la voie. Mais son esprit familier n'était pas venu assister à notre départ.

C'était un véhicule pour banlieusards, aux sièges tachés et aux portes disjointes. Nous nous assîmes l'une en face de l'autre. Je posai un coude sur l'appui de la fenêtre et scrutai le ciel sale.

Mon Dieu, où pouvait-elle bien être ? Dans un immeuble abandonné ? Peut-être un de ceux que je voyais derrière cette fenêtre. Un de ceux que j'allais laisser derrière moi...

Razoxane avait penché la tête comme si elle méditait, me montrant le bord poussiéreux de son chapeau. Peut-être se préparait-elle au voyage. Après tout, c'était à Londres qu'elle avait failli se faire dévorer. Peut-être qu'elle-même devait lutter contre ses propres terreurs.

Ma nuque se hérissa, et je relevai le col de mon manteau. Les portes étaient toutes refermées. Un employé des chemins de fer passa devant les fenêtres pour vérifier que tout était en ordre. Un instant plus tard retentit un coup de sifflet.

Mes yeux dérivèrent vers la poignée de la portière.

Mamaaannn ! Attends-moi !

Mes muscles se contractèrent. J'avalai ma salive. Deux secondes s'étaient écoulées. Trop tard...

Je ne réfléchis même pas. Soudain, je déverrouillai la portière, sautai sur le quai et claquai le battant derrière moi. Razoxane leva la tête, rapide comme un serpent – mais le train venait de démarrer et prenait de la vitesse.

Un instant, je crus qu'elle allait me suivre, mais elle resta là, à me regarder pendant que le train s'éloignait. Son visage pressé contre la vitre était dépourvu de toute expression.

Je fixai la rame jusqu'à ce qu'elle disparaisse dans un dernier éclair de ses feux arrière. Puis toutes mes forces me quittèrent. Je me laissai tomber sur un banc pour reprendre mon souffle. J'étais baignée de sueur, et on aurait dit qu'on m'avait fait un lavage d'estomac.

Qu'elle prenne son train fantôme jusqu'à Londres. Qu'elle affronte la cité des ombres. La capitale n'était qu'à soixante kilomètres de là, mais je pouvais sentir sa présence, comme une forteresse noire.

Dieu sait où tout cela me mènerait, mais, pour l'instant, j'étais ivre de soulagement. Où que puisse être Cathy, j'étais là pour répondre à son appel. J'avais raté le train pour l'Enfer.

Lorsqu'il eut disparu pour de bon, je me relevai et me dirigeai vers la sortie, puis partis dans la ville.

Je cherchais toujours la corneille, en vain. Le ciel restait désert.

J'attendis au coin d'une rue, par prudence, puis la traversai en baissant la tête. Lorsque j'arrivai devant la porte, je sentis battre mon cœur; mais j'étais trop lasse pour continuer mon chemin.

Je posai mon front douloureux contre le montant; puis appuyai sur la sonnette. La sonnerie résonna dans le vide. Mais après une interminable pause, j'entendis des pas; un verrou qu'on tire. La porte s'entrouvrit; malgré la lumière grise, il cligna des yeux comme une taupe.

Je réussis à produire un vague sourire.

— Bonjour, Chris, dis-je. Je peux entrer?

CHAPITRE VI

LES GUETTEURS

Ce n'est qu'après avoir renversé mon thé que je pétai les plombs pour de bon.

Il m'avait fait asseoir dans le salon. Le salon de son père, corrigeai-je en regardant autour de moi. Le décor ne fit rien pour me remonter le moral : partout, de la poussière et du désordre. Quelques photos encadrées montraient feu M. Jackson – bien plus vigoureux que je ne le connaissais – posant fièrement sur la carcasse d'un animal, fusil au poing. Il avait travaillé aux abattoirs, me rappelai-je, et devait être aussi chasseur. Je ressentis une pointe de culpabilité : avais-je le droit de m'immiscer ainsi dans la vie privée d'un patient ? Même si, maintenant, il était mort et enterré ?...

— Un sucre avec ton thé ? fit Chris depuis la cuisine.

— Non, merci.

Pour ne pas insulter ma fille, il me fallait boire à même la coupe de l'amertume.

Il revint et me tendit une simple tasse en émail. Je l'entourai de mes mains pour mieux sentir sa chaleur et bus une gorgée qui me fit mal aux dents. J'en tirai une certaine satisfaction masochiste.

— Donne-moi ton manteau, dit-il en s'asseyant sur un fauteuil qui, comme mon canapé, sentait la vieillesse.

Derrière lui, l'âtre et son ancienne chaudière à gaz étaient désormais froids et morts.

Je secouai la tête ; bus une autre gorgée.

— Rachel, insista-t-il, tu dois me dire ce qui est arrivé.

Je regardai le liquide brunâtre qui souillait ma tasse comme si je voulais m'y noyer.

— Cathy a disparu, dis-je d'une voix mal assurée.

Il hésita et me regarda attentivement.

— Comment ça? Où est-elle?

— Je ne sais pas. On me l'a enlevée. On l'a kidnappée!

— Rachel...

Il se leva; je lui fis signe de ne pas approcher. Ma tasse glissa et le thé se répandit sur le tapis.

— Oh, *merde*, gémis-je avec désespoir – puis je fondis en larmes brûlantes.

Il s'assit sur le canapé et m'entoura de ses bras comme s'il craignait que le flot ne m'emporte. Je me tortillai lamentablement, puis m'accrochai à lui comme si ma vie en dépendait, secouée de frissons silencieux.

Il me berça en murmurant des mots incompréhensibles, mais réconfortants; ignorant l'odeur rance de mon corps sale et mes vêtements qui ne l'étaient pas moins. Peu à peu, mes sanglots se calmèrent et je me détendis. Ses doigts caressèrent mes cheveux emmêlés.

— Tu as appelé la police? demanda-t-il.

Je reniflai et secouai la tête.

Il fronça des sourcils inquiets.

— Pourquoi?

— Je ne peux pas. Ils... lui feraient du mal.

— Qui ça?

Oh, Chris, que veux-tu que je te dise? Qu'il s'agit de choses sorties d'un cimetière revenues pour continuer une guerre oubliée depuis longtemps?

Je haussai les épaules et baissai les yeux.

— Que vas-tu faire, alors?

— Je ne sais pas. Attendre qu'ils se manifestent.

Je levai des yeux suppliants.

— Que puis-je faire d'autre?

Il me caressa la joue, écrasant mes larmes. Je le regardai. Son visage reflétait son inquiétude.

Il se leva brutalement, prit ma main.

— Viens.

Je savais ce qu'il avait en tête et tentai de me dégager.

— Oh, Chris, non, je t'en prie. Pas maintenant...

Il sourit et secoua la tête.

— Je sais. Ce n'est pas dans la chambre que je t'entraîne.

Il passa à nouveau la main dans mes cheveux.

— Il faut que tu laves toute cette frayeur accumulée ; que tu te sentes propre de nouveau. Viens ; je vais te faire couler un bain.

Je le regardai tourner les robinets depuis l'entrée de la salle de bains. La baignoire semblait aussi antique que le reste de la maison, une coquille d'émail portant les stigmates d'innombrables litres d'eau. La salle elle-même était froide et humide et les dalles glacées comme des ardoises. On comprendra aisément que je n'aie eu aucune envie de me déshabiller.

Il attendit que la vapeur réchauffe l'air, puis se retourna et me serra contre lui. Doucement, pièce par pièce, il fit glisser mes vêtements. J'étais trop épuisée pour l'aider ou le retenir. Lorsque nous fûmes nus tous les deux, la baignoire était presque remplie.

Je réprimai un frisson et me glissai dans l'eau ; le contraste de température fit monter la chair de poule dans la partie de mon corps encore exposée. Il monta derrière moi, passa ses bras autour de ma taille et m'attira contre lui.

— Ça va ? demanda-t-il.

Je me contentai de hocher la tête.

Au bout d'une minute, il prit le savon et se mit à me masser les épaules, puis frotta et rinça mes seins. En temps normal, j'aurais trouvé cela plutôt excitant ; mais pas ce jour-là. Je ne pouvais rien faire, juste rester là, à profiter de son étreinte. Même lorsque ses mains descendirent, mon corps n'eut pas la moindre réaction.

Il s'occupa aussi de mes cheveux ; il me fit un shampooing et les rinça avant de les peigner. Je restai inerte, à regarder monter la vapeur en profitant de la chaleur et du réconfort qui m'envahissaient peu à peu.

— Ça va mieux ? fit-il à mon oreille.

Je haussai les épaules ; un morceau de plomb pesait toujours sur mon estomac, mais mon esprit était plus clair et mes muscles moins tendus. Et l'odeur abjecte de la peur n'était plus incrustée dans mes pores.

Il me fit plonger jusqu'à ce que mes seins baignent dans cette chaleur plaisante; je redoutais le moment où il faudrait en sortir dans le froid.

— Chris..., dis-je au bout d'un moment. Puis-je te poser une question... vraiment bizarre?

Il me serra doucement le cou.

— Essaie toujours.

— Tu... crois aux fantômes?

Ses doigts se crispèrent quelque peu sur mes épaules; je me demandai quelle expression arborait son visage. Mais sa voix était toujours égale:

— En fait, Rachel... j'y crois.

Il se tut; attendant le pourquoi du comment. Je m'aventurai un peu plus loin:

— Bien... et pour ce qui est de la sorcellerie? Du spiritisme?

À nouveau, un silence. Puis:

— J'y crois aussi.

Ma mâchoire se crispa; en avais-je déjà trop dit? Mais il additionna deux et deux:

— Tu penses... que ta fille a été enlevée par des sorcières ou quelque chose comme ça?

— Oh, Chris, je ne sais pas!

Mes yeux se mirent à larmoyer.

— C'est pour ça que tu n'oses pas aller voir la police? Parce qu'ils ne voudront jamais te croire?

— C'est à peu près ça.

Il resta longtemps silencieux en caressant mes épaules.

— Et toi, tu me crois? fis-je en tournant la tête.

— Oui.

— Même si... je te dis que ce n'est pas des sorciers, mais... des cadavres rappelés à la vie?

— Chut, Rachel. Oui. Je crois aussi au Diable, et à ses œuvres.

Il m'entoura de ses bras et secoua la tête, comme apitoyé.

— Mon Dieu, Rachel, et tu as dû leur faire face seule?

— Oui... en quelque sorte.

Je fis la moue; puis relâchai la pression en moi et dis:

— J'ai jadis connu l'une d'entre elles, et... elle est revenue par-delà la tombe pour me hanter.

Quel soulagement de pouvoir me confier à quelqu'un qui m'écoutait et s'intéressait à moi ! Je réfléchis un instant à ce nouvel aspect de sa personnalité ; il tendit la main et prit le crucifix accroché à mon cou.

— Ta foi ne t'a pas aidée à surmonter tout ceci ?

— Pas assez.

— Tu es catholique, non ? Pourquoi ne pas aller trouver un prêtre ?

— Ce... ne serait pas vraiment raisonnable.

— Alors tu n'en as parlé à personne d'autre ?

Je secouai la tête, puis la laissai retomber alors qu'il m'embrassait le cou.

— Oh, Chris, que vais-je faire ? murmurai-je.

— Tout d'abord, tu vas dormir. Reprendre des forces.

Je fis semblant de me révolter ; puis soupirai et me laissai aller. À mon arrivée chez lui, j'étais sur les nerfs, mais maintenant, la fatigue me tombait dessus. Deux heures, me promis-je, pas plus. Pendant que Razoxane essayait de revenir de Londres... et que ces autres *choses* attendaient la nuit...

Sortir du bain demanda un grand effort. Je fermai les yeux pendant qu'il me séchait ; frottant ma chair pour la réchauffer tandis que les carreaux me gelaient la plante des pieds. Il m'enroula dans la serviette et m'emmena vers une chambre meublée à la spartiate. Je retirai la serviette et le laissai m'embrasser. Il le fit avec gentillesse et sans désir apparent.

— Ne t'en fais pas, Rachel. Tu n'es plus seule.

Je lui dédiai un pâle sourire en me glissant entre les couvertures, mais il ne dura pas.

Personne n'avait dormi dans ce lit depuis longtemps, et il avait besoin d'être aéré ; mais les draps rances étaient un cocon bien accueillant. Je m'endormis sans m'en rendre compte.

Je repris conscience d'un seul coup et me retrouvai assise dans ce lit étranger, les mains pressées contre mes joues. Ce ne fut qu'au bout d'un moment que je reconnus l'endroit où je me trouvais.

L'air froid et stagnant de la pièce grisonnait à l'approche du crépuscule. Ma chair se hérissa, me poussant à tirer la couverture jusqu'au menton.

Impossible de dire combien de temps j'étais restée endormie, ni ce qui m'avait réveillée. Mon esprit était vide, comme si j'émergeais du néant. Au bout de quelques minutes, je constatai qu'un silence absolu planait sur la maison.

Au moins, ce somme m'avait fait du bien. Je fis pivoter ma tête pour décoincer mes cervicales, puis passai une main dans mes cheveux. Ils étaient tout emmêlés. Et merde.

L'oreiller était encore légèrement humide ; je haussai les épaules, sortis du lit et me dirigeai vers la porte. Je l'ouvris et écoutai à nouveau. Le couloir ne me renvoya que son silence. La maison était dépourvue de chauffage central ; l'air stagnant me fit frissonner alors que je gagnais la salle de bains. Le fait de circuler toute nue dans une demeure étrangère me gênait, malgré la relation que j'entretenais avec son occupant.

— Chris ? appelai-je du haut de l'escalier.

Pas de réponse. La maison suintait le vide. Il devait être sorti.

Mes vêtements gisaient toujours là où je les avais abandonnés, mais ce serait idiot de remettre ces hardes puantes après avoir pris un bain. J'enfilai néanmoins ma culotte, faute de mieux, puis cherchai des habits propres en espérant qu'il ne s'en offusquerait pas.

Sa chambre était juste à côté de la mienne. Ce devait être celle de son père : elle était encombrée de tout un bric-à-brac et les étagères étaient remplies à craquer.

Là, l'air semblait plus dense, comme si les meubles absorbaient la faible clarté du jour. Un lit de fer recouvert d'un plaid élimé occupait presque tout l'espace. On avait étendu un sac de couchage par-dessus. Un arrangement évoquant à la fois l'intimité et la séparation ; mon cœur s'alourdit dans ma poitrine.

Dieu sait où Chris avait pu se rendre au cours de ses voyages, mais tous ses biens matériels se résumaient au contenu de sa valise ; il s'était installé davantage comme un squatter que comme un fils prodigue.

Je me sentais de plus en plus indésirable. Je piquai une chemise qui descendait jusqu'à mes cuisses.

J'allais descendre lorsqu'un faible craquement trahit une présence au rez-de-chaussée.

J'eus un soubresaut, avalai ma salive, puis continuai mon chemin.

— Chris ?

Il ne répondit pas ; la maison respirait toujours le vide. Et il ferait bientôt nuit.

Découragée, je cherchai un réveil ou une horloge. Celle au-dessus de la cheminée indiquait sept heures et demie, mais elle devait être mal réglée : le jour n'était pas totalement éteint. Ce n'est qu'en constatant que l'horloge du vestibule affichait la même heure que je compris ce qui se passait.

J'étais si épuisée que j'avais dormi toute la nuit. C'était l'aurore qui pointait, et non le crépuscule.

Je poussai un juron. Dieu sait ce qui avait pu se passer pendant que je ronflais comme une idiote. Razoxane était certainement revenue – et s'était peut-être lancée à la poursuite des ravisseurs de Cathy, si toutefois ils s'étaient enfin manifestés. Son but, m'avait-elle dit, était de les retrouver et de les détruire. Les brûler. Si je n'étais pas là pour modérer sa cruauté, combien d'innocents trouveraient la mort entre-temps ?

J'eus une vision atroce : celle d'une Cathy en larmes environnée de flammes. *Maman !* crierait-elle. *Mamaaaannn !* Et j'avais dormi d'un sommeil sans rêves, ignorant ses appels.

Je repoussai cette image, mais elle me laissa à bout de forces. Là, debout dans la pénombre, je ne savais plus que penser. Devais-je compter sur Chris, si toutefois il pouvait m'aider ? Ou sur Razoxane, avant qu'elle ne m'abandonne à mon sort ?

Tourmentée par l'indécision, je continuai d'explorer le rez-de-chaussée. Pas la moindre trace de Chris. Mais pourquoi serait-il sorti à une heure pareille ?

Dans le couloir menant à la cuisine, il y avait un cabinet aux portes de métal entrouvertes. Je remarquai qu'elles étaient habituellement fermées par un énorme cadenas, mais pas ce jour-là. Car on les avait forcées.

Je m'approchai en fronçant les sourcils. Celui qui avait fait ça avait commencé avec une barre à mine avant de trouver un moyen plus rapide d'en finir : un grand sécateur, de ceux qu'on utilise pour sectionner les fils de fer barbelé, était posé contre le mur. Quant au cadenas massacré, il gisait sur le sol.

Le cabinet était vide, mais un simple coup d'œil à l'intérieur me suffit pour comprendre à quoi il servait. Il y avait des rails de métal pourvus d'anneaux auxquels on attachait des chaînes – mais celles-ci avaient été sectionnées à leur tour et pendaient lamentablement.

Oh, mon Dieu! pensai-je, la bouche bée. On avait volé les fusils de son père.

Un instant, je crus que l'effraction avait été perpétrée la veille au soir, pendant que je dormais. Mais non : je les aurais entendus. Ils avaient certainement agi pendant que le propriétaire de la maison était chez nous, à Sainte-Catherine.

Dévaliser ainsi un mourant... Je ressentis une pointe de colère mêlée de dégoût. Les gens ne respectent plus rien de nos jours...

Je regardai dans la cuisine avec une dernière pointe d'espoir – comme si je m'attendais à y trouver Chris préparant le thé –, mais elle était aussi déserte que le reste de la maison. J'ignorai le linoléum froid et craquelé et allai vérifier que les verrous étaient bien tirés. Ils étaient maintenus en place par la rouille : il y avait longtemps que personne n'avait emprunté la porte de derrière. Je me détournai, vaguement rassurée, et remarquai une autre porte entrouverte à côté de la cuisinière.

Ce n'était certainement pas l'accès à la cave : ce type de maison n'en avait pas. Mais il fallait que je jette un coup d'œil, au cas où il serait là-dedans, à pelleter du charbon ou Dieu sait quoi.

Ce n'était qu'un placard, bien sûr. Des balais et un seau. Quelques vieux manteaux. Je reniflai, baissai les yeux, et vis un bidon d'essence en métal. C'était son odeur qui m'avait alertée : le bouchon était mal refermé. Je me mordis les lèvres. Si ces vapeurs s'infiltraient dans la cuisine alors que les brûleurs étaient allumés... *Il ne faut pas le laisser ici, bêta*, pensai-je. Je cherchai des yeux un chiffon avec lequel essuyer le bidon. C'est ainsi que je trouvai les fusils.

Il y en avait trois, cachés derrière les manteaux. Deux carabines différentes et un *riot-gun* à pompe. Leurs pièces de métal luisaient doucement dans la pénombre. Les crosses de bois étaient usées à force d'avoir traîné sur les terrains de chasse. Je m'agenouillai sur mes talons nus et les fixai longuement.

On les avait déplacés, et non volés. Mais ils auraient été bien mieux dans le cabinet. Maintenant, n'importe qui pouvait tomber dessus.

Étaient-ils chargés ?

Je regardai le bidon d'essence, puis levai les yeux. Le manteau le plus proche était long et noir avec une capuche. Un morceau de corde était enroulé autour de la patère. On aurait dit un pendu.

La peur monta en moi. Je me relevai et fermai la porte sans pouvoir détacher mon regard des fusils. Ensuite, je me frottai les mains comme pour essuyer ma culpabilité.

Je le connaissais si peu. J'avais hâte d'explorer son passé, de partager ses secrets. Maintenant, j'avais peur de ce que je pourrais découvrir.

Des armes à feu. De l'essence. De la corde. Que cachait-il encore ?

Habille-toi, me souffla mon bon sens. *Va-t'en*. Je ne me le fis pas dire deux fois. Je passai dans le couloir, puis montai vers la salle de bains, qui me parut plus froide encore. Je m'accroupis et farfouillai dans mes vêtements jetés en vrac. Je commencerais par mes collants de laine – lorsque je les aurais trouvés...

Pas moyen de mettre la main dessus. Je cherchai encore un peu parmi mes autres habits, puis me rassis, étonnée.

Soudain, mes collants s'enroulèrent autour de mon cou.

J'émis un gargouillement ; l'inconnu serra un bon coup. Le sifflement de sa respiration semblait railler mes hoquets lamentables. Puis il se releva, les poings serrés, me forçant à en faire autant.

Je sus ce que devait ressentir un pendu. Mes pieds nus dérapèrent et mon poids faillit m'étrangler. Mes suppliques se coincèrent dans ma gorge martyrisée.

Un fou tentait de me tuer. Il y mettait toutes ses forces. Et même ainsi, pétrifiée d'horreur, je voulais savoir de *qui* il s'agissait.

Ce ne pouvait être Chris. Il ne ferait pas une chose pareille. Pas à moi.

Ma vision s'obscurcit. Je me débattis en vain. Nous sommes passés dans le couloir alors que je cherchais à toucher son visage. J'enserrai une poignée de cheveux et lui égratignai la joue. Je n'y gagnai qu'un coup de genou dans les reins qui me coupa les jambes.

J'étais aveuglée par la panique. L'asphyxie me brouillait le cerveau. Je battis des bras sans trouver le moindre point d'appui. Il me tirait en arrière, son genou toujours fiché dans mon dos comme s'il voulait me briser les vertèbres...

Oh, Chris, non! Je ne voulais pas tomber sur...

Même la voix de mon esprit était pâteuse; rien d'étonnant qu'il n'y répondît pas. La pression sur mon cou ne se relâcha pas.

Puis tout s'immobilisa dans un jaillissement chaud, presque extatique; mon corps se détendit alors que ma vessie se vidait comme si la vie elle-même s'écoulait de mes entrailles. En temps normal, j'aurais eu honte de moi; mais maintenant, c'était une libération. Je n'avais plus un souci au monde. Alors vinrent les ténèbres; je fermai les yeux et m'y laissai glisser.

Lorsque je retrouvai mes esprits, aussi brumeux fussent-ils, je réalisai que j'étais allongée sur le ventre, les mains liées dans le dos, les doigts engourdis. Je gisais là, sur un tapis rugueux et sale qui m'irritait la joue.

Je n'arrivais pas à avaler assez d'air pour éteindre le feu qui brûlait dans ma poitrine. Ma gorge martyrisée rendait chaque inspiration douloureuse.

J'ouvris les yeux. Il n'y avait rien à voir; je les refermai donc et me mordis la lèvre jusqu'au sang.

Je n'aurais jamais cru qu'on pût ressentir une telle frayeur en découvrant qu'on était encore en vie.

Je portais toujours la chemise ample que j'avais prise dans l'armoire; une bien faible protection contre les courants d'air qui circulaient au ras du sol. Ma culotte était humide, mes cuisses douloureuses. Je n'eus pas la force d'être dégoûtée.

Oh, mon Dieu... Que va-t-il se passer maintenant ?

Comme pour répondre à ma question, une main se referma sur mon épaule et me retourna sans douceur. Je plissai des yeux dans la clarté aqueuse, et vis Chris, agenouillé à côté de moi, le visage impassible.

— Dis-moi : es-tu prête à te confesser ?

Lorsqu'il vit que j'étais incapable de répondre à ses questions, il me souleva de terre, me posa sur son épaule et m'emmena dans la salle de bains. Il ne perdit pas de temps en explications : il me balança dans la baignoire. Ma tête retomba en arrière et une onde glacée se referma sur mon visage. Je me mis à tousser et me débattit, en vain : avec mes mains entravées, je ne pouvais rien faire. Il me laissa gigoter encore un long et horrible moment... puis empoigna mes cheveux et me sortit la tête de l'eau. Je crachai et aspirai de grandes goulées d'air. Lorsqu'il me laissa retomber, je faillis couler encore ; je dus faire un effort pour rester à la surface. Mon épaule me faisait mal, pressée qu'elle était contre le rebord de la baignoire, mais je n'osai pas bouger de peur de glisser à nouveau dans l'eau croupie.

Chris était agenouillé près de la baignoire, l'avant-bras posé sur le rebord, l'air pensif. Au bout d'un moment, il écarta les mèches engluées sur mon visage. Paralysée par le froid et la peur, je ne reculai même pas.

— Je peux t'éviter tout ceci, dit-il.

— Que veux-tu ? chuchotai-je.

— Te sauver, Rachel. C'est encore possible, tu sais.

Il se redressa et me regarda de haut comme s'il me jugeait.

— Tu es la proie d'une sorcière ; tu me l'as avoué toi-même. Il te faut abandonner ton enveloppe corporelle. Mais si tu te repens, qui sait ? Ton âme trouvera peut-être sa place au Paradis.

Sa voix était d'un calme exaspérant ; mais ces derniers mots étaient teintés d'une amertume au-delà de ma compréhension. Si ce discours était d'un autre temps, son langage de tous les jours se chargeait de le réactualiser. Je le regardai, incrédule.

J'avais certes prié pour qu'il me croie, mais pas de cette façon. Je ne pensais pas qu'il réagirait avec une telle brutalité. Ma gorge me faisait mal et l'eau glacée me transperçait jusqu'aux os.

Chris, qui s'était montré si gentil ; m'avait fait l'amour avec une telle douceur. Qui aurait pu le croire capable d'une telle violence ? Derrière son visage de saint se cachait un démon grimaçant.

Des eaux profondes. Je ne les aurais jamais crues si noires, si dangereuses...

— Tu ne comprends pas..., protestai-je faiblement.

— Oh, si. Je ne pense pas que tu aies renié Dieu de ta propre volonté, mais il est trop tard pour revenir en arrière. Les gens comme toi sont faciles à manipuler. D'abord, tu es une femme ; le sexe faible. Mais dès que tu fricotes avec l'Église romaine, tu as déjà un pied dans leur royaume...

Sa main glissa sous la chemise trempée pour enserrer mon crucifix. Il me l'arracha d'un coup sec.

— Cette sorcière qui t'a envoûtée, donne-moi son nom.

— Chris, écoute-moi. Ce n'est pas ça qui...

Sa paume gifla la surface de l'eau, éclaboussant mes yeux. Les vagues clapotèrent contre mes joues.

— Je t'ai demandé son *nom*.

— Razoxane, dis-je avant d'avaler douloureusement ma salive. Elle se fait appeler... Razoxane.

— Est-ce là son vrai nom ?

— Je ne sais pas... probablement que non.

Il hocha la tête d'un air pensif.

— Que sais-tu d'elle, de son histoire ?

Il me fallut un instant pour rassembler mes esprits. J'avais si peur de mourir noyée que la terreur obscurcissait mon entendement.

— Elle... *prétend* être née en 1600 quelque chose... et avoir prolongé sa vie grâce à la magie. Elle dit... croit qu'elle est un ange réincarné. Déchu. L'Ange de la Mort.

— Mais tu dis qu'elle est sortie de la tombe ?

— La dernière fois que je l'ai vue... Razoxane avait invoqué un démon, mais elle s'est retrouvée prise à son propre piège, qui a causé sa propre destruction. Maintenant, elle est de retour.

— Sous sa forme matérielle ?

— Oui.

— Une maîtresse des arts occultes, murmura-t-il. A-t-elle un esprit familier ?

— Quoi ? Oui...

Je faillis avaler ma salive, mais me retins à temps.

— Vedova... comme elle l'appelle...

— Quelle forme a-t-il emprunté ?

— Une corneille...

Il hocha de nouveau la tête en contemplant ma croix, puis la jeta d'un geste méprisant. Du coin de l'œil, je la vis disparaître après un ultime éclair. Sans elle, je me sentais vraiment sans défense.

— Et maintenant, où est-elle ?

— Chris...

— Je ne veux pas te faire souffrir, Rachel. Où est-elle ?

Son ton était d'un calme terrifiant. Je tentai à nouveau d'éclaircir la situation :

— Je ne suis pas de son côté. Jamais...

Ma phrase se perdit dans un gargouillement : il venait d'appuyer sur ma poitrine pour me faire couler. En le regardant, les yeux grands ouverts, je compris qu'il ne prenait aucun plaisir à cet interrogatoire. Son expression me rappelait celle de Nick lorsqu'il débouchait l'évier : une tâche déplaisante, mais qu'il accomplirait malgré tout...

Je tentai d'avaler de l'air, mais la gorgée passa du mauvais côté ; je me mis à tousser. Du coup, je glissai sous la surface de l'eau. Prise de panique, j'arquai le dos et me débattis. Ma poitrine était sur le point d'exploser – puis il empoigna de nouveau mes cheveux et me tira à l'air pur.

— Où est elle ? fit-il en détachant les mots.

Je crachai et inspirai bruyamment. L'eau était si froide ! Sa poigne se resserra sur mes cheveux...

— À Londres ! hoquetai-je. Elle est... allée à

Londres... chercher quelque chose... rassembler son pouvoir.

— Je présume qu'elle ne t'a pas dit ce qu'elle était partie récupérer ? demanda-t-il poliment.

— Mon Dieu, non...

Il parut me croire sur parole. Sa main se détendit ; il posa ma tête contre le rebord de la baignoire.

— Quel genre de pacte avez-vous passé ? demanda-t-il ensuite.

— Elle a dit... qu'elle m'aiderait à retrouver ma fille.

Chris secoua la tête avec un sourire moqueur.

— Et tu l'as crue ? Cru en la parole d'une sorcière ?

— Oh, je t'en prie... je n'avais pas le choix.

— Non, en effet. Tu ne comprends pas qu'elle cherchait à raffermir son emprise sur toi ? Elle t'a déjà coûté ta fille, Rachel. Tu n'apprendras donc jamais ?

— Je n'ai pas encore perdu Cathy ! rétorquai-je, poussée par la peur – peur de ce qui pouvait lui arriver à *elle*.

— J'ai bien peur que si.

De nouveau il secoua la tête, mais d'incrédulité cette fois-ci.

— Tu as monnayé l'âme de ta fille. C'est un crime impardonnable.

Il y avait du dégoût dans sa voix. Je le dévisageai et laissai échapper un sanglot. C'était plus que je ne pouvais en supporter.

— J'ai rencontré bien des êtres comme cette femme, reprit-il. Aveuglés par leurs propres illusions. Elle croit pouvoir moissonner vos pitoyables âmes – puis échapper au châtiment en mourant pour renaître aussitôt, passant ainsi d'une génération à l'autre. Mais moi aussi, j'ai vécu avant cette vie. Je sais le prix qui lui reste à payer.

Oh, non, pas toi ! pensai-je.

Ses yeux s'étaient perdus dans le vague, mais ils s'endurcirent à nouveau.

— J'ai tout de suite su que tu fréquentais une sorcière, Rachel. Tu portais son odeur. Je me suis dit que je me trompais, que tu n'étais pas l'une d'elles. Je l'espérais tant ! Mais tu es des leurs, n'est-ce pas ?

Mes yeux s'emplirent de larmes et je luttai pour les retenir. J'étais sûre de pouvoir pleurer si abondamment que la baignoire se remplirait et que je me noierais pour de bon.

Il caressa mes cheveux, comme la veille, après les avoir lavés. Sa voix n'était plus qu'un murmure.

— Écoute, Rachel. Une femme infectée par la sorcellerie doit être étranglée et brûlée... pour détruire le mal, mais aussi pour purifier son âme. Mais puisque je t'aime bien, je t'épargnerai un tel sort. À ta façon, tu t'es montrée bonne pour moi. Et le Seigneur peut témoigner que j'ai toujours plaidé la cause de la Veuve.

J'attendis, paralysée par le froid et l'angoisse.

— La mort par noyade peut être tout aussi purificatrice, fit-il d'un ton affreusement persuasif. Un second baptême. Une mort propre...

Un souvenir s'imposa dans mon esprit.

— Oh, mon Dieu !... cette pauvre femme... c'était *toi*...

Le réservoir d'Elm Hill. La mort par noyade. Bon sang.

Ma réflexion sembla lui faire plaisir.

— Il fallait que je sache si j'en avais la force, Rachel. Et je l'avais. Je l'ai toujours.

— Oh, non, je t'en prie...

Il tourna alors l'un des robinets. L'eau jaillit et se mêla à celle qui stagnait dans la baignoire.

Mon cœur gonfla dans la poitrine. J'attendis le flot qui allait submerger mon visage. Mais il laissa le robinet à peine ouvert. Il se leva, pencha la tête et me regarda.

— Ne lutte pas, Rachel. Fais la paix avec Dieu et laisse-toi couler. Crois-moi, cela vaut mieux ainsi.

Avant que j'aie pu rassembler assez de forces pour le supplier, il était parti en refermant la porte derrière lui.

Le bruit du robinet emplit le silence de la pièce. Quelques minutes plus tard, la porte d'entrée s'ouvrit, puis se referma. Ce n'était pas une ruse : pourquoi chercherait-il à me tromper ? Cette affreuse maison était déserte; il m'avait laissée mourir seule.

Je reposais de tout mon poids sur les poignets et mes bras. J'avais l'impression d'être enchâssée dans un bloc de glace. Je pouvais à peine sentir mes membres – et encore moins les remuer.

L'eau coulait tout près de mon oreille dans un bruissement énervant ; les rides caressaient ma joue. Mon visage affleurait à peine.

À cette allure, combien de temps mettrait la baignoire pour se remplir ? Combien d'*heures* ?

J'ouvris la bouche pour appeler à l'aide... mais mes poumons étaient vides. Seul un soupir passa mes lèvres.

Mon Dieu, aidez-moi !

Je me préparais une pneumonie carabinée, mais je ne vivrais pas assez longtemps pour en sentir les effets. L'hypothermie m'emporterait bien avant. C'était toujours mieux que de se noyer centimètre par centimètre.

Les bords de la baignoire s'élevaient autour de moi comme les parois d'un canyon. Je pouvais distinguer des taches de moisi sur le plafond.

Personne ne s'apercevrait de ma disparition ; j'avais trop bien couvert mes traces. Peut-être, lorsque Pat m'appellerait pour me souhaiter un bon Noël et que personne ne lui répondrait, se poserait-elle des questions. Mais, à ce moment, je reposerais au fond de cette baignoire.

Razoxane et son familier pourraient-ils me retrouver ? Mon Dieu, c'était possible. Mais je l'avais abandonnée ; peut-être avait-elle choisi de ne pas s'encombrer de moi pour régler ses comptes macabres...

Les gouttes s'écoulaient comme les grains de sable du temps. Mes dents claquaient sans que je puisse les contrôler. Mes pensées se firent de plus en plus confuses. Une partie de mon esprit suppliait Dieu, Maman et Marie de m'octroyer une ultime révélation. L'assurance que mon ange était toujours vivant. Si je le savais, je pourrais mourir le cœur content.

Le reste de mon être hurlait silencieusement, appelant Razoxane à la rescousse.

Ces deux lignes de pensée finirent par se croiser, si bien que j'en étais à prier l'Ange de la Mort de venir me sauver lorsqu'un grincement attira mon attention.

Je tendis l'oreille, et l'entendis de nouveau. Le bruit provenait du rez-de-chaussée.

Je marinais dans une telle torpeur que je faillis ne pas réagir. Même si c'était Chris qui revenait pour m'achever, ma situation ne pouvait être pire. Mais une toute petite lueur d'espoir s'alluma en moi. Et si c'était Razoxane ?...

Le grincement résonna une fois de plus ; je pensai à une fenêtre à guillotine que l'on force. Après quelques minutes pénibles, un autre son contredit cette idée : des pas martelant un plancher. Puis un crissement de gonds mal huilés.

Une voix étouffée marmonna quelque chose ; une autre lui répondit. La lueur d'espoir s'éteignit comme une chandelle qu'on souffle.

Ce n'était ni Chris, ni Razoxane, mais deux hommes. Deux inconnus. Ignorant ma présence attentive, comme si j'étais déjà un fantôme hantant la maison. Ils se déplaçaient à pas furtifs. Je compris alors que j'étais le témoin involontaire d'un cambriolage.

Et il fallait que ce soit ce jour-là. Que feraient-ils s'ils me découvraient ? Ligotée dans la baignoire, ma chemise et ma culotte rendues transparentes par l'humidité. Un frémissement parcourut mon estomac.

Mais s'ils ne me trouvaient pas... inutile d'épiloguer. Je rassemblai des forces que je n'aurais pas cru posséder et poussai un faible gémissement de détresse.

Dans le calme qui suivit, je n'aurai pu dire s'ils m'avaient entendue ou pas. Peut-être se demandaient-ils s'ils n'avaient pas *imaginé* mon appel. J'inspirai une grande goulée d'air et fit une nouvelle tentative. Cette fois-ci, je poussai un cri, aigu et pathétique. Puis les pas montèrent l'escalier.

L'inconnu s'arrêta sur le palier ; j'attendis, le cœur battant. Enfin la porte s'ouvrit.

Je m'étranglai ; si je n'avais pas déjà uriné, j'aurais perdu le contrôle de ma vessie.

Sa silhouette trapue emplit l'encadrement de la porte. Il portait une parka déboutonnée et tenait une barre à mine à la main. En distinguant ses traits, je sus qu'il n'était pas venu cambrioler la maison. Il était venu chercher le « pervers » qui y habitait pour lui briser les membres – ou le crâne...

Et sa copine la gauchiste...

Il resta un instant muet de surprise ; puis comprit soudain. Ses lunettes teintées ne purent dissimuler la lueur

163

concupiscente qui s'alluma dans ses yeux alors qu'ils parcouraient mon corps. Sous sa moustache, ses lèvres s'étirèrent en un rictus vicieux.

— Tiens, quelle bonne surprise ! fit-il. J'avais justement envie de te revoir.

Un instant, nous nous dévisageâmes sans dire un mot. Puis il posa sa barre et s'approcha de moi. Je le regardai, effrayée. Il me dominait de toute sa taille.

— Ton copain t'a laissée tomber, hein ? fit-il d'un ton badin. On t'avait prévenue, pourtant. Tu aurais dû nous écouter...

Le second homme apparut dans l'entrée ; un autre visage aperçu ce soir-là au pub. Il dressa la tête pour mieux voir et sourit.

— Ben merde alors, marmonna-t-il.

— Où est ton chéri ? demanda la moustache.

— Sais pas... il est parti...

Je déglutis douloureusement :

— Aidez-moi... je vous en prie...

L'autre type farfouillait dans sa poche. Il en tira un téléphone mobile.

— Tu veux que j'appelle Dave ? Ça va lui plaire.

Son compagnon secoua la tête sans me quitter des yeux. Je sentais le poids de son regard rivé sur mes seins. Je ne m'étais jamais sentie aussi exposée.

— Laisse tomber, dit-il doucement. C'est nous qui l'avons trouvée. Pourquoi est-ce qu'on la partagerait ?

Un silence ; je crus que mon cœur allait s'arrêter. L'autre rangea son téléphone, puis alla se tenir devant la baignoire pour mieux lorgner ma culotte détrempée.

— On va lui apprendre la vie, hein ?

— Ça vaut mieux. Comme ça, elle saura ce qu'elle a raté.

— Je vous en prie, fis-je, sentant monter en moi une nausée plus froide que l'eau croupie. Vous n'allez pas...

L'homme hocha la tête avec le plus grand calme. Il parla d'une voix presque raisonnable :

— Oh si, on va. On ne peut tout de même pas laisser passer une occasion pareille, non ?

Le second type essayait toujours de regarder entre mes jambes croisées.

— Len..., murmura-t-il, la tête baissée.

— Mm ?

L'autre humecta les lèvres. Je perçus son hésitation, teintée d'autre chose. Quelque chose d'abominable.

— On dit que... si une fille crève pendant que tu la baises... ça te file une gaule terrible.

Il parlait d'une voix haletante, comme s'il s'étonnait lui-même. Mais ses yeux reflétaient son excitation malsaine.

Len le regarda d'un air pensif. Je réalisai qu'il était vraiment en train de soupeser cette suggestion macabre. Mon cœur s'était remis à tambouriner.

Ses lunettes teintées se tournèrent vers moi. Derrière le verre, ses yeux me considéraient depuis un univers lointain et impitoyable Il inspira et se tourna vers son compagnon.

— On peut toujours vérifier.

L'autre se lécha nerveusement les lèvres.

— Tu crois qu'on... ne sera pas inquiétés ?

Len y réfléchit, puis fit non de la tête.

— Ouais. Ouais, je crois. C'est l'autre pédé qu'on va accuser. C'est lui qui l'a ligotée et fourrée là-dedans.

— On l'emmène dans la chambre, alors ?

— Ouais. Ici, c'est trop humide à mon goût. Comment tu veux la finir ?

Je restai là, bouche béante, pendant qu'ils discutaient des modalités de mon viol, puis de mon assassinat. *Mon* viol. *Mon* assassinat. Comme si je n'étais pas là. Comme si j'étais déjà morte...

— Et si... on lui mettait un sac en plastique sur la tête ? suggéra le type. Doit y en avoir dans la cuisine...

J'eus un hoquet horrifié. Ils m'ignorèrent.

— Mais l'ennui, c'est qu'un seul d'entre nous va en profiter, souligna Len.

L'autre fouilla dans sa poche et en tira une pièce de dix pence.

— Pile ou face ? dit-il d'un air fat.

— Oh, je vous en prie... gémis-je. Laissez-moi partir...

Len baissa les yeux comme s'il se rappelait soudain de ma présence, et haussa légèrement les épaules.

— Rien de personnel, poupée, mais on ne peut pas courir le risque. La seule façon d'être sûrs que tu ne nous dénonceras pas, c'est de te faire taire pour de bon.

— Mais le Seigneur a dit : tu ne tueras point, fit une voix glaciale depuis l'entrée.

L'explosion qui suivit fit vibrer les murs ; la salle de bains s'emplit d'une fumée âcre parsemée de débris et d'étincelles. Len et son acolyte essuyèrent l'essentiel de la décharge, qui arracha la chair de leurs os et la vie de leur corps. Le sang jaillit dans toutes les directions, éclaboussant les murs et même le plafond. Quelques gouttelettes frappèrent mon visage et brûlèrent ma peau glacée.

— ... sauf le vendredi, ajouta sèchement Razoxane.

Le cadavre de Len glissa vers la baignoire comme s'il voulait me rejoindre. Il heurta le rebord, se cassa en deux et s'affala comme un sac ; son torse plongea entre mes cuisses. Sa masse provoqua un mini-raz de marée qui faillit me noyer. J'eus un couinement de panique et luttai pour conserver mon visage au-dessus de l'eau. Un instant, le reste de son corps menaça de prendre le même chemin pour m'entraîner à sa suite dans le néant. Mais il eut un spasme et resta ainsi, la taille en équilibre sur le rebord, les jambes pendant hors de la baignoire, la tête dans l'eau.

La détonation n'était plus qu'un écho à mes oreilles. Le linceul de fumée âcre retomba peu à peu. Et là, au milieu des volutes, je sentis une chaleur spectrale envahir l'eau. Alors qu'elle caressait ma chair gelée, je laissai enfin couler mes larmes. Plongée jusqu'au cou dans un bain de sang, je sanglotai de soulagement.

La silhouette de Razoxane se détacha du brouillard. Elle se baissa, empoigna le col du manteau déchiré de Len et le souleva. J'entrevis un masque de sang et de fragments d'os avant qu'elle ne le laisse retomber sur le carrelage. Une vague vint se briser contre ma joue, puis reflua. Je laissai retomber ma tête en aspirant de grandes goulées d'air.

Razoxane me regarda.

Elle tenait une sorte de gros fusil à canon scié. Je le reconnus tout de suite : c'était le mousqueton qu'elle avait employé la dernière fois. Celui qu'elle appelait la Poudrière du Diable.

Elle le dressa et le posa sur son épaule, inclina la tête sur le côté et me sourit.

— Drôle de moment pour prendre un bain.

— Ou pour faire de mauvaises blagues, crachai-je.

Elle haussa les épaules, posa son arme et s'avança vers la baignoire. Je fermai les yeux pour retenir mes larmes lorsqu'elle empoigna ma chemise trempée et m'extirpa de ma tombe aquatique.

— Quand va-t-on sortir d'ici ? lui demandai-je lorsqu'elle revint de la cuisine.

— Lorsque tu auras repris des forces, répondit-elle.

Elle posa une tasse fumante devant moi.

— Bois ça.

Je regardai le liquide d'un œil suspicieux ; du café coupé avec quelque chose de plus fort. Elle confirma mes soupçons en brandissant une flasque de whisky.

— J'ai trouvé ça dans un des tiroirs.

Le verre était poussiéreux et l'étiquette décollée, comme un vieux flacon de détachant rescapé de travaux antédiluviens.

J'étais blottie dans une chaise près de la chaudière, enroulée dans toutes les couvertures qu'avait pu trouver ma libératrice. Elle m'avait frictionnée et réchauffée comme l'aurait fait une sœur pendant que je tremblais comme une feuille. En écoutant gargouiller le café dans la cuisine, je me souvins du jour, il y avait des années, où ma co-turne avait entrepris de me bichonner ainsi. J'avais attrapé la grippe et restais allongée sur le canapé, cramponnée à une bouillotte, pendant qu'elle s'affairait. Une image qui contrastait avec l'horreur de ma situation. Cette maison qui s'était refermée sur moi comme un piège à rat. Les corps déchiquetés dans la salle de bains. Le spectre dépenaillé qui farfouillait dans les tiroirs...

Razoxane prit la chaise posée de l'autre côté de la chaudière. Elle avait gardé son manteau et son chapeau ; elle ressemblait à un intrus, un clochard qui se serait introduit dans la maison. C'est ainsi que je compris ce que cela signifiait d'être un fantôme. Peu importait qu'elle fût chair ou esprit. Sa place était dehors, dans le froid, parmi les morts.

Et cela ne l'empêchait pas de sourire, à sa façon ironique. Je bus une gorgée de café, puis la regardai.

— Quelqu'un doit avoir entendu...

Elle secoua la tête.

— J'ai moi-même répandu mon propre grain. Ceux qui auront remarqué quelque chose l'oublieront tout aussi vite.

Elle leva les yeux vers le plafond.

— Au fait, qui étaient ces braves gens?

Je haussai les épaules.

— Je ne sais pas. Ce devait être des vigiles ou quelque chose comme ça.

— Pas assez vigilants pour leur bien. Est-ce qu'on risque de voir débarquer leurs amis?

Je levai la tasse; mes dents heurtèrent le bord.

— Je... je suis tombée sur tout un gang. Je ne sais pas si leurs complices savent qu'ils sont venus ici.

— Et qu'as-tu fait pour provoquer le courroux de ces citoyens exemplaires?

— J'ai rendu service à quelqu'un.

— Je vois. Ne serait-ce pas ce même quelqu'un qui t'a ligotée et abandonnée dans cette baignoire?

J'en convins d'un air malheureux.

— Quelle ingratitude, railla-t-elle.

— Ce n'est pas drôle! rétorquai-je.

— Je n'ai pas prétendu le contraire.

Son sourire sembla se fondre dans sa peau anémique. Ses lunettes noires me regardaient silencieusement. Je baissai les yeux.

— Qui était-ce? demanda-t-elle.

— Il... m'a dit s'appeler Christopher. Nous sommes ici chez lui; chez son père. Je l'ai rencontré à l'hospice. Il s'imagine avoir déjà vécu d'autres vies – comme toi. Il veut te pourchasser et te tuer.

Silence. Puis Razoxane retira ses lunettes, exhibant des yeux d'un bleu délavé.

— Ça te dit quelque chose? demandai-je.

— Pas vraiment, fit-elle, pensive. J'ai trop longtemps cheminé avec les morts pour reconnaître un glas d'un autre.

Mon cœur s'arrêta un bref instant.

— Et... si c'était un piège ? Si je servais d'appât ?

Elle secoua la tête.

— Il est loin d'ici. Vedova m'a précédée et n'a pas trouvé la moindre trace de sa présence. Il t'a laissée mourir, Rachel. C'est aussi simple que ça.

Je baissai les yeux sur ma tasse.

— Il a dit que tu te servais de moi, chuchotai-je.

— Je croyais que, de toute façon, tu ne me faisais pas confiance.

Je lui lançai un regard boudeur.

— C'est vrai.

Sur quoi, elle se leva et se dirigea vers la table. La Poudrière était là, debout sur une chaise comme un invité indésirable. Elle ramassa son compas et le caressa doucement du bout de son pouce.

Je m'humectai les lèvres.

— Ils sont sortis ?

Elle secoua la tête sans quitter le couvercle des yeux.

— Est-ce que... tu as récupéré la Poudrière à Londres ?

— Oui ; mais ce n'est qu'un début. Et tu vas m'aider.

Oh, mon Dieu ! Je fis la grimace et bus une autre gorgée chaude que je sentis descendre le long de mon œsophage pour se répandre en moi.

— Pas ce soir... je n'y arriverai pas...

— Je sais. Il faut que tu reprennes des forces. Donc, nous allons attendre... bien que ce soit un luxe.

Elle fourra le compas dans sa poche.

— Jusqu'à demain.

Soudain, je réalisai que le lendemain était le jour du réveillon. Ce qui ne provoqua aucune réaction en moi : j'étais déconnectée du monde qui m'entourait.

Cathy. Il y avait une semaine, j'espérais ressentir un peu de la magie de Noël. Maintenant, tout ce qui comptait, c'était de la retrouver. Ensuite, je ne demanderais jamais plus de miracles.

— Et si j'attrape une pneumonie ? marmonnai-je.

— Ne t'inquiète pas pour ça.

En parlant, elle retirait ses gants. Je levai les yeux et la regardai étirer ses longs doigts pâles.

— Qu'est-ce que tu fais ? demandai-je, mal à l'aise.

— Mon travail. Je te l'ai dit, tu te souviens ? Tout ce

169

sang sur ma tête, ces ombres sur mon chemin. Alors que tout ce que je voulais, c'est *guérir*.

Je pensai à ce qui gisait dans la salle de bains. Deux nouveaux spectres avaient rejoint la foule qui la hantait. Peut-être encerclaient-ils la maison. Des visages invisibles qui se massaient aux fenêtres pour regarder à l'intérieur... Soudain, je compris ce qu'elle voulait dire et eus un geste de recul.

— Ne t'approche pas de moi.

Elle étendit les mains.

— Je ne te ferai aucun mal, Rachel.

Je luttai pour me lever, mais mes jambes n'étaient pas assez solides. Pas moyen de fuir.

— Je ne veux pas t'ensorceler, insista-t-elle en se penchant vers moi. Tu ne vas pas te lever et marcher. Mais je peux rétablir l'équilibre de tes humeurs. Crois-moi. Fais-moi *confiance*.

Sur ce point, elle pouvait toujours courir ; mais je n'avais pas le choix. Elle alla se placer derrière ma chaise et posa doucement ses doigts sur mon crâne. Je ravalai un sanglot. Était-ce ce que ressentait un condamné à la chaise électrique alors qu'on installait le casque d'acier ? Mes muscles se raidirent, anticipant la décharge.

Mais elle se contenta de maintenir ma tête, puis me massa lentement le cuir chevelu. Une sensation apaisante s'empara de moi ; s'il s'était agi de quelqu'un d'autre, j'aurais fermé les yeux. Au bout d'une minute, je ressentis quelques picotements sporadiques ; des ondes de chaleur parcourant mon corps et mes membres. Lorsqu'elle me relâcha, je me laissai tomber avec des sentiments contradictoires : soulagement et déception mélangés.

— Et voilà, fit-elle en allant récupérer son chapeau. Maintenant, tu ne risques pas d'attraper une pneumonie. Ni même un rhume.

Je la regardai, puis passai ma propre main dans mes cheveux pour frotter ma peau à travers les mèches gluantes. Elle sourit en remarquant mon air suspicieux.

— Ce n'est que de l'énergie psychique, Rachel. Rien de bien sinistre. Juste un des charmes blancs que m'a appris ma mère.

— Tu aurais dû en rester là, fis-je d'un ton acide.

Elle encaissa sans ciller.

— On fait ce que l'on peut avec ce que l'on a. Dans ma situation, tu aurais fait de même.

Avant que j'aie pu concevoir une repartie, un bruit étrange s'éleva, une stridulation d'insecte. Je fis un bond et tournai la tête à droite et à gauche. Il semblait surgir de nulle part ; un bourdonnement entêtant. Puis je compris qu'il provenait de la salle de bains. C'était le téléphone portable du mort.

Le savoir ne me réconforta guère. Je l'écoutai sonner ; avais-je vraiment besoin de me souvenir de ce qui gisait là haut ? Razoxane resta immobile, elle aussi. La sonnerie n'en finissait pas.

Peut-être que ses potes de beuverie cherchaient à le joindre pour décider quel pub ils envahiraient ce soir-là. Mais s'il s'agissait d'une amie ? Une épouse inquiète ? Une fille ?... À cette idée, je serrai les lèvres.

Vous savez ce que m'a dit ce type que vous croyez connaître ? Ce qu'il a proposé ?

Où il se trouve maintenant ?

Le téléphone se tut.

J'exhalai un soupir ; j'avais retenu ma respiration sans m'en rendre compte. Je regardai Razoxane.

— Il faut qu'on sorte d'ici.

— Mieux vaut attendre la nuit, remarqua-t-elle. On ne peut aveugler le monde entier.

Je me tournai de nouveau vers ma tasse, puis levai les yeux.

— Il a mis les armes de son père dans le placard de la cuisine. Chris, je veux dire. Est-ce qu'elles y sont toujours ?

Elle alla vérifier et revint une minute plus tard, un fusil en main. Elle le soupesa d'un air pensif.

— Ça ne me convient pas trop, finit-elle par dire. Je préfère les armes un peu plus anciennes...

Elle leva les yeux.

— Combien y en avait-il ?

— Trois.

— Il n'en reste que deux. Celui-ci et un fusil à pompe. Je déglutis.

— Il y en avait un avec un levier...

— Alors il l'a emporté.

Cette idée semblait la mettre en joie.

— Il est impliqué dans tout ceci ? demandai-je.

— Je ne sais pas. Ce dont je suis sûre, c'est que ce n'est pas un revenant. Et je n'ai même pas baisé avec lui.

— *Je t'emmerde*, articulai-je en la regardant.

— Eh bien, je vois que tu vas mieux.

Elle sourit et jeta un coup d'œil à la fenêtre. Son visage était toujours aussi impassible. Lorsqu'elle revint à moi, ses yeux semblaient refléter le ciel triste.

— Encore deux heures, promit-elle. Lorsque le crépuscule cédera la place à la nuit, nous pourrons partir.

Elle remarqua mon expression douloureuse et sourit de nouveau comme une sœur indulgente.

— Ne prends pas cet air dépité. Je me souviens d'un temps où la nuit était ton élément, à toi aussi.

Sa corneille démoniaque nous attendait à mon logis, perchée sur le toit comme une gargouille. Je l'entrevis dans la clarté orange du réverbère et eus un mouvement de recul. Razoxane se dirigea vers la porte. Je la suivis en jetant des regards vers le haut. Les yeux durs de l'oiseau arboraient des reflets d'ombre.

— Tout est calme ? lui demanda Razoxane alors que je cherchais mes clés.

Il lui répondit d'un cri sec comme le râle d'un mourant. J'en avais entendu quelques-uns en mon temps, mais aucun ne m'avait tant effrayé. Puis la porte s'ouvrit et je me précipitai à l'intérieur.

Un instant, je crus entrer dans la gueule d'un monstre. L'intérieur de la maison était noir et inerte, racorni sur son silence. Il n'y avait plus rien de l'atmosphère à laquelle j'étais habituée. Alors que j'hésitais sur le seuil, Razoxane entra, et un claquement d'ailes inattendu fit vibrer l'air : son esprit familier la suivait. Je baissai instinctivement la tête alors qu'il passait au-dessus de moi comme une ombre. Le bruit de ses ailes évoquait quelque chose d'ancien, comme le crissement d'un parchemin. Puis l'oiseau alla se poser quelque part. Razoxane referma la porte ; j'allumai la lumière.

Une fois éclairé, le logis n'avait plus grand-chose de menaçant. Avec un soupir, je posai le sac poubelle contenant mes vêtements couverts de sang. Je ne les porterais jamais plus. Je pensai aux effets d'un accidenté de la route, à peine bons pour la chaudière.

Débarrasse-moi de ça avant qu'ils commencent à puer...

Je me tournai vers Razoxane et la regardai accrocher son manteau à l'une des patères.

— Fais comme chez toi, marmonnai-je en me dirigeant vers la salle de bains.

Pour venir, j'avais mis les vêtements du père de Chris, récupérés avec dégoût dans les tiroirs et les armoires. Ils étaient aussi rances que les draps, et les sous-vêtements me grattaient désagréablement. Mais je n'avais pas le choix. Je n'aurais jamais porté quoi que ce fût qui appartînt à Chris ; qui eût été en contact avec sa peau...

Je me déshabillai hâtivement, fis couler la douche et restai un long moment sous le jet. Je frottai les stigmates de mon immersion ; me savonnai entre les jambes. Enfin, je passai dans ma chambre et m'habillai.

Alors que j'enfilais un pull, je sentis la présence de Razoxane. Je me tournai et la regardai sans sourire. Elle se tenait dans l'embrasure de la porte.

— Laisse-moi te dire une bonne chose, dis-je fermement. Jamais plus je ne subirai une telle humiliation. Jamais plus je ne me laisserai dégrader à ce point. *Jamais.*

— Ce n'était pas ta faute, remarqua-t-elle.

— Non ? Je suis entrée tout droit dans son piège. Et ces autres salopards... ils m'ont poussée à les *supplier.*

Soudain, ma voix tremblait.

— Bien sûr ; mais pourquoi dois-tu en avoir honte ? Ce sont eux qui ont choisi leur propre dégradation.

Elle me regarda d'une façon qui, bizarrement, me calma.

— Tu as beaucoup de force, Rachel. C'est elle qui a fait de toi ce que tu es. Et elle te mènera à ta fille, si tu me laisses guider tes pas...

Je haussai les épaules ; mon silence équivalait à un consentement. Que pouvais-je répondre ? Je m'assis sur le lit et enfilai mes baskets.

— ...et lire tes rêves, conclut-elle.

Mes doigts se figèrent alors que je nouais les lacets.

— Je t'ai déjà dit *non*, rétorquai-je.

— Deux têtes valent mieux qu'une, insista-t-elle. Surtout maintenant que nous avons un nouvel ennemi. Il n'est pas l'un d'entre eux, mais il doit y avoir un lien. Si nous joignons nos esprits, nous pourrons découvrir ce qu'il en est.

Je la dévisageai, la gorge sèche ; je devais poser la question cruciale. Savoir à quoi m'en tenir.

— Est-ce qu'on pourra apprendre ce qu'*ils* veulent ? chuchotai-je.

— Au moins, on en aura une idée.

J'inspirai profondément. Puis hochai la tête et me jetai à l'eau :

— Alors comment comptes-tu procéder ?

Il suffisait d'une chandelle et d'un miroir. Mais c'était assez pour que je me demande si j'avais bien fait d'accepter de jouer le jeu.

Je me souvins qu'un jour, à l'école ou en fac, quelqu'un m'avait dit qu'en s'asseyant face à un miroir avec une chandelle et en récitant la prière du Seigneur à l'envers, on pouvait invoquer le Diable. Je n'y croyais pas vraiment, mais pour rien au monde je n'aurais essayé.

— Ce n'est pas pareil, dit-elle patiemment. Je ne vais pas invoquer un démon. Ils sont trop malins, et on ne peut pas leur faire confiance. Ce que je vais faire, c'est rentrer dans ton esprit et réveiller ton don. Mes propres pouvoirs y puiseront une force nouvelle. Je ne peux plus y arriver seule. Plus maintenant...

J'étais assise devant ma coiffeuse et jetait des regards nerveux dans le miroir. Elle se tenait derrière moi ; son reflet arborait un mince sourire.

La chandelle provenait de la boîte que je gardais dans un tiroir de la cuisine : parfois, j'aimais m'éclairer à la lueur d'une bougie, même lorsque je prenais un bain. Lorsque Cathy était couchée, cela m'aidait à me détendre. Ainsi, la pièce semblait intime et sanctifiée.

Celle-ci attendait dans son bougeoir inondé de cire

séchée. Je fis la grimace lorsque Razoxane gratta une allumette et alluma la mèche, puis laissa grandir la flamme. Lorsqu'elle éteignit le plafonnier, la clarté graisseuse qui envahit la pièce n'avait rien de sanctifié.

Razoxane revint se poster derrière moi et croisa mon regard dans le miroir. Elle tira de sa poche le *Livre des Martyrs* et le plaça devant moi.

— Pose ta main dessus, dit-elle.

J'hésitai, puis obéis, comme si je prêtais serment. La couverture sembla ramper sous ma main ; ma chair se hérissa jusqu'à mon épaule.

Les miroirs de la coiffeuse dessinaient un étrange triptyque : une martyre tentée par un démon femelle. Les yeux d'insecte de Razoxane luisaient tout près de moi. J'avais l'air d'une victime sacrificielle.

Elle posa une main sur la mienne et l'autre sur mon épaule. Son visage était dénué de toute expression.

— Maintenant, regarde le reflet de la flamme.

J'avalai ma salive et obtempérai. Sa clarté emplit mon regard. Razoxane serra gentiment mon épaule et murmura quelques mots à mon oreille. Mon corps se relâcha et des brumes envahirent mon esprit. Mes yeux grands ouverts, engorgés de lumière, se fermèrent.

La bougie s'était éteinte.

Mais une étrange radiance éclairait toujours le tableau, et elle provenait du reflet de Razoxane. Elle était désormais tout de blanc vêtue, comme l'ange qu'elle croyait être ; mais son visage était fait de ténèbres coagulées. Et ses lunettes exsudaient une lumière éblouissante.

Je réalisai alors que je voyais tout en négatif : le blanc devenait noir, le noir blanc. Mais ma propre apparence m'étonna plus encore : mon visage d'ombre entouré de cheveux blancs comme neige avec des pointes de pure brillance au centre de mes yeux.

Soudain, je vis les images se dissoudre pour ne laisser qu'un néant vertigineux. Puis mon œil interne s'adapta et je pus distinguer un paysage sombre – et étrange, car le sol semblait briller comme un feu sans lumière. Au-delà s'étendait une forêt squelettique d'un blanc éblouissant sur fond de ciel uniformément sale.

Quelque chose s'annonça en bordure de la forêt, se

tourna vers moi, puis se fondit dans la lumière. La silhouette était trop lointaine pour que je puisse la reconnaître, mais c'était une femme, j'en étais sûre.

Et ce n'était certainement pas Razoxane.

Je luttai pour trouver un sens à tout cela : si les polarités étaient inversées, le sol devait être recouvert de neige et les arbres plongés dans l'obscurité. Quant à la femme...

Mais d'autres formes apparaissaient désormais dans mon champ de vision. Des silhouettes humaines, transparentes et dépourvues de visages, comme des programmes fantômes sur une télévision mal réglée. Elles convergeaient toutes vers l'endroit où la femme avait disparu. Leur démarche lente, éthérée, avait quelque chose d'angoissant.

Je détachai mon regard de ces cohortes spectrales et me retournai. Un oiseau se tenait perché sur la branche d'un arbre solitaire. Il était d'un blanc immaculé, comme une colombe – mais son bec tranchant et ses croassements rauques démentaient cette impression.

La corneille de Razoxane. Bien sûr.

Elle crailla de nouveau et déploya des ailes phosphorescentes. Avant que j'aie pu me protéger, elle prit son envol pour aller s'agripper à mon crâne. Ses griffes arrachèrent mon œil interne et l'emportèrent.

Le sol défila sous moi à une vitesse terrifiante, et j'entrevis alors ce qu'il recelait. Des gibets, des cimetières profanés. Des tombes béantes. Puis une masse loqueteuse – en fait un amas de cadavres. Enfin, nous étions passés, emportant la vision de visages grisâtres sur fond de neige noire.

Pas moyen de revenir en arrière, ni d'assimiler ces images fugitives. Mais l'impression générale était celle d'un pays exsangue, ravagé par une guerre quelconque. Et je le survolais selon une ligne droite, implacable.

Une silhouette incandescente apparut à l'horizon, se détachant sur le ciel de glace sombre. C'était une silhouette montée sur un cheval qui se retourna pour me regarder arriver. Je vis une lourde cape, un chapeau au large bord – puis je m'aperçus que je fonçais droit vers son visage.

J'attendis un impact qui ne vint jamais. Le cavalier disparut ; derrière, il n'y avait que du vide. Mon esprit perdit ses ailes et plongea dans le néant.

Et ce visage me suivit dans ma chute ; sombre et hagard, encadré de cheveux à l'éclat métallique. Ses yeux étaient des puits de ténèbres suiffeuses.

La panique m'envahit, et je me cramponnai à la table. La coiffeuse ; le miroir ; ma chambre. Si Razoxane ne m'avait pas retenue, je serais tombée de ma chaise.

La chandelle brûlait de nouveau d'une flamme paisible, comme si elle ne s'était jamais éteinte. C'était peut-être le cas. Peut-être...

J'arrachai ma main du livre moisi et inspirai profondément pour faire passer la nausée. Les doigts de Razoxane pressaient ma chair.

— Calme-toi, dit-elle avec une douceur surprenante. C'est fini maintenant. C'est passé...

Levant les yeux, je croisai son regard dans le miroir. Ses traits étaient tirés.

— Tu as tout vu ? murmurai-je.

— L'essentiel.

— Des yeux jaunes.

— Quoi ?

— Ce cavalier : il avait des yeux jaunes. Noirs en négatif, mais... jaunes en réalité. Je l'ai... vu en rêve.

— Vraiment ? fit-elle, pensive.

— Qui est-ce ? insistai-je.

— Je ne sais pas.

— *Razoxane*, fis-je, outragée.

Un instant, je crus avoir fait tout ça pour rien. Et ces visions étaient si lugubres : des gibets, des tombes profanées... Les corps étaient délavés, par les flammes ou la putréfaction ? Mystère...

— Certains éléments m'ont paru familiers, admit-elle. Certains échos. Mais je n'ai encore jamais vu ce visage.

Je haussai les épaules avec irritation ; elle me lâcha.

— Alors pourquoi avoir fait tout cela ? marmonnai-je.

Elle eut un geste évasif.

— Laisse-moi y réfléchir. Il y a certainement... quelque chose à en tirer.

Cette hésitation : de la réticence ou de la gêne ? Je n'avais pas trop envie de le savoir.

— Fallait-il vraiment que ce satané oiseau vienne mettre son grain de sel ? préférai-je demander.

— Ce n'était pas prévu. Elle n'était pas prête. Mais Vedova se nourrit de souvenirs oubliés. Je n'aurais jamais pu la retenir.

Je fis la grimace et me frottai les yeux. Mes orbites me picotaient là où son bec...

— Tu devrais dormir un peu, dit Razoxane. Je monterai la garde.

Je soupirai, puis allai me brosser les dents. Ces silhouettes spectrales ne cessaient de me hanter. En me regardant dans le miroir, je me souvins de ma réaction la première fois que j'avais vu les vitraux de la cathédrale de Coventry. C'était un de mes premiers souvenirs : je m'étais cramponnée à ma mère, effrayée par ces figures aveugles et étranges. *Chut*, avait-elle dit. *Ce sont des saints et des anges. Regarde.* Mais je ne voyais que des squelettes drapés de soie.

En revenant dans le couloir, je croisai Razoxane. Un sourire sardonique étirait ses lèvres.

— Mieux vaut ne pas entrer par effraction dans les méditations des autres. On peut y laisser sa raison. Certains réussissent à en revenir, mais ne sont plus jamais les mêmes...

Je fronçai les sourcils, perplexe ; que voulait-elle dire ? Puis elle me mena dans le salon. Là, je m'arrêtai net avec une exclamation de surprise.

Sa corneille était perchée sur la table et me jetait un regard noir. Mais j'y lus aussi de l'étonnement.

De la pointe du bec à l'empennage, son plumage était désormais d'une blancheur immaculée.

Bien qu'épuisée par toutes ces épreuves, j'eus bien du mal à trouver le sommeil. Par moments, de petits bruits venaient rompre le silence de la maison. Des craquements, des bruissements. Ils me rappelaient que Razoxane était là, assise dans les ténèbres comme une vigie silencieuse ; et que son esprit familier blanc comme neige voletait de pièce en pièce.

Je me laissai peu à peu gagner par le sommeil – puis

me redressai soudain, baignée d'une sueur glacée. Je mis un moment à me calmer. Cette sensation de sombrer me rappelait trop certaine baignoire...

La seconde fois, une pointe de panique monta de nouveau en moi : j'avais l'impression d'étouffer. Mais cette fois j'étais trop épuisée pour résister. Les ténèbres m'engloutirent tout entière.

Et lorsque je rouvris les yeux, Nick était là, à côté de moi.

Une chaleur estivale régnait dans la chambre de notre nouvelle maison. Une lumière rose filtrait à travers les rideaux. J'embrassai sa joue ; il murmura quelques mots ensommeillés.

Je sortis du lit, nue comme un bébé, et allai voir Cathy. Elle avait huit mois et se faisait lourde à porter. Lorsque je la sortis de son berceau pour l'emmener vers nous, elle se mit à gargouiller joyeusement, mais en voyant Nick, elle se débattit.

— Chhhut, fis-je en la mettant entre nous. Qui est-ce, hein ? Qui est là ?

Elle se tut en le regardant de ses grands yeux. Il lui sourit. Je crus qu'elle allait pleurer, mais non. Brave petite.

— C'est papa, murmurai-je. Hein ? C'est papa. Je comprends que tu ne le reconnaisses pas... ça fait des *mois* qu'il travaille de nuit.

— Oh, va donc faire du café, marmonna-t-il.

— Tu entends ? Papa a oublié les mots magiques...

— S'il te plaît...

— Voilà qui est mieux.

Je me penchai pour l'embrasser. Et le soleil s'éteignit.

Il emporta avec lui toute la lumière et la chaleur de l'univers, me laissant seule dans le noir absolu ; un cadavre au fond de la mer. On me les avait arrachés sans laisser de traces. Mon homme et ma jolie petite fille.

J'allais pousser un gémissement de désespoir lorsque je sentis une présence au pied du lit. Une silhouette noire qui se penchait vers moi. Je voulus battre en retraite, mais des doigts froids se refermèrent sur mon épaule.

— Razoxane...

Pas de réponse.

Quelque chose était entré dans ma chambre pour s'emparer de moi. Puis mon esprit creva la surface – et aspira une goulée d'air.

Je me retrouvai assise dans mon lit. La pièce, éclairée par une aube grisâtre, était déserte.

J'eus un sanglot et baissai la tête. Des points noirs apparurent sur le duvet ; j'essuyai mes joues dégoulinantes de larmes. Tout mon corps était gourd, comme si je sortais du bloc opératoire, et c'était vrai, dans un sens. On m'avait arraché une partie de moi. Un morceau de ma chair.

Ce matin d'été semblait bien loin. À des hivers de là.

Je soupirai, avalai ma salive, me tournai pour arranger mes oreillers – et me figeai.

Lorsque je pus bouger, je posai mes mains sur ma bouche pour étouffer un cri, un gémissement, Dieu sait quoi. Mes yeux semblaient prêts à jaillir de leurs orbites.

Sur l'oreiller, à côté du creux où reposait ma tête, gisait une seule et unique fleur à la tige interminable.

Un œillet rouge.

CHAPITRE VII

VAGABONDS

À peine étions-nous entrées dans le cimetière que je compris qu'ici Noël n'avait pas cours.

Certains de mes amis rejetaient cette célébration, et, parfois, lorsque j'en avais assez des courses, de la cuisine et de la bonne humeur obligatoire, je leur donnais raison. Mais cet endroit sinistre n'était pas qu'un refuge face aux excès des fêtes ; ici, l'espoir n'avait pas droit de cité. C'était le domaine des ténèbres – éternelles.

Je n'étais pas une inconditionnelle de Noël, loin s'en fallait, et les rues illuminées et bondées m'avaient laissée de glace. D'ailleurs, tous ces gens s'amusaient-ils autant qu'ils le prétendaient ? Que non. Partout, je percevais de l'énervement et de la lassitude.

Plus que trois heures *ouvrables* avant Noël. Déjà, l'air se teintait de givre. Le soir tombait.

Je parcourus des yeux les pierres tombales, rassemblées par petits groupes solidaires. Au-delà des grilles, j'entendais passer les voitures, voyais le pinceau de leurs phares et, de-ci de-là, une pointe de lumière. Mais cet espace restait un havre de paix au beau milieu du fracas de la ville.

Je frissonnai et me rengonçai dans mon manteau. Pour la première fois depuis des années, j'avais sorti du placard ma cape d'infirmière, souvenir du temps où j'étais étudiante. Cela m'avait semblé de circonstance : elle était bien chaude, certes, mais en même temps elle évoquait des temps meilleurs et correspondait à mon humeur du moment. Sous ma cape, j'étais tout de noir vêtue, de mon jeans à mon sweat. Parée pour ce que mijotait Razoxane.

Ma nostalgie se doublait d'un autre sentiment difficile à préciser, qui m'apportait de la douleur – mêlée à un bonheur insensé.

Il est revenu me souhaiter bonne chance. En ce moment, il me regarde.

J'arrivais à peine à y croire, et pourtant, la fleur était bien réelle. Elle n'était pas tombée en poussière sous mes doigts ; ce n'était pas un produit de mon imagination. Je vérifiai qu'elle était toujours là, glissée dans le second bouton de mon chemisier.

— Tu es bien silencieuse, remarqua Razoxane.

— Ce n'est pas l'endroit rêvé pour faire un numéro de claquettes, marmonnai-je, sur la défensive – car elle avait certainement deviné le tour que prenaient mes pensées.

Je ne lui avais pas parlé de mon visiteur et encore moins du cadeau qu'il m'avait laissé, mais elle avait dû sentir sa présence. Et elle n'était pas intervenue. D'une certaine façon, je devais lui en être reconnaissante.

Une lueur d'amusement passa sur son visage lorsqu'elle sortit son compas. Les bruits de la ville étaient étouffés, les lumières semblables à des feux de camp dans le lointain. Le ciel s'affadissait. La nuit tombait, et nous seules la verrions. Nous deux ; la veuve et la sorcière.

Au cœur de la vie la mort nous étreint.

Razoxane ouvrit le compas.

— Que fait-on ici ? demandai-je d'un ton boudeur, cachant mon malaise. Tu ne vas pas... invoquer un esprit ou quelque chose comme ça, non ?...

— Qu'est-ce qui te fait dire ça ? fit-elle innocemment en regardant les tombes parfaitement alignées.

— Parce que sinon, je fiche le camp en vitesse.

— Ne t'inquiète pas...

Elle s'interrompit pour passer le compas sur la tombe la plus proche ; l'aiguille ne cilla pas. Satisfaite, elle me regarda de nouveau.

— Je ne veux plus invoquer des fantômes, Rachel. Il y en a déjà bien assez qui hantent cette vallée de larmes.

Je me mordillai la lèvre, regardai derrière moi, puis courus après elle.

Elle répéta le même rituel à chaque tombe. Elle tenait le compas ouvert au-dessus de la pierre, hochait la tête, puis passait à la suivante. Je ne cessais de regarder autour de moi, mais l'endroit était désert.

J'avais toujours eu peur de Londres, et ma compagne ne faisait rien pour atténuer mes craintes. Pour moi, la City restait un no man's land de pierre et d'ombre.

Il est revenu à son point d'ancrage, avait-elle dit en parlant du démon qui hantait le labyrinthe situé dans les entrailles de la ville. Et si elle se trompait ? Pouvais-je lui faire confiance ?

À l'ouest, au-dessus des immeubles, le ciel était d'un rouge apoplectique ; le crépuscule s'élevait entre les croix comme une brume rose.

C'est dans la zone la plus désolée du cimetière qu'elle finit par obtenir un résultat. Là, les tombes étaient en friche. Des sans-abri arrachés à la rue, pensai-je. Pas de domicile fixe, pas de parents. Pas de nom.

Puis l'aiguille du compas remua si brutalement qu'elle me fit sursauter.

Razoxane examina silencieusement son instrument comme si elle décryptait les symboles qu'il désignait. Elle le referma en serrant le poing. Sous mes yeux perplexes, elle retira son chapeau et s'agenouilla.

Qu'est-ce que tu fais ? Une question évidente, mais je n'eus pas le courage de la poser. Je me contentai de regarder. Ma respiration formait une brume de condensation.

Pas la sienne.

Elle ne dit rien ; elle se contenta de poser le compas sur le sol et baissa la tête comme pour méditer. Le temps passa. Je me mis à battre du pied afin de me réchauffer un peu. Soudain, elle se releva.

— C'est tout ? demandai-je, espérant qu'elle dirait oui.

— Non.

Je fis la grimace et tirai le col de ma cape.

— Alors, que fait-on ?

— On joue les femmes invisibles... jusqu'à ce qu'ils aient fermé les grilles.

Elle désigna le bouquet d'arbres le plus proche.

— Allez, viens.

Il n'y eut pas de signal pour annoncer la fermeture ; un terrassier se contenta d'arpenter l'allée centrale en examinant mollement les alentours. Je le regardai depuis notre coin d'ombre. Un peu plus tard, la grille rouillée grinça à fendre l'âme. Il y eut un cliquetis de chaînes.

Razoxane attendit encore une minute, puis partit vers la tombe qu'elle avait choisie. Le ciel arborait une couleur cadavérique ; le trafic était encore plus dense. Les gens rentraient chez eux sans accorder une pensée à ce lieu oublié de tous.

Razoxane leva le compas à hauteur de sa joue ; il s'ouvrit avec un déclic. Elle le scruta un instant d'un air pensif, comme si elle écoutait une musique inaudible. Puis elle sourit et me regarda.

— Tu as déjà entendu parler de *résurrectionnistes* ?

Je cherchai une vague connotation religieuse – puis me souvins de la véritable signification du terme.

— Oui... Burke et Hare [1], et...

Ma gorge s'assécha et j'ouvris de grands yeux.

— Oh, non !... non !...

Je fis un pas en arrière. Elle me retint par le col.

— Rachel... écoute-moi. Tu ne risques absolument rien.

— Pas question de te regarder profaner des tombes, sifflai-je en me débattant. Laisse-moi...

— Qui a parlé de profanation ? rétorqua-t-elle. C'est une fosse commune ; il n'y a là rien de sacré. Juste des cadavres qu'on a balancés là-dedans sans aucune cérémonie. De plus, ajouta-t-elle avec un sourire rusé, ce n'est pas parce qu'il y a une *tombe* qu'il y a forcément un cadavre dedans...

Je la dévisageai, suffoquée. Ses doigts enserraient toujours ma gorge, mais son expression était presque ami-

1. Deux célèbres pilleurs de tombes, vite devenus assassins pour fournir clandestinement des cadavres aux académies de médecine. Ce fait divers sinistre inspira le superbe film de John Gilling, *L'Impasse aux violences*, avec Donald Pleasence et Peter Cushing, et le remake de Freddie Francis, *Le Docteur et les diables*, avec Pierce « Appelez-moi Bond » Brosnan. *(N.d.T.)*

cale ; elle irradiait la confiance. Lorsqu'elle me relâcha, je ne cherchai pas à fuir. Je n'avais nulle part où aller. Elle me tenait bel et bien.

— Alors, tu vas gratter la terre de tes ongles ?

— Inutile. Voilà nos fossoyeurs.

Je me retournai et vis deux silhouettes qui s'approchaient entre les tombes. Deux jeunes hommes aux vêtements rapiécés qui avaient dû escalader les grilles. L'un d'entre eux portait sur son épaule un paquet joufflu à la forme bizarre.

Je me retirai, laissant Razoxane s'arranger avec eux. Tous deux me lancèrent un regard empreint de suspicion. Leur odeur me parvint alors ; Razoxane avait recruté ses fossoyeurs dans les rues de Londres.

— C'est là ? fit le premier sans préambule.

Il portait un vieux treillis contrastant avec sa coiffe tibétaine ronde. Il avait environ vingt-cinq ans, mais sa barbe le vieillissait. Il me regarda de nouveau.

— C'est qui ?

— Une amie.

Il me toisa de bas en haut.

— On dirait une chauve-souris avec ce truc sur le dos. Un putain de vampire...

— Mais ses goûts sont plus orthodoxes, fit Razoxane sèchement, alors que je lui décochais une grimace éloquente.

Il haussa les épaules et se détourna de moi.

— Je te connais, McCain...

— Bien sûr. Sinon, que ferais-tu ici ?

— ... et on parle beaucoup de toi et de ce que tu as sur la conscience. Alors, écoute-moi bien. On ne fraye pas avec les satanistes ou des conneries comme ça. On n'est pas encore tombés si bas.

— Je te l'ai dit : ça n'a rien à voir. Il faut simplement que tu m'ouvres cette tombe. J'ai besoin de son contenu.

Il y eut un silence, puis l'autre homme posa son fardeau. C'était un vieil étui de guitare aux gonds maintenus par du Scotch de déménageur. La poignée était aux abonnés absents ; il ne restait plus qu'une lanière pour soulever le tout.

— Au cas où on tombe sur les flics, expliqua le barbu alors que son collègue ouvrait l'étui.

En effet : deux clodos munis de pelles avaient bien des chances de se faire arrêter, ne serait-ce que pour le principe.

Instinctivement, je passai la main sous ma cape pour toucher l'œillet de Nick, puis le rosaire que j'avais emporté. Les perles tintèrent faiblement alors que je les enroulais autour de mes doigts. Le premier fossoyeur se redressa et me jeta un regard étonné.

— Tu l'as fait venir pour qu'elle nous bénisse ?

Il s'adressait toujours à Razoxane, comme si je n'étais pas là. Peut-être parce que c'était avec elle qu'il avait traité. Au moins, il avait conservé sa fierté.

— Elle prie pour les morts, répondit Razoxane. Moi, je les enterre.

— Ah, ouais ? fit-il d'un ton qui se voulait sarcastique.

Il cracha dans ses mains et se remit à creuser. Je le regardai en me demandant ce qu'il pensait d'elle ; ce qu'il *savait* d'elle. Malgré son calme apparent, il en avait peur.

L'autre homme repoussa ses nattes rasta blondes et se mit lui aussi au travail. Le raclement des pelles me parut soudain bien sonore ; presque indécent au milieu des tombes. Quelqu'un risquait de nous entendre... Razoxane, elle, se tenait devant la fosse comme pour superviser les travaux – bien que son attention restât braquée sur le compas.

— J'aime pas ce coin, dit le blond sans cesser de creuser. J'ai trop d'amis qui ont fini ici... ou dans un trou du même genre...

Un trou. Je me souvins de ma stupéfaction en apprenant que, dans certaines municipalités, on enterrait les pauvres en masse dans des tombes creusées par des chômeurs. Comme au Moyen Âge, durant la Grande Peste...

Le travail avançait ; malgré le froid, les fossoyeurs suaient à grosses gouttes. Le barbu retira sa veste et la laissa tomber à mes pieds en me lançant un regard furtif.

On aurait dit un enterrement inversé avec seulement deux personnes pour porter le deuil. Je baissai les yeux en tripotant nerveusement mon rosaire.

— T'es catholique ? demanda le barbu comme pour engager la conversation, mais sans cesser de travailler.

— Oui.

— Drôle d'endroit pour une catholique.

Je levai les yeux pour voir le sourire de Razoxane.

— J'imagine qu'il faut rétablir l'équilibre entre le bien et le mal. À parts égales.

— Et tu joues le rôle du bien ?

Je secouai la tête.

— Tu es tout ce qu'elle avait sous la main ?

— Peut-être...

Je déglutis.

— Je m'appelle Rachel Young. Et vous ?

Il eut un mince sourire.

— Appelez-moi Finn. Cela fait un bail qu'on ne m'a pas posé la question.

Il se redressa et s'étira.

— Vous autres catholiques priez pour les vagabonds, non ?

— Parfois, oui.

— Alors, prie pour nous, Rachel. Notre errance n'a pas de fin.

— Il y a quelque chose là-dedans, dit l'autre.

Ils entreprirent de déterrer le « quelque chose » en question. Je ne savais pas trop à quoi m'attendre, mais lorsque je vis cette petite boîte anodine, mon estomac se serra. C'est dans des cercueils semblables à celui-là qu'on enterrait les enfants mort-nés.

Le nommé Finn passa l'objet à Razoxane, qui le tourna et le retourna dans ses mains.

— C'est bien ça.

Elle glissa la boîte sous son bras, farfouilla dans son manteau et en tira une bourse de cuir délavé dont le contenu émit un tintement étouffé.

— Vous nous donnez l'étui et une des pelles en prime ? demanda-t-elle en desserrant les lanières.

— Pourquoi pas ? répondit Finn, remettant sa veste. De toute façon, y sont pas à nous.

Razoxane plongea dans sa bourse et en tira une seule et unique pièce qui refléta les dernières lueurs du soleil. Elle brillait comme une pierre de lune.

— Voici un shilling anglais qui date de 1648. Vous ne tarderez pas à trouver un acheteur, et il vous en donnera un bon prix. Ou vous pouvez le garder. Il changera vos vies.

— En bien ou en mal ? demanda Finn.

— Qui sait ? fit Razoxane avec un geste évasif.

Après un silence, le fossoyeur s'empara de la pièce.

— À plus tard, McCain, marmonna-t-il, puis il hocha la tête dans ma direction : bon Noël, Rachel Young.

Dans la pénombre qui voilait son visage, il était difficile de lire son expression, mais il devait être sérieux. Je lui rendis son salut.

Tous deux s'en allèrent. Ce serait bientôt à notre tour d'escalader les grilles. Avec ma cape, ce ne serait pas une sinécure. En regardant la fosse, je vis que Razoxane remettait la pelle dans l'étui à guitare et refermait le couvercle. Elle passa la lanière autour de son épaule et colla la boîte sous son bras ; puis elle se tourna vers les arbres.

— Que fait-on ? demandai-je involontairement.

— Tu verras bien, répondit-elle.

Je n'eus pas le courage d'insister.

Sur le chemin du retour, une certitude s'imposa : il fallait que je passe par chez moi.

Le wagon était bondé ; j'avais trouvé une place près de la vitre et Razoxane se tenait à côté de moi. L'étui à guitare et la boîte étaient rangés dans le filet.

C'était un des derniers trains en partance de Londres. Encore quelques heures, et les lignes seraient désertes, noyées dans le silence et le givre jusqu'au matin. Livrées aux fantômes.

On ne plaisante pas sur de tels sujets.

Je ne plaisantais pas.

Razoxane se tenait assise, la tête baissée, comme noyée dans ses méditations. Quant à l'objet qu'elle avait récupéré... Je jetai un coup d'œil anxieux à la boîte avant de revenir aux champs plongés dans les ténèbres qui défilaient de l'autre côté de la vitre.

Je n'avais même pas un souvenir de Cathy ; pas la moindre trace physique à laquelle m'accrocher. Ni photo, ni jouet, ni vêtement... Lorsque nous avions quitté la maison ce matin-là, comme des voleurs, j'avais refermé la porte sur mon passé.

Il fallait que j'y retourne.

Je m'humectai les lèvres, mais ma gorge était sèche.

— Razoxane...

— Oui ? fit une voix désincarnée.

— Écoute... il faut que je fasse un saut chez moi. J'ai des chose à y prendre.

— Ce ne serait pas malin, murmura-t-elle.

— Il le *faut*.

Silence ; elle tripota le rebord de son chapeau, puis me jeta un regard interrogateur.

— Je croyais avoir été claire. Il faut que tu oublies tout ; que tu deviennes une vagabonde – comme moi. Tu ne peux pas revenir en arrière ; pas avant la conclusion de cette histoire.

Elle rabaissa son chapeau pour clore la discussion. Je jetai un regard malheureux à son rebord souillé de cendres, puis me retournai vers la fenêtre.

Je gardai le silence alors que nous marchions dans la ville. Les pubs étaient bondés et illuminés ; de petits groupes passaient de l'un à l'autre en riant. Un couple me souhaita même un bon Noël.

Nous passâmes à travers ces festivités comme des spectres pour atteindre des rues plus calmes. Ce ne fut qu'une fois face aux grilles que je réalisai quelle était notre destination. L'église locale se dressait devant nous ; son clocher prolongé d'un paratonnerre se découpait sur le ciel nuageux et orangé de la ville.

— Pour Noël, la crypte est ouverte aux sans-abri, dit Razoxane. C'est là qu'on va passer la nuit. Penses-tu qu'on risque de tomber sur quelqu'un que tu connais ?

— J'en doute, fis-je d'un ton lugubre.

Elle rajusta son fardeau et partit vers la porte grande ouverte ; mais je restai figée sur place.

— Il faut que j'aie un souvenir de Cathy, insistai-je. Je t'en *prie*.

Elle hésita et fixa le pavé comme pour y chercher l'inspiration.

— Qu'a dit ton prêcheur préféré ? À propos de mettre la main à la pâte, puis regarder en arrière...

Sale garce ! pensai-je.

— Je ne vais pas m'enfuir, si c'est ce que tu penses.

Elle me regarda droit dans les yeux, puis haussa les épaules.

— Bon, d'accord. Si tu as un objet sur lequel te concentrer, cela peut nous aider à la retrouver. Mais ne traîne pas.

J'eus l'impression qu'elle avait levé le sortilège qui m'oppressait.

— Ne t'en fais pas. Je te retrouve ici ?

— Oh, oui. Je te garderai une place.

Malgré son ironie, ces mots me firent de l'effet. Maintenant, j'étais une étrangère dans ma propre ville – et devrais dormir à même le sol. Je la vis tourner le dos et marcher vers la chaleur, puis partis dans la nuit pour refaire mon chemin en sens inverse.

Et dire que j'aimais tant la veille de Noël.

Tout d'abord, c'était juste la nuit magique et les cadeaux qu'elle apportait. Plus tard était venu le rituel de l'après-midi, alors que j'aidais ma mère à faire des gâteaux dans notre cuisine surchauffée. Et lorsque je fus en âge de veiller, ce fut le trajet dans la nuit illuminée pour assister à la messe de minuit.

Ce jour-là, en me pressant vers chez moi, ces souvenirs me semblaient morts comme des cendres dans une cheminée froide.

Cette année, j'aurais un Noël *noir*.

Je passai tout près de l'église catholique et vis tous ceux qui se rassemblaient et se saluaient devant le bâtiment enluminé. Un instant, je fus tentée de les rejoindre... mais je ne pouvais pas m'y montrer. À cette idée, ma solitude me parut plus totale encore.

J'arrivai au coin de notre rue et jetai un regard circonspect. Les voisins n'étaient certainement pas dehors à une heure pareille, mais M. Wheeler m'avait promis de surveiller la maison, et s'il voyait une ombre qui cherchait à entrer, il viendrait y mettre le holà. C'était un bon gardien.

Tout en cherchant mes clés, je regardai autour de moi, cherchant le familier de Razoxane ; mais la maison sentait la désolation. Vedova devait être ailleurs, en train de fureter. De voler. De *creuser...*

Le verrou cliqueta. Je me glissai à l'intérieur et refermai la porte derrière moi.

Les ténèbres étaient poussiéreuses ; je faillis tousser. Le pire, c'était encore de ne pas pouvoir allumer la lumière. Quelqu'un pouvait la voir et se poser des questions. *Rachel n'avait-elle pas dit qu'elle s'absentait pour les fêtes ?*

Je restai là, adossée à la porte, à écouter. Puis, lorsque ma vue s'accoutuma à l'obscurité, je m'avançai au milieu des ombres vaguement identifiables. Dans le salon, j'entrevis la silhouette échevelée du sapin de Noël, mais me dirigeai vers la cheminée, où je savais trouver un cadre avec une photo de Cathy. Je caressai le verre comme pour m'emplir de cette image empreinte de soleil et de bonheur. Ma fille, qui me souriait. Je ne pouvais pas la voir, mais elle était bien là.

Je sentis monter les larmes, mais les refoulai.

Un choc sourd déchira soudain le silence.

Je fis un bond, manquant de lâcher la photo, et étouffai une exclamation. Le bruit provenait de la cuisine, comme si un courant d'air avait claqué la porte. Sauf que celle-ci était fermée à double tour.

Un instant, je restai paralysée de terreur. Puis le bruit retentit de nouveau, tel un coup de poing contre le battant. Je traversai le salon pour gagner la cuisine. Je voulais voir combien de temps tiendrait la porte. Une minute ; une seconde. Le temps de m'enfuir.

Le cœur au bord des lèvres, j'atteignis le seuil, là où les ténèbres étaient plus denses encore. De l'autre côté de la fenêtre, il n'y avait que du vide ; ce champ désert que *quelque chose* venait de traverser, quelque chose qui était sorti de l'ombre des bois. Je déglutis et regardai dans la cuisine.

Un choc abominable ; une section de la porte s'enfonça et le verre se brisa. Je battis en retraite. Il me fallut un temps de réflexion pour enregistrer les détails de la scène. Quelque chose de long et lisse venait de traverser le panneau et se dégageait pour frapper à nouveau. Il y eut un grincement de bois torturé. Le verrou ne tiendrait pas longtemps.

Une crosse de fusil, pensai-je, horrifiée. *Un fusil*.

Je battis en retraite alors que l'inconnu frappait de nouveau. Les gonds tombèrent à terre ; le pêne grinça. Il y eut un appel d'air glacé. L'inconnu m'avait entendue ouvrir la porte et était venu me chercher. Même si quelqu'un entendait mes cris, il serait trop tard.

Une botte piétina du verre brisé. Je plongeai dans la chambre de Cathy, me glissai derrière la porte et me figeai, comme en proie à la *rigor mortis*.

Puis il fut là, arpentant le couloir d'un pas léger, furtif, de grand félin. Je pouvais imaginer son fusil pointé, ses yeux brillants. Chris. C'était lui, j'en étais sûre.

Il s'arrêta devant la porte. Ma peau était glacée, comme si j'étais de retour dans cette horrible baignoire. Je pressai la photo de Cathy contre mon cœur et retins ma respiration.

Son propre souffle était à peine perceptible. Rauque et sec ; empreint d'excitation mais parfaitement contrôlé. Comme s'il s'était préparé mentalement – avant de partir chasser la sorcière.

Espèce de salopard.

J'y pensai si fort qu'il devait m'avoir entendue. Je posai une main sur ma bouche pour retenir tout éclat involontaire. Mais je ne pouvais museler mon esprit, qui exorcisait sa peur en un long chapelet d'injures. *Salaud de Chris, tu n'es qu'un sale menteur, un salaud, salaud* SALAUD *!...*

Il s'approcha de la porte. Jeta un coup d'œil à l'intérieur.

Mes doigts s'incrustèrent dans ma joue. Mes poumons me brûlaient, mais je ne pouvais respirer librement de peur qu'il ne m'entende. Je voulus fermer les yeux, mais n'en eus pas la force. C'est ainsi que mon regard affolé remarqua ce qui gisait par terre, au milieu des jouets de Cathy.

La clarté spectrale n'éclairait que les contours des objets, mais là, entre un livre d'images et son cher panda, je vis un cube d'ivoire monté sur une mince hampe, comme une sorte de toupie.

Elle s'amusait avec son nouveau jouet..., avait sangloté Alice. À ce moment-là, je n'avais pas réagi. Mais mainte-

nant que je voyais cet objet étranger et les marques indis-
tinctes sur chacune de ses faces, quelque chose s'effondra
au fond de moi.

J'ai trouvé un nouveau jouet, m'man... avait dit Cathy.
Et je l'avais renvoyée. Sans réfléchir. Sans chercher à
savoir... Et maintenant que je l'avais reconnu...

Mon front s'ourla d'une sueur froide. Je faillis pousser
un gémissement.

Je connaissais cet objet ; ça oui. Et pourtant, ce n'était
pas moi qui l'avais fait entrer dans notre maison. C'était
une des reliques maudites de Razoxane. Le dé du Diable,
pourvu d'un as de pique sur chacune de ses faces. Ce
toton maléfique.

La respiration de Chris devint subitement inaudible.

J'étais consciente de sa présence, là, de l'autre côté du
panneau, mais ne pouvais détacher mon regard du toton.
En termes de tarot, m'avait dit Razoxane, le signe des
Épées désignait l'air, mais aussi la malchance. Rien
d'étonnant qu'il ait attiré des *démons*.

Et il était tombé entre les mains de Cathy. Elle avait
joué avec. Un frisson de désespoir parcourut mon échine.
Ne laissez pas vos allumettes à portée des enfants. Mais
cet objet était un million de fois plus dangereux.

Et si elle avait elle-même attiré le Croque-mitaine ?

Alors que cette idée s'installait dans ma tête, Chris
franchit le seuil et entra dans mon champ de vision. Il
portait son gros manteau, et son fusil luisait de toutes ses
pièces métalliques.

Lui aussi avait vu le toton. Il se baissa pour le ramasser
et le fit tourner entre ses doigts. Un indice ; la preuve
qu'une sorcière était passée par là.

Razoxane l'avait-elle laissé là, à portée de ma petite
fille ? Avait-elle tout déclenché ? *Salope*, pensai-je. *Sale
menteuse, j'aurai ta peau.*

Chris glissa l'objet dans sa poche et se retira sans faire
de bruit. Je l'écoutai se déplacer avec précaution, mais
d'un pas assuré, comme s'il était certain que la maison
était vide. Sans doute n'était-il pas retourné chez son
père ; pour lui, mon cadavre gisait au fond de sa baignoire.

En ce cas, c'était des indices qu'il était venu chercher.

À minuit, la nuit de Noël : une heure privilégiée ? Il aurait bientôt terminé sa fouille et s'en irait comme il était venu. Je n'avais qu'à prendre mon mal en patience. Mais j'entendis des bruits plus violents, et la panique me saisit à nouveau. Je ne bougeai pas jusqu'à ce que je sois sûre de l'endroit où il se trouvait – dans ma chambre, en train de défaire mon lit —, puis tentai une sortie. Je passai dans le couloir, puis me dirigeai vers la cuisine et la porte fracassée...

... Et une chaise se fourra dans mes pattes. Je la percutai de plein fouet dans un bruit de tonnerre. Tout de suite, l'air se chargea d'électricité. Je l'entendis qui s'approchait d'un pas plus vif.

Avec un petit cri de souris effrayée, je me mis à courir. Ma maison était devenue une course d'obstacles où chaque objet conspirait pour me retarder ; mais je continuai de remonter le courant d'air frais qui me mènerait à la porte. Je me faufilai par l'intervalle entre la porte affaissée et le chambranle en miettes pour m'enfuir dans la nuit.

Le champ s'étendait devant moi : un immense espace sombre sous un ciel boueux. Pour m'orienter, je n'avais que la lumière provenant des autres maisons ; l'horizon restait flou, indistinct. J'avais l'impression de plonger dans le néant. Je jetai un coup d'œil en arrière et vis une ombre qui émergeait de la maison et se lançait à ma poursuite.

Je continuai de courir en haletant douloureusement, ralentie par le poids de ma cape. Au moins, elle m'aidait à me confondre avec l'obscurité – mais il devait avoir de bons yeux, car une détonation résonna dans le vide et une balle vint siffler à mes oreilles comme un insecte furieux. Je titubai, faillis m'étaler par terre. Chris gagnait du terrain ; les coups de feu se succédaient rapidement. Chaque fois, un choc sourd ébranlait le sol ; des morceaux de terre froide heurtèrent même mon visage. La gerbe de lumière d'un blanc éblouissant que crachait son fusil évoquait un éclair tombé du ciel.

Soudain, la forêt se dressa subitement devant moi comme une muraille surgie de nulle part. De surprise, je faillis m'arrêter net, malgré le chasseur lancé à mes trousses. Les vastes étendues du champ étaient déjà assez inquiétantes comme ça – mais, entre les troncs, il n'y avait que des ténèbres et du silence. Avec ses branches tordues et squelettiques, chaque arbre devenait une mante religieuse prête à bondir.

Avec un hoquet de désespoir, je plongeai dans le sous-bois. Je heurtai quelque chose de solide et faillis perdre l'équilibre. Un coup d'œil en arrière : Chris s'était immobilisé en bordure du champ. Il attendait qu'un craquement trahisse ma position. Je me cachai derrière un tronc. Entendrait-il les battements de mon cœur ? Une peur irrationnelle, mais qui m'immobilisa plusieurs secondes – jusqu'à ce que je ne puisse plus supporter cette attente. Je me drapai dans ma cape et jetai un coup d'œil. Il n'avait pas bougé.

Il fit un pas en avant ; c'est alors que la sirène retentit. Elle provenait de l'autre bout du champ, loin vers le centre-ville. Puis j'entrevis des gyrophares bleu électrique entre les maisons.

Chris regarda par-dessus son épaule, puis se tourna de nouveau vers le champ.

— Rachel, fit-il doucement. Espèce d'idiote... tu aurais dû rester dans l'eau... elle aurait lavé tes péchés. Tu comprends ? Maintenant, il va falloir que je te *brûle*...

La voiture de police s'approchait de plus en plus. Ses phares balayèrent brièvement le champ, soulignant la silhouette de Chris.

— Il va falloir que je te chasse et te *brûle*, siffla-t-il alors que l'obscurité retombait. Ne l'oublie pas.

Il tourna les talons et se fondit dans la nuit comme un spectre grisâtre. J'émis un soupir de soulagement.

Une pause ; puis j'écartai mes cheveux humides de mon visage. Dans mon autre main, je tenais toujours serrée la photo de Cathy.

Celui qui avait appelé la police voulait certainement signaler un cambriolage, mais ils ne tarderaient pas à entendre parler de coups de feu, de silhouettes fuyant à travers champs. Bientôt, l'endroit grouillerait de policiers. Il fallait que je bouge.

Il est parti. Parti.

Mais il était toujours là, quelque part. Attendant son heure. Prêt à m'arroser d'essence et à y mettre le feu...

Une nausée me souleva l'estomac; je m'adossai au tronc en aspirant de petites goulées d'air.

Mon ventre gargouillait. L'air frais me fit du bien. Un peu. Mais ce ne fut qu'au bout d'un long moment que je trouvai la force de m'en aller.

Je donnai un coup de botte dans le flanc de Razoxane. Elle ne réagit même pas.

Je recommençai, ignorant les allées et venues dans la crypte. Cette fois-ci, je frappai du talon sur son cou. Elle resta là, inerte, son chapeau rabattu sur ses yeux.

— N'essaie pas de me faire croire que tu dors, sifflai-je. Tu n'as pas besoin de sommeil. Tu t'en souviens?

Pas de réponse. Je m'agenouillai à ses côtés.

— À moins qu'on ne soit en pleine méditation...

Lorsque je m'emparai de son col, sa main jaillit sans crier gare. Il y eut un crissement de métal; son couteau à cran d'arrêt venait de s'ouvrir, et sa pointe visait mon œil gauche. Enfin, elle releva lentement la tête. Je croisai son regard bleu glacier.

— Comment veux-tu que je me concentre si tu ne cesses de jacasser? dit-elle.

J'avalai ma salive; elle replia sa lame. Apparemment, personne n'avait rien remarqué.

Elle m'avait gardé un vieux sac de couchage couronné de deux couvertures repliées. Je m'assis, ramenant ma cape sur mes genoux. Dans un coin, deux vieux radiateurs vrombissaient laborieusement de toute leur soufflerie, mais il faisait un froid de canard.

Je posai ma tête contre le mur – et réalisai que je mourais de faim. Maintenant que la peur s'était calmée, mon estomac se manifestait. À midi, j'étais trop énervée pour avaler quoi que ce fût; et s'il y avait eu une distribution de soupe, je l'avais ratée.

— Chris était à mon appartement, dis-je. Il a bien failli m'avoir.

— Je t'avais dit de ne pas y retourner, répondit-elle sans se démonter.

— Il a trouvé ton toton. C'est lui qui l'a.

Elle tourna la tête. Nos regards s'affrontèrent.

196

— Et d'abord, qu'est-ce que cet instrument de malheur fichait là-bas ?

Razoxane baissa les yeux.

— Je savais que je l'avais perdu près de chez toi. Mais il sait se rendre invisible. Je n'ai pas pu le retrouver.

— Il faut toujours que tu le perdes.

— Il finit toujours par tomber dans d'autres mains, fit-elle en haussant les épaules. C'est comme ça qu'il a pu exister si longtemps... et voyager si loin.

— Cathy s'en servait comme d'un *jouet*.

Soudain, je dus serrer les dents pour ne pas hurler.

— Il ne lui aurait fait aucun mal.

— En tout cas, il a réussi à *invoquer* quelque chose.

Elle secoua la tête, l'air pensif.

— Je ne crois pas qu'ils aient répondu à son appel.

— Alors, qu'est-ce qui les a ranimés ?

— Je vais y réfléchir. Essaie de dormir un peu.

Dans cette pièce glaciale ; sur ce sol de pierre. Avec cette vigie spectrale à mes côtés. J'essayai néanmoins de me faire une couche digne de ce nom : je retirai ma cape et l'étendis sur moi comme une courtepointe, après m'être fourrée dans le sac de couchage. Je me mis sur le côté, mais, après une ou deux minutes de silence, je me retournai pour demander à Razoxane :

— Est-ce qu'*il* peut s'en servir pour nous retrouver ?

— Du toton ? Probablement pas.

— Probablement ?

— Peu de gens connaissent ses secrets ; je doute qu'il en fasse partie. Quoique... sait-on vraiment de quoi il est capable ?

Plus qu'il n'y paraissait ; je l'avais appris à mes dépens. Je me tournai pour fixer le mur.

Avec Razoxane à mes côtés, pas question de dormir en paix. Peut-être rêvait-elle aussi derrière ses lunettes noires – influençant mes cauchemars. Et pourtant, cette nuit-là, mon esprit fut la proie de souvenirs plus que de visions.

En premier lieu, je m'endormis d'un sommeil léger en restant consciente de mon entourage, jusqu'à ce qu'un tourbillon m'entraînât vers le bas. Puis il n'y eut plus que les ténèbres... le bruit vint ensuite. Des bottes martelant la pierre. Des douzaines de bottes... non, des centaines...

Mon esprit ouvrit son œil interne.

La lumière du jour ; le ciel au-dessus de moi. Des immeubles décrépits, à gauche, à droite. Certains encore voilés de fumée ; un après-midi de cendres et de poussière. La route qu'empruntait mon alter ego était encombrée d'êtres hagards et lents : les réfugiés d'une guerre quelconque. Un peu plus loin, un chariot débordait tant il était chargé. Et Razoxane marchait à mes côtés.

Je ne la reconnus pas tout de suite. Elle avait les traits tirés, les cheveux hérissés. Au lieu de ses verres noirs, elle portait de grosses lunettes enveloppantes et un manteau ressemblant à un vêtement militaire. Sa casquette était d'un gris sale, comme celles de l'armée allemande durant la Seconde Guerre mondiale. Elle portait à l'épaule un lourd havresac ; et sa démarche montrait qu'elle devait le traîner depuis des jours.

Au bord de la route, des soldats nous regardaient passer. Leurs vestes aux couleurs de l'automne pouvaient évoquer n'importe quel conflit, mais leurs casques ne trompaient personne. L'un d'entre eux portait une casquette comme celle de Razoxane, ornée d'un crâne d'argent.

C'est lui qui se dressa soudain devant nous. J'eus un mouvement de recul, tout spectre que j'étais ; mais il visait Razoxane. Il la prit par les pans de son manteau et l'extirpa de la file. Elle se laissa faire sans résister. Je me sentis attirée dans son sillage.

— *Je t'ai déjà vue quelque part*, dit le soldat en allemand – et pourtant, je le comprenais.

Razoxane, impassible, lui rendit son regard. Elle ne broncha pas lorsqu'il lui retira sa casquette militaire et la jeta au loin. Les deux types qui l'accompagnaient s'approchèrent pour mieux voir.

— *Qu'y a-t-il là-dedans ?* insista-t-il.

Razoxane reposa son sac en silence ; l'un des soldats le lui arracha et vida son contenu à ses pieds. Un amas de livres s'abattit sur le sol dans un bruissement de pages. Le premier homme ramassa l'un d'entre eux. C'était un vieux volume qui devait sortir de chez un antiquaire. Il l'ouvrit au hasard, puis sourit et leva ses yeux métalliques.

— *Un livre rempli d'écritures juives ?*

— *Un livre empreint de sagesse*, répondit Razoxane.

— *Rien que du papier ; comme tout ce qui reste de leur culture*, dit le soldat sans cesser de sourire. *Si facile à brûler...*

Le visage placide de Razoxane prit une expression presque apitoyée.

— *Ils ont quatre mille ans d'histoire derrière eux. Fais bien attention, mon frère. Prends garde de ne pas reculer, ou ce gouffre t'engloutira à jamais.*

Son sourire disparut.

— *Et toi, t'es juive ?*

Razoxane secoua la tête et sourit à son tour.

— *J'arpentais cette terre bien avant Abraham.*

Le soldat la gifla violemment, comme pour effacer son sourire méprisant. Razoxane tituba ; les camarades de la brute la rattrapèrent par les bras pour l'empêcher de tomber.

— *Cette garce a besoin d'apprendre à respecter les hommes comme nous. Allez, viens.*

Ils l'entraînèrent dans une ruelle, entre deux immeubles en ruine. Je la suivis, impuissante. Nous passâmes dans une cour encombrée de gravats. L'homme à la tête de mort gifla de nouveau Razoxane, puis lui décocha un coup de poing dans l'estomac. Son visage se tordit sous la douleur, mais elle n'émit pas un seul gémissement.

— *Pourquoi tu portes des lunettes, salope ?*

Il agrippa la lanière et les lui arracha. Elle émit un sifflement et ferma les yeux. Ils s'y mirent à trois, un chorus de voix railleuses.

— *Regarde, elle supporte pas la lumière... c'est la fille de Nosferatu ou quoi ?... y a qu'à lui arracher les paupières...*

Elle se débattit en aveugle, mais ne put les contenir. Les énormes mains du tortionnaire en chef se refermèrent sur son visage et lui ouvrirent les paupières de force.

Elles dévoilèrent des billes laiteuses.

J'eus un frisson de dégoût, tout en comprenant qu'elle avait fait rouler ses globes oculaires dans leurs orbites. Face à ce regard aveugle, le soldat lui-même parut mal à l'aise. Tous se figèrent...

Un coup de feu rompit cette immobilité soudaine. Le dos du premier homme explosa dans un jaillissement de sang. Lorsqu'il tomba, tous purent voir le revolver que Razoxane tenait en main. Ses camarades mirent un instant à réagir ; elle s'extirpa de leurs griffes et, avant même que le premier soldat n'eût touché le sol, pivota pour en descendre un deuxième. Le troisième recula frénétiquement, manquant d'espace pour braquer son fusil. Elle tourna vers lui son regard aveugle. Les balles hachèrent sa poitrine, puis sa tête.

Le premier homme gisait au sol, cassé en deux par la douleur. Le deuxième tentait lui aussi de s'échapper. Razoxane se tourna et, d'un geste presque délicat, braqua son arme vers lui. Trois trous explosèrent sur le dos du blessé.

Ce revolver ; c'était l'arme primitive que je lui avais toujours connue. Elle la rabaissa et chercha ses lunettes là où elles étaient tombées.

Le survivant poussa un cri, puis serra les dents.

Razoxane continua de marcher comme une mendiante maléfique. On aurait dit qu'une sorte d'instinct la menait à ses lunettes. Elle les heurta du pied, se pencha et les remit en place.

Lorsqu'elle se tourna vers sa victime, son regard était redevenu d'un noir insondable – et elle souriait.

Elle s'avança lentement, piétinant des morceaux de brique, jusqu'à dominer la brute de toute sa taille. Elle braqua lentement le pistolet sur sa tête. Ses doigts gantés enserrèrent la crosse.

Puis elle se tourna vers *moi*.

— *Oui ou non ?*

Je la dévisageai, éberluée. C'était *son* passé ; je n'avais rien à voir avec tout cela.

— *Dois-je le tuer ou le laisser vivre ?* me demanda-t-elle avec le plus grand calme.

Inutile de faire celle qui n'avait rien entendu. Elle avait réussi à m'attirer dans son passé. Désormais, je pouvais intervenir dans celui-ci.

— *Ça... ne me regarde pas*, fis-je sans conviction.

Elle secoua la tête.

— *Si. C'est ta décision.*

J'étais prise au piège. Je regardai l'homme affalé au sol. Le devant de son manteau était souillé de sang; je pouvais même voir les impacts de balles...

— *On n'a pas toute la vie devant nous, Rachel.*

— *Mon Dieu...*, dis-je, cherchant une réponse.

Les possibilités se heurtaient comme des plaques tectoniques. Je me refusais à provoquer la mort d'un homme; mais celui-ci servait la cause du Mal... Du Diable. Je savais ce que signifiait cette casquette ornée d'une tête de mort.

— *Eh bien?* fit Razoxane.

— *Écoute...*

— *Pas le temps. C'est un S.S., un tueur. Ton verdict?*

Je la regardai fixement. J'avais vu les documentaires. Ils m'avaient arraché des larmes. Je savais ce qu'ils avaient fait à des innocents – des hommes, des femmes, des enfants, des *bébés...*

— *Au fond, ce n'est pas si difficile*, murmura-t-elle. *Ce n'est qu'un nazi...*

Elle baissa les yeux sur le canon de son arme.

— *Non*, bafouillai-je.

— *Non?*

— *Laisse-le...*

— *Pourquoi?*

— *Je n'ai pas le* droit.

Son sourire se fit railleur.

— *Il ne mérite pas de vivre. C'est un salaud. Pourquoi veux-tu le sauver?*

— *Parce que ce serait penser comme* lui.

À peine avais-je prononcé ces mots que la vision s'effrita, me laissant à terre, les yeux écarquillés, hors d'haleine, comme si on m'avait arrosée d'eau froide. La crypte silencieuse palpitait au rythme de toutes ces respirations entremêlées.

Le pire moment de la nuit de Noël, et encore d'interminables heures avant le matin. Même les gamins les plus surexcités dormaient encore. Je pouvais presque sentir le silence de la ville; ce labyrinthe de rues sombres et désertes.

Razoxane me secouait. Je me retournai. Elle fixait son compas avec une expression de satisfaction macabre.

— Je crois que je les ai repérés, dit-elle.

CHAPITRE VIII

LES VOIX

— Rachel ?...

Je scrutai les profondeurs de mon porridge. Peut-être finirait-il par s'en aller sans insister ? Mais je n'aurais pas cette chance ; au bout d'un instant, je levai la tête.

C'était Graham qui me regardait d'un air soucieux. Nous nous étions connus à l'hospice : ses affaires l'amenaient souvent à Sainte-Catherine. Il portait son col clérical : il était ici en mission officielle.

Oh, merde ! me dis-je en lui dédiant un faible sourire.

— Rachel, répéta-t-il.

Son ton contenait une autre question bien différente. Que pouvais-je bien faire ici ? Et il cherchait une solution rassurante – pour mieux nier l'évidence. Il s'avança vers ma table.

Je restai là, cuillère en main, à le regarder.

— Que t'est-il arrivé ? demanda-t-il à voix basse.

— Hum...

Mon regard s'aventura derrière lui. Les gens faisaient toujours la queue pour recevoir leur petit déjeuner de Noël. Le hall était bondé, bruyant... Lorsque je revins à Graham, je ne savais toujours pas que dire.

Il tira une chaise libre et s'assit tout en étudiant mon visage. Nous nous entendions plutôt bien ; il ne m'abandonnerait pas dans ce trou.

— Bonjour, dit-il tardivement.

Il jeta un coup d'œil par-dessus son épaule.

— Écoute, Rachel..., reprit-il, se penchant en avant, je

me mêle peut-être de ce qui ne me regarde pas, mais... tu ne devrais pas être chez toi ?

J'avalai ma salive ; ma gorge était sèche, douloureuse.

— Tout va bien, Graham. J'ai de bonnes raisons d'être ici. Laisse-moi... faire ce que je dois faire.

— Ne me dis pas que tu n'as nulle part où aller ?

J'eus un geste évasif. Heureusement, il ne savait pas que j'avais une fille.

— Notre chambre d'amis est à ta disposition. Viens me voir après mon service. Nous ne te poserons pas de questions, promis.

— C'est très gentil de ta part...

— C'est une offre sérieuse.

— Je vais y réfléchir, fis-je – ce qui était une façon polie de dire non.

Il comprit et se radossa à sa chaise en soupirant.

— Très bien. Mais si tu changes d'avis, passe-nous un coup de fil. Tiens...

Il écrivit son numéro sur une feuille de papier et me la tendit.

— À bientôt, Rachel. Fais attention à toi.

Je le regardai traverser la salle, puis replongeai ma cuillère dans mon porridge, que je remuai sans enthousiasme.

Razoxane prit le siège qu'il venait de libérer. Elle eut un sourire inquisiteur.

— Un ami à toi ?

Je m'assurai qu'il était parti avant de la regarder. Avec son chapeau ramené en arrière, ses cheveux coupés court et ses vêtements élimés, elle avait tout d'une vagabonde. Ici, elle n'attirait pas l'attention. Ma cape d'infirmière, par contre, était plus incongrue.

— C'est le vicaire local. Je l'ai déjà rencontré à Sainte-Catherine.

Elle assimila l'information, les coudes sur la table.

— Pourquoi n'est-on pas déjà en route ? insistai-je.

Elle pointa ses deux index vers moi.

— Hier soir, je n'ai enregistré qu'une faible trace ; un bip fugace. Un seul. C'est difficile à dire... mais il me semble qu'il désignait les forêts au nord de la ville.

J'avalai une bouchée de porridge. Un geste purement

mécanique, comme de faire le plein d'essence. Peu importait le goût; seuls comptaient la chaleur et le volume. Le fracas du hall résonnait à mes oreilles.

— Donc... ils sont toujours là-bas?

— Certains d'entre eux, en tout cas. Je ne sais pas s'ils se sont dispersés.

— Et... Cathy?

Elle secoua la tête.

— Pas de trace tangible. Mais cela ne veut rien dire.

— Que va-t-on faire?

— Eh bien... dès que tu auras terminé ton petit déjeuner... on pourra toujours aller y jeter un coup d'œil.

Je remuai ce qui restait de mon porridge.

— Tu connais ce coin-là? demanda-t-elle.

— Presque pas.

— C'est principalement des fermes et des champs avec quelques bosquets et des chemins de terre. Ça n'a pas beaucoup changé au fil des siècles. Tu pourrais te repérer avec une carte saxonne...

Mon regard interrogateur la fit sourire.

— Oh, oui, j'y suis déjà allée. Ma naissance... ou plutôt ma *renaissance*... s'est déroulée à une vingtaine de kilomètres d'ici.

— C'était donc... en 1600 quelque chose?

— Quelque chose. J'ai oublié.

Et il fallait que je sois venue m'installer *là*, où elle avait ses racines. Comme si quelque chose m'avait attirée. Une sorte de transmission de pensée semblable à celle qui existe entre jumeaux?

J'évacuai cette image bien trop dérangeante.

— Tu t'y connais en histoire locale?

Je secouai la tête.

— Ça ne fait rien. Je doute que cette rumeur soit citée dans les manuels. Elle doit s'être perdue... On parlait de Lickfield Wood, à l'est de ce qui n'était encore qu'un village. Je n'en ai entendu que des bribes, et j'étais très jeune. Durant les années qui suivirent la guerre civile, il y aurait eu des incendies, des enterrements hâtifs. Lorsque je suis revenue dans le coin, un siècle plus tard, l'endroit avait gardé une sale réputation. Maintenant, j'imagine qu'il n'est plus qu'une étendue verte sur une carte d'état-major. Même son nom n'évoque plus rien.

— Il... veut dire quelque chose?

— *Lych-field* est une appellation ancienne : le champ des morts. Un cimetière. Le terme rappelle la Grande Peste.

Oh, formidable!

— Mais cette rumeur est-elle un indice?

— C'est possible, oui. Et je sais qui pourra nous le confirmer.

— Qui?

— Une connaissance. Nous irons le trouver ce soir. Entre-temps, on peut toujours fouiner dans le coin... on verra bien ce qu'on peut dénicher.

Nous quittâmes le hall pour nous diriger vers les portes de l'église. Je m'attendais qu'elle passât par la crypte pour récupérer ses affaires, mais elle traversa la nef de l'église et alla s'asseoir sur un banc, à l'arrière.

Je m'installai à côté d'elle, étonnée. Tout était près pour le service du matin de Noël : l'arbre, le berceau, les bougies. Pourtant, un silence inquiétant planait sur les rangées monotones de prie-Dieu. Dans une heure, l'église s'emplirait de cantiques et des familles entières occuperaient ces sièges. Mais maintenant, ce n'était qu'un vieux nid à courants d'air mal éclairé.

Razoxane farfouilla sous le banc et en tira la boîte déterrée dans le cimetière. Je lui jetai un regard dégoûté.

— Qu'est-ce qu'elle fiche là?

— C'est moi qui l'y ai mise. Hier soir, pendant que les prêcheurs étaient occupés. Il fallait que je la laisse refroidir – au sens psychique du terme...

Elle la posa sur ses genoux, étudia le couvercle sale, puis l'ouvrit avec soin.

Ma peau se hérissa, mais je ne pouvais détacher mon regard de la boîte. Je m'étais déjà convaincue qu'elle contenait des ossements ou d'autres débris humains.

Et j'avais raison. D'une certaine façon.

L'objet qu'elle dévoila était fait de pièces de bois et de métal enchevêtrées. Il me fallut un certain temps pour comprendre, mais lorsque je vis une détente enchâssée dans un demi-cercle de métal ouvragé, je réalisai qu'il s'agissait d'une arme à feu.

Razoxane jeta un coup d'œil par-dessus son épaule et souleva l'objet. Moi aussi, je regardai derrière nous. Personne en vue.

Les pièces de bois étaient tachées et vieillies ; elle les caressa du bout des doigts. Le cran de sûreté était noir comme le bec de son familier. Elle le ramena en arrière avec un déclic.

— On est dans une *église*, sifflai-je.

— C'est ce qu'était jadis cet objet.

J'en restai sans voix et fronçai les sourcils.

— Il y a bien longtemps, reprit-elle, on a détruit une église. Mais de ses cendres est née cette arme. La crosse est faite avec le bois d'un prie-Dieu, les canons avec des tuyaux de l'orgue...

Sur quoi, elle ramassa lesdits canons – il y en avait une demi-douzaine – et les emboîta sur l'axe principal. Quelques cliquetis plus tard, l'objet redevint une arme. Un fusil à canon scié. Trapu. Inquiétant.

Oh, mon Dieu !...

Elle eut un sourire en coin, tira une poignée évoquant une clé Allen et la fixa juste au-dessus de la détente. Puis elle immobilisa la crosse contre sa cuisse et la fit tourner par deux fois comme sur une arbalète antique. La grappe de canons pivota elle aussi.

— Un peu raide, murmura-t-elle, mais il doit être bon pour le service.

— Combien de temps est-il resté sous terre ?

Elle fit un geste évasif sans lever la tête.

— Qui sait ? Les armes aussi particulières que celle-ci étaient faites à la commande, et la plupart ont été interdites. Il n'en reste plus beaucoup. Elles sont cachées dans des endroits connus des seuls initiés pour qu'ils les exhument en cas de besoin. Tu te souviens de la Poudrière ?

Oh, oui. La première fois que je l'avais vue, l'arme était cachée dans la cheminée d'une maison en ruine. Une fois sa mission accomplie, elle l'avait jetée, et une main inconnue l'avait de nouveau dissimulée.

— Tout comme la Poudrière, il tire son pouvoir des cendres. Des cendres bénites : inutile de dire qu'il vaut mieux les économiser...

Elle tira une flasque faite de cuir raide avec un curieux

couvercle de métal. J'entrevis ce qui ressemblait à des perles de rosaire enroulées, puis compris qu'il s'agissait de plombs enfilés les uns derrière les autres.

— On a fait fondre le toit de l'église pour en faire des balles. Ce sont les seules munitions qu'il accepte.

— Ce... cette chose a un nom?

Razoxane eut un sourire.

— En Allemagne, où il fut créé, j'ai entendu dire qu'on le surnommait *Todesorgel,* l'Orgue de Mort. Mais d'après d'autres sources, ce n'est que la *Machina Maleficarum.*

— Et qu'est-ce que cela veut dire? demandai-je.

— La Machine des Sorcières, murmura-t-elle avec un rictus de goule.

Je détournai les yeux. Un instant plus tard, je joignis les mains et tentai de prier. En vain.

L'après-midi se traînait sous un ciel lourd de nuages. Au-delà des limites de la ville s'étendait un moutonnement uniforme de champs avec, de-ci de-là, une touffe d'arbres et, au loin, les contours d'une forêt.

— Ils sont passés par là, dit lentement Razoxane en fixant son compas. Mais ils ont effacé leurs traces...

Cela ne ressemblait pas à un matin de Noël. Je regardai les maisons les plus proches et vis leurs lumières, de pâles rectangles jaunes dans la clarté sale du jour. Les habitants devaient être à demi assoupis, vautrés devant leurs télévisions. Sans savoir que quelque chose de maléfique les avait frôlés dans les ténèbres...

Un grondement de moteur me fit tourner la tête. Une Land-Rover cahotait sur le chemin que nous avions emprunté. Enfin un signe de vie dans ce décor lugubre; mais cette présence n'avait rien d'encourageant : elle me rendit encore plus consciente de notre isolement.

— Nous ne sommes pas sur une propriété privée, non? demandai-je à Razoxane.

Celle-ci referma son compas de la pointe du doigt.

— Cela dépend du point de vue, répondit-elle.

La Land-Rover s'arrêta à notre hauteur, et son conducteur en descendit immédiatement. C'était un type d'une trentaine d'années, aux traits durs et aux cheveux ébouriffés, portant une veste de chasse déboutonnée, un pull et un jeans. Et il n'était pas content du tout.

— Allez, cassez-vous ! dit-il.

Je clignai des yeux, prise de court.

— Pardon ? Aurais-je raté quelque chose ?

— Fichez le camp de mes terres. J'en ai marre de vous autres.

— Quels autres ? demanda Razoxane.

— J'ai pas de temps à perdre avec des hippies de merde comme vous. Z'avez cinq minutes pour aller vous faire pendre ailleurs, sinon, je lâche les chiens.

Razoxane leva soudain son couteau d'un geste presque innocent et le pointa vers son visage jusqu'à lui piquer le nez. Le fermier eut un hoquet de surprise et voulut battre en retraite, mais il heurta son propre véhicule. Les yeux écarquillés, il s'adossa au capot...

— Réponse fausse, péquenot, dit doucement Razoxane. Tu peux encore te rattraper.

L'homme vira au gris. J'émis un cri étouffé, d'étonnement et de protestation.

— Dis-moi, fit Razoxane avec un rictus sauvage, qui d'autre s'est introduit sur tes terres ?

— Sais pas...

— Alors pourquoi voulais-tu nous empêcher d'en faire autant ?

— S'il vous plaît... j'ai une femme et un fils...

— Et tu entends bien les revoir, n'est-ce pas ?

— Oh, mon Dieu... c'étaient des rôdeurs. Ils ont fait peur à mes bêtes. Une nuit, ils ont cherché à s'introduire dans l'étable. Les chevaux sont devenus dingues...

— Tu as vu quelque chose ?

— Non, juste... des pas dans la boue. Ces salauds étaient trois. La police est venue, mais ils ne peuvent rien faire, on a volé des chevaux dans deux autres fermes et ces types en ont étripé un...

Il eut un spasme de panique.

— Et je dirai à personne que je vous ai vues, j'vous l'jure...

Oh, si, bien sûr. Dès qu'il serait rentré chez lui, il appellerait le commissariat. Mon instinct me suggérait de battre en retraite – c'est ainsi que les froussards témoignent de leur innocence. Mais je ne pouvais pas déserter maintenant.

— Quoi d'autre ? fit Razoxane en levant le menton – et son couteau.

Il rejeta la tête en arrière au risque de se briser la nuque ; je me demandai si la lame glissée sous son nez lui donnait envie d'éternuer.

— Des... vagabonds traînent dans le coin. Je pensais... qu'ils campaient par là. Je les ai cherchés. Mais il y a un coin où les chiens n'ont pas voulu entrer. C'était un petit bois tout bête, mais... silencieux. Pas un chant d'oiseau. Pas même un corbeau. Bizarre. Je m'suis dit qu'ils devaient être là.

— Et tu y es entré ?

Il secoua la tête avec de grandes précautions.

— Pas tout seul. Que dalle. Ils me seraient tombés dessus...

C'était la voix de la raison ; et pourtant, je sentis son malaise. Une réaction instinctive... qui lui avait probablement sauvé la vie.

— Où était-ce ? fit Razoxane.

— Dans le petit bois de Furze Barrow.

— Quand ça ?

— Jeudi après-midi. J'y suis retourné hier avec mes gars. Les chiens y sont entrés sans faire d'histoires... mais les vagabonds étaient partis. On n'a rien trouvé. Pas même un feu de camp...

— Tu as vu quoi que ce soit d'autre ?

— Non, juste...

Il eut une hésitation.

— Mon gamin m'a dit qu'hier soir, en regardant par la fenêtre du haut, il avait vu marcher l'épouvantail du champ. J'suis allé jeter un coup d'œil, mais... il était là, fidèle au poste. Bien sûr.

— Bien sûr, convint Razoxane, et elle retira son couteau si brutalement que le fermier, dressé sur la pointe des pieds, perdit l'équilibre et s'affala dans la boue.

— Si j'étais toi, lui dit-elle, j'irais retrouver ma famille. Et oublie jusqu'à nos visages. Ça m'évitera de devoir t'arracher le tien.

Elle se retourna et continua son chemin. Je la suivis, curieusement hors d'haleine. J'entendis le fermier qui se relevait; claquait la portière de sa Land-Rover. Il dut s'y reprendre à plusieurs fois pour démarrer son moteur. Je ne regardai pas en arrière.

— Tu t'es bien amusée? marmonnai-je.

— C'était une diversion, répondit-elle.

— Toute cette violence... ça ne t'écœure pas?

— Parce que tu crois que j'ai le choix? rétorqua-t-elle avec un sourire lugubre.

— Il va certainement appeler la police.

— Peu importe. Nous n'en avons pas pour longtemps.

Elle s'arrêta pour examiner les champs qui nous entouraient, puis se tourna vers moi.

— Ces ombres sont malignes et elles connaissent bien la région. Mais moi aussi. Et il y a un guetteur qu'ils ont dû négliger.

— Il y a toujours eu un épouvantail sur Northolt Hill, dit-elle.

Nous montions une colline assez escarpée pour me faire mal aux chevilles. Ledit épouvantail nous regardait d'un œil terne.

Il semblait se dresser au-dessus de nous, silhouette décharnée se détachant sur un ciel de plomb. La brise soulevait les pans de son vieux manteau et fouettait son chapeau. Au fur et à mesure que nous nous en rapprochions, mon pas se ralentit – et pas uniquement à cause de la pente et du sol friable. Cette silhouette solitaire avait quelque chose d'inquiétant, de négatif. Un gibet au sommet d'une colline. Un homme empalé et abandonné. Un crucifiement...

Je pensai à la statue de Jésus surplombant Rio de Janeiro; les bras grands ouverts, accueillant le monde entier en son sein. Là, cette parodie dépenaillée nous invitait à la rejoindre, pour toujours...

À cette idée, je m'arrêtai net.

Razoxane tourna la tête vers moi sans cesser de marcher.

— Viens. Il n'y a pas à avoir peur.

Vraiment ? Je tirai ma cape sur mes épaules et jetai un regard las au bois qui s'étendait sur notre droite. Les troncs avaient été écorchés par le vent et l'hiver, mais réussissaient tout de même à instaurer une pénombre sinistre. Quoi qu'ait pu voir le fils du fermier, c'était sorti de ce bois – et y était retourné.

Le Croque-mitaine est passé par là.

Une centaine de mètres nous séparait de la bordure du bosquet. Si quelque chose en surgissait soudain pour foncer sur nous, nous serions à découvert. Exposées. Je scrutai le labyrinthe des troncs, mais seul le vent s'y infiltrait. Des branches squelettiques oscillaient lentement, découvrant des déchirures de ciel métallique.

Razoxane venait d'atteindre l'épouvantail et attendait que je la rejoigne. Je jetai un coup d'œil derrière moi – les autres champs étaient déserts – avant d'obtempérer.

De plus près, je pus voir un visage dessiné sur la tête recouverte de tissu. Ses traits étaient érodés par des années de climat anglais, mais on distinguait encore un sourire vide et deux yeux qui ne l'étaient pas moins.

Du coin de l'œil, j'entrevis une forme blanche qui volait vers nous, se détachant tel un flocon de neige sur une ardoise. Un instant, je crus voir une mouette, ou même une colombe. Mais lorsqu'elle fut assez près, je distinguai sa silhouette aux plumes miteuses. Elle déploya ses ailes et son bec acéré s'ouvrit pour pousser un cri rauque alors même qu'elle se posait avec effronterie sur la tête de l'épouvantail.

Je la regardai avec dégoût ; toute cette blancheur immaculée avait quelque chose de dérangeant. Les polarités restaient inversées, d'une certaine façon : sa pureté était cantonnée au plumage. Son cœur restait d'un noir d'encre.

Razoxane l'accueillit d'un sourire, puis contourna l'épouvantail comme un officier inspectant un soldat au garde-à-vous. Derrière nous s'étendait la ville ; des lumières brillaient entre ses toits grisâtres telle une constellation tombée du ciel.

— Je me souviens, fit Razoxane songeuse, de l'épouvantail qui se trouvait là en 1660. Il lui ressemblait beaucoup. Et il se tenait exactement au même endroit.

Je n'en doutais pas ; mais j'avais toujours du mal à admettre une telle longévité. Elle avait vécu ce que je ne connaissais que par l'intermédiaire des livres d'histoire. Mon esprit chancelait rien qu'à imaginer l'étendue de son savoir.

— Il y a un siècle, sa forme a changé, mais pas sa position. Au Moyen Âge, il devait y en avoir un autre à cet endroit même. C'est plus qu'une tradition...

La corneille émit un cri rauque.

— Tu as raison, Vedova, reprit Razoxane, préoccupée. Ce champ... il cache vraiment quelque chose.

Je frissonnai et regardai de nouveau vers les bois.

— Et je l'ai toujours senti. Mais...

Elle s'interrompit et fit face à l'épouvantail.

— Qui sait ce qui a pu se passer ici ? Tout le monde l'a oublié.

Sa voix était si solennelle qu'elle me poussa à réfléchir. Toutes sortes de possibilités plus déplaisantes les unes que les autres me vinrent en tête ; d'anciens rituels, des sacrifices. Des actes susceptibles d'imprégner à jamais la terre. Ou peut-être y avait-on enterré des cadavres. Ce même sol, que je remuais de la pointe de ma botte, regorgeait de chair en décomposition...

L'épouvantail se tenait entre nous comme un témoin muet.

— Tu n'as qu'à le lui demander, marmonnai-je.

— C'est ce que je vais faire.

Je fronçai les sourcils sans comprendre.

— Ces choses que nous cherchons emploient le grain pour dissimuler leurs mouvements... mais elles n'ont pas pensé à ce guetteur – qui, de sa position élevée, voit tout ce qui se passe en contrebas. Ce sol contaminé peut avoir déteint sur ce qui y est enraciné. Il est possible que notre ami ait enregistré leurs allées et venues.

Mon regard passa de son visage à celui de l'épouvantail. Ce n'était qu'un vieux sac rempli de paille... évidemment. Ses yeux vides regardaient loin par-dessus mon épaule. Vers la ville. Mais bien sûr, un épouvantail ne voit pas ; il n'a pas de souvenirs...

Je fis un pas en arrière, hors de portée de ses bras tendus.

— Le fermier a dit que son fils avait vu quelque chose, dit Razoxane. On va voir ce qu'il en est.

Elle alla se poster derrière la silhouette décharnée et posa les mains sur ses épaules. Elle resta là un instant, en pleine méditation, puis leva la tête.

— Fous-moi le camp, Vedova. Tu m'empêches de me concentrer.

L'oiseau obéissant s'envola pour aller gratter le sol à quelques mètres de là. Peut-être espérait-il déterrer des ossements.

Razoxane posa sa tête sur le mannequin grotesque. Je fis un pas en arrière, écœurée; on aurait dit qu'il y avait là *deux* épouvantails en pleine danse de séduction.

Les lèvres de Razoxane remuèrent; elle chuchotait à son oreille. Peut-être fermait-elle les paupières derrière ses lunettes noires, aussi impassibles que les yeux de son double.

Tout autour de nous régnait un silence à peine rompu par les bruissements du vent, comme la respiration d'un vieillard malade.

Soudain, Razoxane leva la tête.

— *Maintenant*, je les vois!

Je me retournai, mais le champ était désert. Je revins à Razoxane et vis son sourire tordu.

— Il fait noir, dit-elle, mais je peux apercevoir... leurs silhouettes. Elles se déplacent.

Son regard vitreux contemplait une scène bien au-delà de ma perception.

— Elles traversent le champ...

Un courant d'adrénaline survolta mes nerfs.

— Et ensuite?

Elle hocha tout doucement la tête, mais son sourire et son regard ne vacillèrent pas.

— Ce sont des images déjà anciennes. Des heures, des jours, qui sait? Mais ils sont passés par là, pas de doute.

Je parcourus des yeux l'étendue déserte, imaginant ce qui pouvait l'avoir traversée sous le couvert de l'obscurité. Je m'attendais presque à voir des traces de pas dans la poussière. Les nuages lourds qui salissaient le ciel annonçaient la neige; ils étaient en retard pour Noël, mais entendaient bien se rattraper.

Razoxane rompit le contact avec un grognement, puis se redressa. Elle enserra l'épaule de l'épouvantail comme on prend congé d'un ami et me regarda.

— J'en ai compté onze.

— Et Cathy?

— L'une des silhouettes était double... la seconde était moins importante. J'imagine qu'ils la portent.

— Mais... elle est vivante?

— Oui. Inconsciente... mais vivante.

Mes épaules s'affaissèrent.

— Il y a longtemps de cela?

— La nuit dernière, d'après moi. L'un d'entre. eux était parti en éclaireur – sans doute celui qu'a aperçu le gamin. Les autres formaient une file; un à l'arrière pour couvrir leurs traces, un autre pour surveiller les flancs.

— Alors... que sont-ils exactement?

Elle haussa les épaules.

— Je n'ai pas vu grand-chose; uniquement des taches de lumière. Sauf que, cette fois-ci, elle était noire. Mais je pense qu'il y avait quatre cavaliers en plus des fantassins. Ils allaient dans cette direction...

Elle tendit le doigt vers l'ouest, là où s'étendaient d'autres bois noyés dans les brumes.

— Peut-être sont-ils passés sous terre, par le tunnel de chemin de fer désaffecté.

— Mais on l'a muré..., remarquai-je.

Un jour, j'étais passée devant avec Cathy; je savais que l'entrée était obstruée par des branchages et, au-delà...

— *M'man, pourquoi on a construit un mur de briques?*

— *Pour empêcher les gens d'entrer, chérie.*

— *Pourquoi?* (Toujours *pourquoi?*)

— *Parce qu'il y fait noir et que c'est plein de bêtes qui peuvent faire mal aux gens.*

Elle y avait réfléchi en silence, puis m'avait tirée par le bras. Qui sait, les bêtes derrière le mur pouvaient toujours se libérer. Cette nuit-là, elle avait fait des cauchemars et n'avait guère dormi – ni moi non plus. Cela m'apprendrait à lui donner des explications aussi primaires.

Mon Dieu, ils ne l'avaient quand même pas emmenée là-dedans!...

— Alors on va les suivre ? tentai-je.

Elle secoua la tête.

— D'abord, il nous faut plus d'informations... pas vrai, Vedova ? Qu'on aie une idée de ce qu'ils sont vraiment, de ce qu'ils veulent.

— Tu le sais déjà, n'est-ce pas ? fis-je d'un ton de défi.

Je n'en étais pas sûre, mais c'était une façon de me défouler. Et elle en était bien capable.

De nouveau, elle secoua la tête avec un calme insondable.

— Non. Pas encore.

— C'est une des factions de cette lutte dont tu m'as parlé ; c'est bien ce que tu crois ?

— Ce que je soupçonne ; il n'y a rien de sûr. On aurait dit un déploiement militaire des temps passés... mais cela ne nous dit pas pourquoi ils t'ont choisie, *toi*.

Le fléau de Dieu, pensai-je. *La main gauche du Diable*.

— De ces factions, laquelle a enlevé ma fille ? demandai-je.

Un instant, elle scruta le champ avant de se tourner vers moi. Son visage blême était aussi sombre que le ciel. Lorsqu'elle parla, sa voix me fit grincer des dents.

— Crois-moi, Rachel. Si j'ai bien lu les cartes, peu importe *qui* détient ta fille. Ça n'a aucune importance.

— C'est très gentil à vous, dis-je. Je suis désolée de ma... réaction... ce matin.

— Ce n'est rien, répondit Graham – ou plutôt sa voix.

J'essayai d'imaginer son visage à l'autre bout du fil, mais le sourire de Razoxane était trop dérangeant. Elle m'avait suivie dans la cabine téléphonique, comme pour mieux profiter de mon malaise. Je la regardai avec colère, mais elle ne bougea pas.

— Quand comptes-tu venir ?

— Hem... un peu tard, peut-être... si ça ne vous dérange pas.

— Pas de problèmes, m'assura-t-il. Tu seras toujours la bienvenue. Je suis sincère. Mais ne tarde pas trop : on annonce de la neige pour ce soir.

— Je serai là dès que possible, promis-je. Mais j'ai quelque chose à faire avant. Quelqu'un à voir.

La maison était située juste en bordure de la ville, loin de la route et des voisins. Les grands murs étaient couverts de lierre. Elle était plongée dans l'obscurité, à l'exception d'une des fenêtres du premier étage.

— Je suis déjà venue ici, murmura Razoxane en souriant, comme si elle se souvenait de quelque chose qu'elle gardait pour elle.

— Qui habite cette maison ? demandai-je.

— Un nommé Virgil Crown.

— *Virgil ?*

— C'est un pseudonyme. L'homme qui servit de guide à Dante dans son voyage au pays des morts. M. Crown se qualifie de *spiritualiste*.

Elle prononça ce mot avec mépris.

— Il m'a déjà invoquée – involontairement, bien sûr – alors que j'errais sans but... C'est ainsi que je suis revenue chez moi. Mais derrière sa maison, à moins d'un kilomètre, s'étend Lickfield Wood, le théâtre d'abominations sans nom... remontant à la guerre civile. Je me demande ce qu'il a pu réveiller, cette fois-ci.

— Un esprit maléfique ?

Elle acquiesça.

— C'est son travail. Il parle aux morts. Et certains lui répondent. Mais ceux à qui nous avons affaire ne sont pas de chers disparus ; plutôt des *choses* qui ne connaissent pas l'amour...

Elle se tut, puis eut un rictus d'amusement.

— Tu aurais dû voir sa tête lorsque je suis apparue dans sa cave. J'aurais pu me fondre dans les murs et le laisser planté là, mais il avait interrompu mon errance, alors je lui ai fait découvrir le désespoir. J'ai éteint toutes les lumières et l'ai pourchassé d'une pièce à l'autre. Lorsque j'en ai eu terminé avec lui, il n'était plus qu'une épave. Mais apparemment, il n'a pas retenu la leçon.

Je regardai la lumière tamisée.

— Il tient une séance de spiritisme ou quoi ?

— On dirait. Avec quelques amis qui considèrent que c'est une distraction comme une autre...

Elle secoua la tête et leva la pelle qu'elle avait prise à Finn.

— Viens.

— On va... resquiller ?

Razoxane sourit et posa l'outil sur son épaule.

— Pas vraiment ; après tout, la porte est grande ouverte. *Si tu es là...* Il a accueilli bien assez d'esprits bidons ; il est temps qu'il rencontre la Reine de Pique.

Alors que nous nous dirigions vers la porte, une lampe s'alluma automatiquement et me fit sursauter. Razoxane continua de marcher à grandes enjambées – et la lumière blanche finit par s'éteindre.

Mes yeux mirent quelques instants à s'adapter. La maison obscure se dressait devant nous comme une falaise sur fond de nuages avec cette seule et unique lumière allumée pour fanal. Jusque-là, la neige nous avait épargnées, mais, maintenant, les nuages semblaient prêts à crouler sous son poids.

Je m'imaginai ce qui devait se passer dans la pièce du haut : des gens rassemblés autour d'une table dans une pièce faiblement éclairée, se tenant par la main. *Esprit, si tu es là...*

Razoxane prit sa pelle à deux mains et s'en servit comme d'une hache pour enfoncer la porte.

Le bruit de l'impact ricocha dans le hall, puis le silence retomba. En haut, personne ne réagit. Razoxane fit un pas en arrière et frappa de nouveau.

Cette fois-ci, le coup éveilla un écho quelque peu différent : le couinement timide d'une fenêtre à guillotine. Nous levâmes les yeux. Un visage nerveux venait d'apparaître entre les rideaux.

— Qui est là ?... fit une voix masculine mal assurée.

— Ton fossoyeur, rétorqua Razoxane avec un plaisir évident.

Le visage disparut ; il y eut des murmures consternés. Je ne comprenais que trop leur panique. Quelqu'un avait répondu à leur appel, mais ils ne savaient pas comment le renvoyer d'où il venait.

Razoxane renouvela son assaut : sa force contrastait avec son apparence frêle. Le panneau grogna ; la serrure émit un crissement métallique.

Je la regardai avec une fascination malsaine. Je sentis un changement en elle : ses gestes devenaient frénétiques. Je ne pouvais voir son visage, mais savais qu'il avait perdu toute gaieté pour ne laisser qu'un masque impitoyable.

La porte finit par céder. Razoxane l'acheva d'un coup de pied. Quelqu'un se cachait dans le hall... elle fit un pas de côté pour le laisser sortir. C'était un jeune homme aux cheveux clairs. Il passa devant elle, les yeux braqués sur la lame de la pelle – puis vit ma cape sombre, poussa un cri et s'enfuit. Il atteignit la rue et se mit à cavaler au beau milieu de la chaussée. Puis Razoxane entra et m'appela pour que je la suive.

J'obtempérai en grinçant des dents. Quelqu'un d'autre nous dépassa et se précipita vers l'entrée. Dans le salon, une femme vêtue avec élégance gémissait de peur. Razoxane siffla comme un chat enragé ; elle partit à son tour au pas de course.

La lumière du premier éclairait vaguement l'escalier et nous dévoila un homme accroupi. En voyant s'approcher Razoxane, il tenta de se relever, mais elle posa la lame de sa pelle sur sa poitrine et le repoussa. Elle lui parla d'une voix teintée d'ironie :

— Bonsoir, Virgil Crown... quoique la soirée ne s'annonce pas si brillante.

— Va-t'en, je t'en prie, balbutia-t-il. Laisse-moi...

— Pas encore. Tu nous a invitées à parler. Alors écoute-nous.

Elle le prit par le col et le releva de force, puis le traîna à l'arrière de la maison.

Nous franchîmes une porte donnant sur un vaste jardin ; Razoxane faisait reculer sa proie en la poussant du bout de sa pelle, comme s'il s'agissait d'une lance. Dans la lumière orange, je distinguai ce fameux spirite. C'était un homme d'une quarantaine d'années, aux traits nobles, aux cheveux noirs qui allaient en se clairsemant. Ses yeux étaient écarquillés par l'épouvante.

Alors qu'il ouvrait la bouche, Razoxane lui décocha un coup de pelle.

L'homme virevolta et tomba face contre terre. Il resta un instant immobile avant de retrouver assez de force pour se relever maladroitement. Razoxane se plaça à son côté, comme pour l'aider, mais, lorsqu'il leva les yeux, elle lui décocha un coup de poing en pleine poitrine.

Elle y avait mis tout son cœur. Le spiritualiste fit un saut de carpe et retomba en hoquetant. Razoxane haletait comme si elle luttait pour garder son sang-froid. Elle fit un pas vers lui, attendit qu'il se mette à quatre pattes, puis lui flanqua un violent coup de pied.

Horrifiée, je le vis s'affaler de nouveau sur l'herbe. Sa respiration sifflait comme un vieil accordéon qu'on aurait piétiné par inadvertance ; mais mon esprit professionnel me souffla un jugement plus clinique. Il souffrait de contusions à la poitrine, comme certaines victimes d'accidents de la route. J'en avais assez vu lorsque je travaillais aux urgences.

Razoxane le domina de toute sa taille en inspirant profondément.

— Tu te souviens de la dernière fois que tu as invoqué les *esprits amicaux* ? demanda-t-elle avec une emphase impitoyable. Eh bien, je n'en faisais pas partie... et pas plus aujourd'hui.

Et elle lui décocha un autre coup de pied.

— Razoxane... protestai-je.

— Tais-toi, répliqua-t-elle avant de se retourner vers sa victime. C'est à ton tour maintenant, Virgil Crown. Lève-toi et parle.

L'homme se redressa sur un coude et toucha son visage comme s'il redoutait qu'il n'en manque un morceau. Du sang maculait sa joue déchirée.

Au-dessus de nous retentit un croassement. Je sursautai et levai les yeux pour voir la forme spectrale de la corneille perchée sur une branche.

— Tu entends ? fit sèchement Razoxane. Vedova aussi est contente de te revoir.

— Va-t'en... spectre..., marmonna l'homme d'un ton peu convaincu.

Elle lui caressa les côtes de la pointe de sa pelle.

— Quelque chose est sorti de Lickfield Wood et hante la campagne. Peut-être est-ce toi qui l'a attiré, Virgil Crown. Et tu sais peut-être de quoi il s'agit ?

Elle leva de nouveau sa pelle.

— Mon Dieu, non..., fit-il en se protégeant le visage de ses mains. Je croyais que c'était le Diable...

Razoxane me regarda, puis revint vers l'homme à terre, ignorant mon expression de dégoût.

— Qui ? siffla-t-elle.

— Ses yeux. Ils étaient jaunes...

— *Qui* était-ce ?

— Je ne sais pas ! La pièce était plongée dans l'obscurité. Il était assis sur une chaise. Je ne l'avais même pas vu... jusqu'à ce qu'il tourne la tête. Mais... lorsqu'il s'est penché, j'ai vu ses yeux...

— Et qu'a-t-il dit ?

— *Les martyrs sont revenus... réclamer vengeance.* Il m'a souri en disant cela. Il était si calme... si froid. *Les martyrs sont revenus. Et nous prendrons l'enfant de la veuve.*

J'eus un hoquet étouffé.

— J'ai dévalé l'escalier et j'ai attendu trois jours avant de remonter à l'étage..., marmonnait le spiritualiste. J'avais trop peur de retomber sur lui... Je dormais dans le salon... et me lavais dans la cuisine. Mais il a dû s'en aller cette même nuit...

L'image de cette rencontre me submergeait. Cette chose assise sur une chaise. Cette ombre qui m'avait volé ma fille.

Je frissonnai de dégoût. Chaque mère redoute le Méchant Homme, avec son sourire gras et ses poches remplies de bonbons ; mais ce danger était bien différent. Même si je n'avais que mon expérience succincte et ce témoignage pour me faire une idée de son apparence, je l'imaginais fort bien : il était là, comme dans ma vision, enveloppé dans un vieux manteau de fourrure, son chapeau cachant ses traits. Et sa tête noire pivotait lentement, dévoilant ces yeux effrayants.

Les martyrs sont revenus.

— Il y a une légende concernant ce bois, continua Razoxane. Elle date du XVIIe siècle. Tu la connais ?

— J'ai lu une version de l'histoire... des gens qui auraient joué avec des arcanes maléfiques... et se seraient fait dévorer...

Razoxane y réfléchit en fronçant les sourcils ; une nouvelle pièce du puzzle – mais qui n'éclaircissait pas grand-chose.

— Rien d'autre ? finit-elle par demander.

— Non...

Razoxane le regarda, puis secoua la tête.

— Et après sa visite, et la mienne, tu continues d'invoquer les esprits, hein ? *Pourquoi as-tu dérangé notre sommeil ?*

Mes nerfs me picotèrent ; sa respiration s'était accélérée. Quelque chose montait en elle, comme un liquide glacé que l'on porte à ébullition. Crown dut le sentir, lui aussi, mais il n'avait nulle part où aller.

La rage tordit ses traits. Elle abattit sa pelle sur son crâne avec un bruit sourd, qui me donna la nausée. Crown s'affala dans l'herbe, mais elle frappa encore – et encore. J'étouffai mes propres gémissements en posant mes mains sur ma bouche. Puis Razoxane se redressa et se tourna vers moi.

— On ne peut pas dire qu'il manque à *l'appel*, dit-elle, soudain redevenue joyeuse.

Ce changement me prit de court, mais pas tant que cette pelle dressée toute droite, plantée qu'elle était dans le crâne de sa victime. Au premier coup d'œil, je dus aller vomir dans un buisson de roses.

Je n'avais pas grand-chose dans l'estomac. Après quelques hoquets, je relevai les yeux – pour découvrir que j'étais seule dans le jardin. Le cadavre était toujours allongé sur le dos. Tout était calme. Je commençais à paniquer pour de bon lorsque Razoxane revint. Elle marcha vers le cadavre et jeta négligemment le loquet de la porte sur son estomac.

Puis elle me regarda et sourit.

— Je ne sais pas comment tu peux vivre avec toi-même, marmonnai-je.

Elle récupéra sa pelle sans cesser de sourire.

— Oh, je suis très arrangeante.

— Tu m'as très bien comprise.

— Tout est de sa faute, tu sais ? Quoi qu'ils soient, c'est lui qui les a fait revenir. En chair et en os.

La corneille vint se poser sur le crâne brisé du médium, baissa la tête et se mit à... piquorer. Je détournai les yeux.

— Tu as entendu comme moi ce qu'il a dit, continua Razoxane. Ce que l'apparition lui a déclaré. *Nous prendrons l'enfant de la veuve.*

— Mais pourquoi ? bafouillai-je.

— Pour se venger, apparemment.

Elle plongea la pelle dans la terre et posa un pied sur la lame.

— Une sorte de martyre...

— Mais..., fis-je en regardant le cadavre.

Le bec de la corneille racla l'os ; je perdis le fil de mes pensées, puis déglutis.

— Il a dit... qu'ils ont été punis pour s'être adonnés à l'occultisme. Les gens des bois. Ceux qui ont brûlé.

— La notion de martyre est en général définie du point de vue des victimes, dit-elle.

— Alors ce sont bien des sorciers ?

— Vedova, n'avale pas tout rond.

— *Razoxane.*

— C'est possible.

— Et qu'ont-ils à voir avec Cathy ?

Elle haussa les épaules.

— Peut-être que n'importe quel enfant de n'importe quelle veuve aurait fait l'affaire.

Ma peau se refroidit instantanément.

— Écoute-moi, reprit Razoxane en levant sa pelle. Pour l'instant, il vaut mieux que tu ailles retrouver ton ami. Prends un peu de repos : tu en auras besoin. Cette nuit, j'irai voir ce que je peux glaner.

Bien que je voulusse absolument me rapprocher de Cathy, je n'enviais guère Razoxane. L'idée de parcourir seule la campagne, au milieu de ces champs sombres et de ces arbres aux formes torturées, me faisait frémir.

Je ne dormirais certainement pas beaucoup cette nuit-là ; je ne cesserais de penser à Cathy, bien sûr, mais un autre spectre viendrait me hanter. Je jetai un regard à l'homme assassiné et mon estomac se serra.

Ce soir-là, Razoxane avait montré son vrai visage ; elle était toujours aussi sauvage et psychotique que de son vivant. Elle avait certes dépassé sa condition humaine, mais avait gardé sa folie...

Lorsque je la regardai de nouveau, elle scrutait le lointain avec un air étrangement vide.

— Tu entends ? murmura-t-elle. Tu entends ces voix dans le vent ?

J'hésitai avant de suivre son regard braqué vers la campagne qui s'étendait derrière la maison, là où régnaient les ténèbres. Et là, aux extrêmes limites de ma perception, quelque chose vint à ma rencontre ; pas des voix, non, plutôt une musique spectrale qui jouait en sourdine.

Je restai là, comme une statue, jusqu'à ce que ses harmonies se dissolvent comme des flocons de neige dans ma main. Puis le silence se referma sur nous.

— Tu as fini, Rachel ? fit gentiment l'épouse du vicaire.

J'étais là, assise à leur table, scrutant mon assiette, avec l'impression d'être tirée en sursaut des profondeurs d'un rêve. Mais où était la réalité ? Dans le présent ou dans le passé ? La chaleur et l'hospitalité qui régnaient dans la maison ou le vide derrière les vitres ?

J'avalai ma salive et levai les yeux. Ruth me regardait d'un air soucieux.

— Non, merci.

Elle me prit au mot et débarrassa mon assiette. Je restai là, les mains croisées, avec un sourire d'excuse. J'avais pu avaler un peu de soupe, mais la salade était de trop. La première bouchée m'avait renvoyée dans le jardin du médium. J'avais failli m'étouffer.

— Tu veux... parler ? demanda Graham pendant que Ruth emportait l'assiette à la cuisine.

— C'est bon, ne t'inquiète pas..., répondis-je. Dans quelques jours, tout sera arrangé...

— Je me fais du souci, c'est tout. Te retrouver à la rue – et surtout aujourd'hui... Tu dois bien avoir un endroit où aller ?...

— Graham, laisse tomber, je t'en prie. J'ai mes raisons et n'ai pas envie d'en parler.

Je le laissai en tirer ses propres conclusions. Il opterait sans doute pour une dispute conjugale (je l'avais surpris à lorgner mon alliance.) Il ignorait la vérité, j'en étais sûre.

Il se plongea dans un silence pensif. Je posai mes coudes sur la table et mon menton sur mes poings. J'entendis grincer des tiroirs dans la cuisine.

Un bébé se mit à pleurer. Ma chair se hérissa.

— J'y vais, chérie ! lança Graham en se levant. Les joies de la paternité, murmura-t-il à mon attention en levant les yeux au ciel ; mais son visage trahissait sa fierté – et son soulagement d'échapper à l'atmosphère qui devenait pesante.

Il me laissa seule, à ravaler mes larmes. Les cris du bébé s'éteignirent pour faire place à des gargouillements réjouis.

Ce pauvre Nick n'était pas doué pour cela. En découvrant que notre propre enfant ne respectait pas les règles, il avait pris un air étonné.

Je lui ai donné à manger ; qu'est-ce que je peux faire de plus ? Et pourquoi tu te marres ?...

— Tu veux du café, Rachel ? lança Ruth.

J'avalai ma salive avant de répondre :

— Non, merci.

Graham descendit pour me montrer leur fille.

— Je te présente Rachel Young, dit-il comme s'il partageait un secret. Rachel, je te présente Jennifer.

— Elle est mignonne. Quel âge a-t-elle ?

— Bientôt un an.

Elle était rose et potelée avec des yeux comme des soucoupes et des cheveux frisés. Je me forçai à sourire, mais mes entrailles semblaient à vif.

Ruth vint compléter la petite famille ; elle tendit un doigt à sa fille avant de me regarder.

— Elle commence à ramper partout : il faut que je la surveille, sinon, Dieu sait ce qu'elle pourrait faire... Bientôt, elle va marcher et parler... chipoter sur sa nourriture...

— C'est vrai, dis-je, ils grandissent si vite.

Une lueur d'étonnement passa sur son visage ; je compris que j'avais mis un peu trop d'emphase dans ces mots.

— C'est ce qu'on dit, ajoutai-je.

— Je vais la mettre au lit, dit Graham. Passe donc au salon, Rachel... fais comme chez toi. Il y a un bon programme sur la BBC2... mais c'est toi qui choisis...

Je secouai la tête.

— Je me contenterai d'un bon livre dans ma chambre. Il est temps que je vous laisse, tous les deux. Vous l'avez bien mérité...

— Rachel, fit Ruth, inutile d'aller te cacher. Nous sommes contents de t'avoir chez nous...

— Je sais. Vous êtes formidables, et je vous en remercie. Mais... j'ai besoin de rester seule un moment.

— Tu en es sûre ? fit Graham depuis l'entrée, alors que Jennifer tripotait son oreille. Il vaut peut-être mieux avoir de la compagnie... même sans parler.

— Oui, bien sûr.

Mon sourire commençait à s'affaisser.

— Comme tu voudras, fit Ruth. Tu peux prendre un bain si tu veux. Et il y a des livres dans la chambre d'amis. Je viendrai te voir dans un moment... pour vérifier que tout va bien.

— Merci, dis-je avec une sincère gratitude.

Je suivis Graham à l'étage, mais le quittai pour passer dans ma chambre alors qu'il emmenait Jennifer dans la sienne. Durant ces derniers mètres, je luttai pour contenir mes pleurs. Je refermai la porte et me laissai tomber sur le lit ; les larmes étaient moins douloureuses que des vomissures, mais tout aussi chaudes et amères.

Lorsque Ruth vint frapper à ma porte, j'avais repris figure humaine, mais je vis bien qu'elle n'était pas dupe. Allongée sur le lit avec un livre de poche en main, je lui dédiai un sourire innocent tout en espérant que mes yeux n'étaient pas trop rouges.

— Tu veux boire quelque chose de chaud ? demanda-t-elle.

— Non, merci. Je vais essayer de dormir. Je suis si fatiguée...

Elle m'avait apporté une serviette propre et une de ses chemises de nuit.

— Prends ton temps demain matin... il n'y a pas d'heure pour le petit déjeuner.

La gratitude me rendait maladroite ; de nouveau, je faillis me laisser submerger. Je ravalai mes larmes et lui souhaitai bonne nuit. Après son départ, je me mis sur le dos, passai la main sous mon pull et en tirai l'œillet rouge aplati et écrasé. Celui que Nick m'avait apporté. Le cauchemar était réel, mais mon rêve également.

Je regardai la fleur, puis fermai les yeux et la pressai contre ma poitrine.

Tu m'entends, chéri ? Tu sais ce qui m'arrive ?

Mais le silence demeura, à peine rompu par les battements de mon cœur et le bruissement du vent contre les vitres. Finalement, je me rassis, essuyant une dernière larme avec ma manche.

La chambre devait servir souvent ; elle était petite, mais bien aérée. Le couvre-lit offrait quelques touches de couleur. Je me levai, posai le livre sur une des étagères bien fournies, puis allai à la fenêtre. J'écartai les rideaux et regardai au-dehors ; mais, avec la buée qui enveloppait la vitre et le gel qui s'était emparé du monde, je ne vis qu'un lac de ténèbres.

J'enfilai la chemise de nuit, éteignis la lumière et me couchai.

J'étais si épuisée que le sommeil m'engloutit sur-le-champ. Et lorsque mon esprit fut assez engourdi, mon pouvoir reprit le dessus.

Cette vision n'appartenait qu'à moi : je n'eus pas besoin de l'assistance de Razoxane. Mon œil interne s'ouvrit soudain ; je me retrouvai seule dans un paysage de boue et de brume. Face à une tombe grande ouverte.

Irrégulière et peu profonde, elle évoquait un site archéologique. Quelque chose de très ancien. J'eus un mouvement de recul en apercevant le squelette qui gisait là.

Les ossements étaient brunis et parsemés de morceaux de peau séchée. Le visage était un masque lisse avec deux cavités béantes à la place des yeux.

Et quelque chose remuait dans sa poitrine.

Les côtes étaient exposées, mais un lambeau de peau venait de tressaillir sous mes yeux. *Un rat*, me dis-je, et j'en eus la chair de poule.

Le crâne me regardait avec un air de désapprobation. Je détournai les yeux – mais il restait là, à me dévisager comme un étranger dans la foule. Il me rappelait la corneille.

Un nœud coulant enserrait son cou. La corde était pourrie, mais sa forme était éloquente.

La peau tressaillit encore. Quelque chose remua dans la poitrine béante. Je voulus tourner les talons pour m'enfuir, mais restai rivée sur place, fascinée. Je baissai la tête... et vis un cœur d'argent niché dans la cage thoracique, telle une tache de mercure – et qui battait encore. Ses pulsations étaient très espacées, comme si la chose se trouvait en hibernation.

Il est vivant, me dis-je; c'est alors que la cage thoracique s'ouvrit toute grande, dans un chuintement écœurant, si brutalement que, si j'avais été éveillée, j'aurais poussé un cri.

Les côtes s'incurvaient vers le ciel comme les doigts de deux mains mortes; un écrin étrange pour ce cœur qui ne l'était pas moins. Le spectacle évoquait aussi autre chose, je n'aurais pu dire quoi. Mais elles avaient dévoilé leur trésor, comme une offrande...

C'était un miracle de métal vivant; la pureté préservée au sein de la corruption. Il m'attirait irrésistiblement. Je serrai les dents et descendis dans la tombe.

Les orbites creuses me dévisagèrent. Je sentis qu'elles dissimulaient un *vide* qui s'étendait bien au-delà des confins de cette boîte crânienne. L'appréhension me comprima l'estomac, mais je ne pouvais reculer. Je me penchai et tendis la main vers le cœur.

C'est alors que je compris ce que me rappelait cette cage thoracique béante. Une plante carnivore prête à se refermer sur sa proie.

Trop tard : je venais d'effleurer le cœur. Il était si froid qu'il me brûla les doigts. Et, en une fraction de seconde, j'entendis cliqueter le piège sur le point de se refermer – comme le percuteur d'un revolver posé sur ma tempe...

— *Mammmaaannn!*...

C'était la voix de Cathy, et son cri désespéré me vrilla l'esprit. La tombe se désagrégea et disparut dans le néant. Cette interruption m'avait sauvé la vie, j'en étais sûre : si je m'étais trouvée au milieu du rêve lorsque cette cage thoracique s'était refermée, je ne serais jamais remontée à la surface.

Et pourtant, je m'extirpai du puits de ténèbres pour me retrouver dans ce lit étranger. Je m'assis avec un hoquet en m'enserrant de mes bras. Mes épaules étaient couvertes d'une pellicule de sueur, et la chemise de nuit de Ruth collait à mon dos.

L'air de la pièce était si froid que ma respiration se condensait en un nuage de vapeur. La lumière d'une aube incrustée de givre filtrait à travers les rideaux.

Un vague écho résonnait encore à mes oreilles.

Son cri. Son cri était réel. C'est pour ça qu'il m'a réveillée.

Je me levai en coup de vent et me précipitai vers la fenêtre. Celle-ci était embuée comme un miroir de salle de bains. Je m'y fis une lucarne et, malgré le givre, je pus distinguer la colline qui s'étendait derrière la maison.

La neige avait fini par tomber; le sol était d'un blanc immaculé. Vierge de toute trace de pas. Mais son cri résonna de nouveau aux limites de ma perception; plus ressenti que vraiment entendu. Comme un effet du vent – et de mon propre esprit tourmenté.

Ce ne pouvait pas être une illusion. C'était elle. Ma pauvre Cathy.

Je retirai la chemise de nuit et m'habillai à la hâte.

CHAPITRE IX

LES MEURTRIERS

Un silence de mort planait sur la maison. Je descendis l'escalier sur la pointe des pieds, en chaussettes, puis passai dans le couloir.

Allez, ma fille, dépêche-toi...

J'essayai de calmer ma respiration affolée. Je pouvais encore leur laisser un petit mot ; dire que j'étais sortie prendre l'air. Mais je n'avais pas le temps. Je récupérai ma cape, accrochée à la patère, la posai sur mes épaules, puis sortis dans le paysage recouvert d'un linceul de neige et de silence.

Le froid du matin planta ses griffes dans mes joues.

Les réverbères encore allumés jetaient des taches de lumière orangée sur le ciel. J'allai jusqu'au bout de la rue, piétinant la neige immaculée, et empruntai une allée qui menait vers les champs et un petit bois sombre en haut d'une colline. C'était de là que parvenaient les appels. Bien sûr.

S'il y avait un chemin pour traverser le champ, il était indétectable sous le tapis blanc cotonneux. Je me contentai de courir sur la pente glissante. Une fois arrivée au sommet de la colline, je jetai un coup d'œil en contrebas. La maison que je venais de quitter dormait toujours – tout comme celles qui l'entouraient.

Je tirai sur ma cape pour me protéger du froid et scrutai le petit bois. Rien que des ombres bleutées entre les troncs. J'écoutai de toutes mes oreilles, mais Cathy n'appelait plus.

Je contournai les arbres blottis les uns contre les autres

pour tomber sur un second champ. Celui-ci formait une cuvette, puis la pente remontait et donnait sur un autre bosquet plus grand. La neige n'était pas très épaisse – des cercles de terre gelée parsemaient l'étendue blanche – et je pus marcher à un rythme lent, mais régulier. J'eus envie d'appeler à mon tour, mais n'en eus pas le courage : toute cette désolation était trop effrayante, et le silence aurait absorbé mon cri. Le désespoir montait peu à peu en moi.

La forêt sombre et dense semblait de plus en plus vaste au fur et à mesure que je m'en approchais. Je me sentais exposée, à marcher seule au beau milieu d'un champ, mais n'avais pas l'impression d'être épiée. Lorsque j'atteignis le bois, j'étais hors d'haleine et dus m'adosser à l'un des arbres.

Je scrutai les troncs et les branches à m'en faire mal aux yeux, mais ne pus pénétrer ce labyrinthe grisâtre. S'il y avait une trace quelconque, ce n'était pas en restant plantée là que je la découvrirais. J'inspirai profondément et m'aventurai sous le couvert des arbres.

La pénombre s'intensifia. Au fur et à mesure que j'avançais, je dus me rendre à l'évidence : ce bois était désert. Tous mes espoirs s'évanouirent brutalement pour ne laisser qu'un intolérable sentiment de déception.

Oh, mon Dieu! pensai-je, à bout d'espérance.

C'est alors qu'un bruissement me parvint. Je me figeai sur place. Il venait d'un point situé devant moi.

Silence. Qui se prolongea. Je me détendis quelque peu. Sans doute un animal. Je finis par déglutir et reprendre mon chemin. Il semblait y avoir une clairière un peu plus loin, au sommet de la colline. Les arbres se clairsemèrent ; je pus accélérer mon pas.

Si je n'avais pas été si obnubilée par l'image de Cathy, je me serais souvenue de ce qui s'était passé la dernière fois que j'étais allée la chercher dans un bois que je croyais désert. J'aurais alors battu en retraite. Mais je continuai mon chemin. Nous atteignîmes le sommet en même temps, le cavalier et moi.

Tout d'abord, je le vis à peine : sa couleur grise se fondait dans la lumière hivernale. Puis il s'avança pour me faire face. Les flancs de sa monture étaient couverts de poussière, et son long manteau élimé dévoilait une armure d'acier corrodé. Il portait un casque de métal avec une sorte de bec et des barreaux protégeant son visage – s'il en avait un. Car lorsqu'il tourna la tête vers moi, je ne vis qu'un masque en haillons pourvu de trous à l'emplacement des yeux.

Le froid matinal n'était rien en comparaison de celui qui s'empara alors de moi.

Le cavalier resta là, à me regarder, environné de la brume de condensation produite par la respiration de son cheval. Puis il prit les rênes dans son poing et fit volter sa monture. Son masque restait impassible, bien sûr, mais n'en était que plus terrifiant.

Avec un cri étouffé, je tournai les talons et me mis à courir. Aussitôt, j'entendis le claquement des sabots derrière moi. Il pouvait me rattraper, mais restait à bonne distance.

Oh mon Dieu! j'ai vu tout ceci en rêve.

En effet. Mon esprit avait tenté de m'avertir, en vain. Je me souvenais de la neige, des branches, des halètements de mon poursuivant. Les arbres le gênaient, et si j'avais pris le temps de réfléchir, j'aurais eu une chance de lui échapper. Mais la panique embrumait mon esprit. Ce qui montait ce cheval était une abomination incroyablement ancienne qui aurait dû rester sous terre. Il fallait que je lui échappe.

Les branches me griffaient le visage comme des chats enragés. Je sentis qu'il avait trouvé un chemin praticable; maintenant, il gagnait du terrain. Les sabots martelaient la terre gelée avec un bruit mat. Je bifurquai à mi-descente, glissai et tombai sur un genou. Quelque chose accrocha ma cape, dévoilant son revers rouge telle une écorchure. Je me relevai et continuai mon chemin en boitillant. Derrière moi, le cheval piétinait les buissons.

J'étais tout près du champ. Là, je serais à découvert, mais je n'avais pas le choix. Je quittai l'abri des arbres et filai comme le vent.

Au bout d'une vingtaine de mètres, je jetai un coup d'œil en arrière – pour voir qu'il s'était arrêté en bordure de la forêt. En pleine lumière, il était moins imposant; ce n'était qu'une silhouette grise et moisie. Il leva vers moi son bâton couronné d'une boule enveloppée de tissu. Sous mes yeux, elle prit feu spontanément ; une flamme bleue vacillante qui vira au jaune. Puis il éperonna sa monture et, torche en main, partit au galop dans ma direction.

Je tentai de conserver mon avance, en vain. Le cheval me rattrapa en quelques secondes. Je me laissai tomber au sol ; la torche me rata de peu.

Le cavalier ralentit, puis fit volter sa monture et se précipita de nouveau sur moi alors que je me relevais. Ma cape et ma joue étaient couvertes de neige. Je le regardai venir, impuissante, sachant que je ne pourrais l'éviter qu'à la dernière seconde. Puis je remarquai quelque chose qui me figea sur place.

Le cheval était aveugle. On lui avait crevé les yeux pour ne laisser que des orbites vides.

J'étais si choquée qu'il faillit me renverser. Quelque chose heurta mon flanc ; que ce fût le cheval ou la botte du cavalier, cela faisait *mal*. Je roulai dans la neige, à bout de souffle. Une fois de plus, il fit pivoter sa monture et attaqua en se penchant pour me frapper de sa torche. Je l'évitai de justesse ; la flamme effleura mes cheveux et laissa derrière elle une traînée d'étincelles.

Je me relevai en sanglotant et tentai de courir en biais, bien que la pente me ralentît. Mon flanc endolori me faisait mal ; j'avais l'impression d'inhaler du verre brisé. Le sommet était si lointain ! Puis je vis l'épouvantail qui se dressait là, les bras écartés.

Viens à moi...

Nous étions revenus sur Northolt Hill. Un symbole teinté d'ironie : depuis la veille, je n'avais fait que tourner en rond. Et maintenant, le guetteur immobile serait le témoin de ma perte.

Je continuai d'avancer dans sa direction ; il n'y avait rien d'autre à faire. Derrière moi, le cheval se préparait à la curée.

L'épouvantail se rapprochait, se découpant sur la blancheur de la neige. Il penchait la tête comme un homme crucifié.

Je glissai dans la neige et tombai à quatre pattes.

L'épouvantail leva les yeux vers moi.

Sous le rebord du chapeau brillait le sourire de Razoxane. Elle joignit les bras pour braquer son fusil à canon multiple. L'arme tira une fois, laissant derrière elle mille échos suraigus et une traînée de fumée. Je roulai sur moi-même ; ma Némésis tomba de sa selle et s'affala par terre. Son cheval se mit à tourner en rond : sans les yeux de son cavalier, il ne savait où aller.

Le corps de l'inconnu était agité de mouvements spasmodiques – puis, soudain, il s'embrasa tout entier. Alors que je le regardais avec un mélange d'horreur et de soulagement, il leva les mains pour griffer le ciel comme un insecte à l'agonie. Les flammes étaient d'un orange graisseux ; je pouvais sentir leur chaleur alors qu'elles consumaient inexorablement le cavalier. Ses convulsions s'atténuèrent ; au bout de quelques instants, il ne resta plus qu'une cosse noircie enchâssée dans un corset de fer fondu, aux bras recroquevillés comme les pattes d'une mante religieuse.

Alors seulement, je repris mon souffle et me tournai vers Razoxane.

Celle-ci s'était détachée de la croix de bois contre laquelle elle s'était adossée pour jouer les épouvantails. Cette mascarade semblait beaucoup l'amuser.

— Tu as un don pour t'attirer des ennuis, pas vrai ? fit-elle joyeusement.

— Qu'est-ce que c'était que *ça* ?

— Quelque chose qui est resté très, très longtemps sous terre, répondit-elle. Tu es poussière et tu redeviendras poussière. Mais pas ce citoyen-là.

Je regardai le casque.

— On dirait... un *Roundhead*.

Car tel était le nom qu'on donnait aux combattants de Cromwell, aux heures les plus noires de l'Angleterre.

— Exact. Un *Ironside*, plus précisément. Je savais qu'ils venaient de cette période...

— Et ce sont eux qui se sont emparés de Cathy ? chuchotai-je. Onze... choses comme celle-ci ?

Enfin, je comprenais ce qui alimentait ses cauchemars. Le Croque-mitaine. La créature pourrissante qui s'était introduite chez nous. Qui avait terrifié la pauvre Alice...

— Exact. Elle leur sert d'otage. Mais cela ne nous dit pas pourquoi.

Et s'il n'y avait aucune raison ? Si les morts, comme les vivants, pouvaient frapper au hasard ?

Le cheval désemparé me tira de ma rêverie morbide : il gémissait en tournant en rond et humait le vent.

— Pauvre bête, fis-je. Ces salauds l'ont aveuglée...

— Pour s'assurer de son obéissance, fit Razoxane en passant une main sous son manteau. Ainsi, le cavalier et sa monture ne font qu'un...

Elle sortit son vieil automatique et, sans cesser de me regarder, le braqua sur le cheval. Elle sourit et appuya sur la détente.

Je détournai les yeux.

— Eh bien, c'est une chance que je me sois trouvée là, pas vrai ? fit-elle en rengainant son arme.

Elle ne vérifia même pas la précision de son tir. Mais le cheval était tombé à terre et restait immobile.

— Bon, fis-je, toujours hors d'haleine. Dis-moi : que fais-tu ici ?

— Je t'ai dit que ce champ avait quelque chose de particulier. Un pouvoir qui lui est propre. Il m'a attirée...

Elle se mit à marcher ; en la suivant des yeux, je vis l'épouvantail qui gisait dans la neige comme un tas de vieilles fripes. L'étui à guitare gisait à ses côtés. Elle y rangea le fusil et revint avec la pelle. Il y avait encore du sang séché sur la lame.

Je me relevai sur des jambes flageolantes et regardai autour de moi, mais les champs étaient vides. Au loin, la ville restait emmitouflée dans la neige et le silence. L'écho des coups de feu devait avoir porté jusque là ; mais on était à la campagne, et personne ne s'en formaliserait.

— J'ai... cru entendre Cathy, dis-je.

Elle secoua la tête.

— Ce n'était pas elle. D'après moi, tu as perçu un écho fantôme... qui devait planer dans l'air. Tu serais étonnée si tu savais ce que peut entendre une mère.

Elle eut un mince sourire.

— Ou peut-être pas.

Mais maintenant, le vent ne portait plus rien ; le seul bruit était une sorte de cliquètement métallique irrégulier, mais tout proche. Il me fallut un moment pour réaliser d'où il provenait : l'armure du cadavre refroidissait dans la neige.

Razoxane promenait la partie métallique de sa pelle sur le sol gelé, décrivant un cercle autour de la croix de bois.

— Qu'est-ce que tu fiches encore ? fis-je.

— Je crois qu'il y a quelque chose là-dessous, répondit-elle, les dents serrées par la concentration. Quelque chose qu'on a confié à notre ami l'épouvantail... il y a très longtemps.

Elle termina son cercle et s'agenouilla pour prendre une poignée de neige poudreuse qu'elle laissa filer entre ses doigts. Je me rappelai ses spéculations.

— Qu'est-ce que c'est ? demandai-je.

— Je l'ignore ; des objets. *Arcana*. Mais il y a une signature, pas de doute.

Elle s'interrompit pendant que je battais du pied dans la neige et me regarda.

— Tu sais quel genre de son émet un pulsar, Rachel ? Une sorte de crachotement statique... venant de l'autre bout de l'univers. Voilà comment on peut le définir.

Étrange : ses bribes de savoir cosmique me dérangeaient toujours plus que ses histoires d'astrologie. Là où d'autres se fiaient encore aux signes du zodiaque, elle était déjà au-delà ; bien plus loin.

Peut-être avait-elle vraiment entendu les pulsars, ces spectres invisibles à l'autre bout de l'éternité...

— Si j'étais toi, fit-elle, je reculerais.

Je repris mes esprits et obtempérai.

Razoxane brandit sa pelle comme un bâton de sorcier et cracha un mot, un seul. Le socle en T s'embrasa immédiatement.

Je fis un pas en arrière. La chaleur vint caresser mes joues glacées. Les flammes s'étendirent sur la croix ; leur lumière jaune teinta la neige. Le sol se mit à bouillonner.

Razoxane restait impassible ; le feu se reflétait sur les verres de ses lunettes noires. Je regardai la ville : quelqu'un remarquerait certainement l'incendie... mais un instant plus tard, les flammes s'éteignirent comme une chandelle qu'on souffle, ne laissant qu'un nuage de fumée grasse. Au-dessous, à l'intérieur du cercle, la terre était molle et détrempée. Razoxane saisit les deux branches de la croix et la tira ; puis elle ramassa sa pelle et se remit à creuser.

Voulais-je vraiment voir ce qu'elle allait déterrer ? La façon dont elle avait extrait le poteau de son fourreau de terre me faisait penser... à un pieu qu'on arrache du cœur d'un vampire.

Je regardai le cadavre brûlé. Sa propre chaleur l'avait laissé comme incrusté dans le sol. Une chute de neige pourrait même le recouvrir. Puis je me tournai vers le cheval. Celui-là n'avait guère de chances de passer inaperçu. Je revins à son cavalier...

— Tu commences à me rendre nerveuse, Rachel, dit sèchement Razoxane.

— Désolée. Je... m'attends toujours à le voir bouger...

— Regarde-le ! Tu crois vraiment qu'il va se relever ?

— Mais il était déjà mort lorsqu'il m'a attaquée, non ?

— C'est vrai ; mais maintenant, il est fini pour de bon. Un *Deus ex machina*, si l'on veut. Et peut-être qu'au bout d'un moment, il finira par trouver la paix...

Elle haussa les épaules et replongea sa pelle dans le sol. Je me demandai ce qu'en penserait la police. Un cheval aux yeux crevés, abattu d'une balle. Des reliques de la guerre civile. Et des restes humains qui feraient le désespoir de n'importe quel légiste...

— Il y a quelque chose, dit-elle.

Je restai à bonne distance pendant qu'elle plongeait ses mains dans le trou qu'elle avait creusé. Entre-temps, je me retournai et scrutai les champs alentour... mais nous étions toujours seules. Rien, sinon un ciel gris et une blancheur spectrale.

Lorsque je revins à Razoxane, elle examinait ce qui ressemblait à un morceau de tissu. Ce n'est qu'en la voyant murmurer que je réalisai qu'il s'agissait d'un morceau de papier ; une page tirée d'un livre en décomposition.

— Il n'y a pas que ça..., fit-elle en tentant de lire ce qui était écrit. Tout un volume... mais bien décrépit. Comme si on l'avait oublié là-dedans. Enterré à jamais...

Sa voix avait pris une drôle d'intonation ; une sorte de perplexité. Une *question*.

— Celui qui l'a fait avait peut-être de bonnes raisons pour cela, suggérai-je.

La page se désintégra soudain. Elle essuya ses gants tout en regardant le trou dans le sol.

— C'était un livre de *sagesse*. Et ces pages crépitent toujours de puissance. Mais maintenant, elle est trop diffuse. Dispersée. Gâchée...

Elle fronçait les sourcils, l'air presque offensé.

— Est-ce de là que vient le *Livre des Martyrs*? tentai-je.

Elle jeta un regard pensif vers son étui et secoua la tête.

— Non, je ne pense pas. Mais d'un endroit fort semblable.

Elle se redressa.

— Viens.

— Où ça? fis-je, alarmée.

— Il y a certainement autre chose; une sorte de sceau. Celui qui a enterré ce volume... voulait que ce soit pour l'éternité.

Elle reboucha le trou, puis rangea la pelle dans son étui.

— D'après moi, quelqu'un d'autre l'a découvert. Peut-être était-ce un quidam qui labourait ce champ. À première vue, l'objet n'avait rien d'anormal; ce n'était qu'une relique à mettre sur la cheminée...

Je la regardai sans oser comprendre.

— Un fermier? Celui qui vit au bout du chemin?

Elle hocha la tête.

— Il vient peut-être de le trouver. Ou elle est dans la famille depuis plusieurs générations...

— Excuse-moi, mais tu parles bien de ce brave type dont tu as failli couper le nez pas plus tard qu'hier?

Mon ton sarcastique la fit sourire.

— Probablement.

— Alors... on va frapper à sa porte comme si de rien n'était? « Bonjour, vous vous souvenez de nous? Nous sommes envoyées par la *Gazette des antiquaires...* »

— Rachel...

— Oui?

— Et si tu la fermais rien qu'une minute?

Je détournai les yeux. Son ton était glacial, mais j'étais trop en colère pour m'en soucier. Et pourtant, je me souvenais de son accès de folie meurtrière. Lorsqu'elle reprit la parole, sa voix avait retrouvé cet humour sarcastique qui lui était propre.

— Je suis sûre que nous pourrons trouver une bonne

excuse. En attendant, nous pouvons toujours fouiner dans le coin.

Elle prit son étui noir et se tourna vers moi.

— Allons-y.

Alors que nous descendions la colline, la corneille s'approcha de nous comme un fantôme se confondant avec la neige.

L'esprit familier vint se poser sur le poing tendu de Razoxane. Elle le regarda avec un sourire vaguement indulgent.

— Quoi de neuf, agent secret ? demanda-t-elle.

Il émit un croassement ; mais peut-être communiquaient-ils par le regard. Razoxane prit une expression pensive, puis se tourna vers moi.

— Elle dit que la maison est vide.

Je fronçai les sourcils.

— Comment... si tôt ?

Je levai le poignet – et réalisai que j'avais laissé ma montre sur la table de nuit. Ruth la découvrirait en même temps que la chemise de nuit froissée et le lit défait. Mon Dieu, comme elle devait s'inquiéter !...

— Le message est clair, fit Razoxane en lançant son oiseau en l'air. Ouvre l'œil, et le bon, lui dit-elle.

Il s'éleva en faisant claquer ses ailes.

Dans le silence qui s'ensuivit, j'entendis les cris des corbeaux résonner dans les champs. Le toit de la ferme et les arbres qui l'entouraient étaient désormais en vue. Les branches nues étaient parsemées de nids comme des ombres menaçantes sur une radio des poumons.

Razoxane continua son chemin ; je la suivis à contrecœur. Quelques minutes plus tard, nous atteignions le sommet de la colline : la ferme s'étendait en contrebas.

La maison aux murs de pierre était plutôt grande ; les ardoises du toit étaient partiellement couvertes de givre, tel le glaçage d'un gâteau. Elle était flanquée par d'autres bâtiments plus petits. Quant à la cour centrale, elle était déserte ; par endroits, la neige était remuée et salie. Quelqu'un était passé par là.

Les rideaux étaient tirés à certaines fenêtres. Aucune

n'était éclairée, en tout cas. Alors que je regardais ce décor immobile, un spasme d'appréhension me tordit l'estomac.

Les corbeaux vaquaient à leurs occupations dans le lointain, mais les bâtiments devant nous étaient silencieux, comme désertés depuis des semaines. Même les étables semblaient vides. Le nez d'un tracteur pointait derrière un garage, à côté d'un chariot empli de fourrage. L'endroit semblait abandonné. À la hâte.

J'expirai longuement et regardai Razoxane.

— Qu'en dis-tu?

— Quelque chose est passé par là.

— Et c'est reparti?

Elle tira son compas, l'ouvrit et étudia le pentagramme.

— Il y a quelques traces de grain, bien atténuées..., murmura-t-elle au bout d'un moment. Mais je ne reçois rien.

Elle lâcha l'objet qui rebondit au bout de sa chaîne pour retomber dans sa main comme un Yo-yo. En se refermant, le couvercle émit un clic évoquant des os qu'on brise. Puis, comme je le redoutais, elle sourit et hocha la tête.

— Allons donc jeter un coup d'œil.

Nous descendîmes la pente enneigée sous le regard aveugle des fenêtres. Une fois en bas, j'attendis, alors qu'elle s'aventurait au centre de la cour; puis elle se retourna pour regarder le chemin que nous venions de parcourir. Je remarquai qu'elle avait déboutonné son manteau. Sa main droite pendait à ses côtés.

Le croassement des corbeaux hantait toujours la brise. Maintenant, les oiseaux s'étaient perchés sur les arbres et nous regardaient. Et si quelque chose les avait dérangés une ou deux minutes plus tôt?

Razoxane me fit signe d'avancer vers la maison.

La porte n'était fermée que par un simple loquet. Elle l'ouvrit et attendit que je la rejoigne. Je jetai un dernier coup d'œil à la cour déserte... à la colline... puis la suivis dans la maison.

L'intérieur était tout aussi glacial que le dehors; ma respiration formait toujours un nuage de condensation. Les murs blancs semblaient exsuder la froideur. Il ne manquait plus que l'odeur de désinfectant pour que je me croie dans une morgue.

Dans le vestibule, je tombai sur un jouet ; un téléphone monté sur roues. Je serrai les dents, l'évitai et suivis Razoxane.

Dans la première salle que nous examinâmes, il y avait une cheminée mais, à part quelques fragments de bois calciné, l'âtre ne contenait que des cendres. Les photos encadrées sur le foyer étaient presque ironiques : de la couleur, mais pas de chaleur. Il y avait un arbre de Noël dans le coin de la pièce, entouré de fragments de papier cadeau...

Razoxane passa dans le vestibule et se dirigea vers la cuisine. Là, la table était dressée pour deux personnes. Il y avait encore de la nourriture, désormais froide, dans les assiettes et une casserole sur la cuisinière.

Ce spectacle ne fit que renforcer mon sentiment de désolation. Je pensai à la *Marie céleste*. Sauf que ce navire fantôme ne se trouvait que dans les livres d'histoire et que ceci était bien réel – sous mes yeux, ici et maintenant...

Razoxane posa son fardeau sur la table de cuisine et défit les fermetures. Mais elle ne l'ouvrit pas ; elle se contenta de lever les yeux d'un air pensif.

— Mon Dieu, que s'est-il passé ? chuchotai-je, éveillant mille échos dans le silence.

— Allons jeter un coup d'œil au premier, répondit-elle sur le même ton.

Elle tira son automatique de sous son manteau et le caressa de son pouce. Il y eut un déclic.

Je la laissai prendre la tête. La cage d'escalier était bien étroite ; à mi-chemin, les marches tournaient en angle droit, restreignant notre champ de vision. Razoxane leva son arme avant de s'y aventurer, puis se détendit légèrement et continua d'avancer. Je la suivis en maudissant le moindre craquement du bois.

Au bout du couloir, il y avait une chambre d'enfant ; un écriteau sur la porte annonçait « Chez Lee ». Razoxane l'ouvrit lentement ; mon anxiété était telle que j'en étais physiquement malade.

Elle se retira et secoua la tête. Devais-je me sentir soulagée ? Mystère.

Nous continuâmes notre inspection, négligeant la salle de bains déserte pour passer à ce qui devait être une autre chambre. Mon cœur se serra de nouveau lorsque Razoxane posa la main sur la poignée et poussa la porte...

Un courant d'air nous glaça immédiatement, caressant ma cheville comme un chien invisible. Je fis un pas en arrière. La pièce dégageait un froid assez vif pour me piquer les joues. Je jetai un coup d'œil par-dessus l'épaule de Razoxane et constatai qu'on avait laissé la fenêtre ouverte.

Lorsque Razoxane fit un pas en avant, je vis qu'un grand lit de bois à deux places occupait presque toute la pièce ; le couvre-lit gisait par terre. Sur le matelas reposait une forme indistincte recouverte d'un drap.

Je pensai immédiatement à un cadavre sur un lit d'hôpital, attendant l'arrivée des assistants qui l'emmèneraient à la morgue.

Razoxane s'avança prudemment et tendit la main vers l'un des coins du drap, son pistolet contre sa hanche, prête à tirer. Il s'écoula une seconde d'angoisse silencieuse, le temps qu'elle raffermisse sa prise sur le coton blanc, doigt par doigt – puis elle tira d'un geste sec comme un magicien dévoilant son tour.

La chose sur le lit ressemblait à un morceau de bois brûlé... puis je réalisai que *c'était* un morceau de bois brûlé. Une sorte de statue. J'ouvris de grands yeux.

— Qu'est-ce que tu dis de ça ? demanda-t-elle.

Je fis un pas en avant et fixai la forme carbonisée contrastant avec le drap immaculé sur lequel elle reposait – comme une victime de combustion spontanée. C'était bien une statue d'un mètre trente environ. Le bois était si craquelé qu'il était difficile de distinguer les détails. Mais, au bout d'un instant, une image s'imposa à mon esprit et j'étouffai un gémissement.

Cette statue avait représenté la Vierge Marie et l'Enfant Jésus. On l'avait volée dans une église quelconque, puis brûlée... et abandonnée sur ce lit. Comme un message. Comme si quelqu'un s'attendait que nous venions ici...

J'avalai ma salive et regardai Razoxane. De toute évidence, elle était parvenue à la même conclusion...

Une mère et un enfant, brûlés tous les deux. Je me rappelai ces terribles récits sur les bombardements et les victimes de la tempête de flammes. Là, l'enfant semblait comme fondu dans le sein de sa mère. Un instant, je l'imaginai en train de hurler – et dut me cramponner au lit pour ne pas perdre l'équilibre.

La mère et l'enfant. *Brûlés*.

— Chris..., chuchotai-je.

— Peut-être, répondit Razoxane.

Même si les *Ironsides* étaient les vrais coupables, le message était le même – et il m'était destiné. À moi et à Cathy. La comparaison était impitoyable. *La Vierge Marie aussi était veuve.*

Razoxane rangea son pistolet et tira le compas. Elle le tapota contre l'appui de la fenêtre comme pour s'assurer qu'il fonctionnait, puis l'ouvrit et l'y posa.

— Ainsi, il... ou ils... sont venus la nuit dernière ? demandai-je.

— Probablement. La famille a dû s'enfuir. La Land-Rover n'est pas au garage.

Elle eut un mince sourire.

— Il faut qu'ils aient eu une frousse de tous les diables pour ne pas avoir averti la police... et n'être toujours pas revenus. Peut-être courent-ils encore...

Une idée émergea dans mon esprit encore embrumé. Comment n'y avais-je pas pensé plus tôt ? Je me relevai si vite que mon estomac faillit déborder.

— Mais s'il... m'a laissé ce message... il est peut-être encore dans les parages ?

— J'en doute, répondit-elle calmement. Vedova aurait senti sa présence. De toute façon, il ne pouvait pas savoir que tu viendrais. Peut-être est-ce un rituel plus qu'un message...

Je soupirai ; mes épaules s'affaissèrent.

— Et les *Ironsides* ?

Elle regarda le compas et secoua la tête.

— Toujours rien. Mais je pense qu'ils sont passés par ici.

— Pourquoi ?

— Pour la même raison que nous : pour chercher des informations.

Je regardai la statue et tentai de faire le point. Des grimoires de magie gisaient enterrés dans un champ en Angleterre. Quelque chose était venu du passé pour les reprendre et, au passage, avait investi cette demeure. Quels autres secrets pouvaient bien dormir sous la neige ? Combien de tombes oubliées...

— Nous arrivons trop tard, alors ? fis-je, pleine d'espoir.

En ce cas, nous n'avions plus qu'à quitter cet endroit.

— Probablement, mais autant jeter un coup d'œil.

J'ouvrais la bouche pour protester, mais quelque chose m'arrêta. Un frisson descendit le long de mon échine alors que la vérité m'apparaissait.

— Razoxane..., chuchotai-je.

— Oui ?

— Les corbeaux... ils se sont tus.

Le silence qui s'abattit sur nous était aussi pur que la neige – et aussi glacial. Au bout d'un instant, je perçus un long gémissement étouffé qui me donna la chair de poule. Puis je compris que c'était le vent qui s'engouffrait dans la cheminée.

Lors de ma première rencontre avec un *Ironside*, dans les bois près de l'hospice, les corbeaux s'étaient enfuis. Nous laissant seule à seul.

Razoxane tira son automatique, la tête penchée, comme si elle tendait l'oreille. Je déglutis et regardai en direction de la fenêtre.

L'aiguille du compas s'était mise en mouvement. Lentement, mais sûrement.

— Oh mon Dieu, regarde...

— Je sais.

— C'est... le fermier qui revient ?

Ou bien Chris ? pensai-je.

Elle secoua lentement la tête.

— Cet appareil n'est pas calibré pour les vivants.

Je regardai par la fenêtre, mais n'osai pas m'en approcher. Je ne voyais qu'un pan de la cour et la colline que nous avions descendue. À part nos traces de pas, la neige restait immaculée.

— Il faut qu'on puisse disposer d'un meilleur angle de vision, dit Razoxane. Viens.

Je me chargeai de la salle de bains, mais le verre de la fenêtre était couvert de givre opaque. Je pensai à l'ouvrir : le chambranle de bois avait l'air bloqué et, en le forçant, je risquais de faire trop de bruit. Dieu sait ce que je pourrais attirer.

Je soupirai et allai rejoindre Razoxane. Elle sortait de la chambre d'enfant.

— Ils sont par là, dit-elle. Hors de vue...

— Quelle est la portée de ton compas ?

— Des kilomètres et des *millénaires*. Mais ce qu'il enregistre se situe dans un rayon de cent mètres...

— Alors, que fait-on ?

L'atmosphère de la maison se faisait de plus en plus oppressante, comme si elle se refermait sur nous.

— On descend, fit-elle.

La porte de devant était toujours entrouverte ; Razoxane traversa le vestibule pour aller la refermer. Elle tira les verrous corrodés et se tourna vers moi.

— Je vais jeter un coup d'œil à l'arrière. Ne bouge pas d'ici.

Que répondre ? Je n'avais aucune envie de rester seule, mais ne tenais pas davantage à me risquer dehors.

— Tu ne sais pas combien ils sont ?

— Trois, peut-être. Autant dire deux de trop, ajouta-t-elle avec un sourire.

— Tu peux parler ! rétorquai-je. Ils ne risquent pas de te tuer, *toi* !

Son sourire se fana.

— Tu crois vraiment ? fit-elle – avant de partir vers l'arrière de la maison.

Je me tournai vers la porte close. Elle était faite de chêne bardé de fer : ils ne l'enfonceraient pas si facilement. Bizarrement, cette idée ne me rassura guère. Au contraire, je me sentais prise au piège. Dieu sait ce qui pouvait rôder dans la cour, derrière ce panneau de bois, hors de ma vue. Je passai dans la cuisine et allai regarder par la fenêtre. Rien – que de la neige et du silence. Les arbres dénudés, brouillés par le givre, ondulaient à peine sous le vent. Impossible de dire si les corbeaux avaient rejoint leurs nids ou s'ils restaient là, immobiles. À attendre.

Je me retrouvai face à l'étui à guitare de Razoxane, posé sur la table au milieu des reliefs de repas. Il avait l'air sinistre. Comme un cercueil.

Je le contournai et retournai dans le vestibule. Pas un bruit à l'arrière de la maison. Je regardai l'escalier étroit, puis passai dans le salon. C'est alors que quelqu'un surgit par-derrière pour s'emparer de moi.

Une main se posa sur ma bouche, étouffant mon cri. Je me débattis, en vain ; mes talons raclèrent le tapis. Il m'attira dans un coin de la pièce. Puis une silhouette entra dans mon champ de vision – et je me figeai.

Ses yeux brillaient d'une faim animale. Sa mâchoire barbue était crispée. Il tenait une batte de base-ball dans ses mains gantées.

Le chef des terreurs locales avait décidé qu'on ne jouait plus.

Je poussai un gémissement étouffé.

— Ta gueule ! siffla mon ravisseur à mon oreille.

— Salut, pétasse gauchiste, fit calmement le barbu, juste avant de m'envoyer sa batte dans l'estomac.

Il n'y avait pas mis toutes ses forces, mais cela faisait mal. Je voulus me casser en deux pour vomir, mais l'autre me maintenait fermement. Je ne pus que fermer les yeux pour maîtriser mon estomac.

Lorsque la douleur reflua, je rouvris les paupières. Il se tenait tout près de moi. Malgré son calme apparent, son visage était exsangue de rage contenue.

— Tu sais ce qu'a fait ton salopard de mec ? chuchota-t-il. Il a jeté une bombe sur deux de nos potes. Il t'a tout raconté, pas vrai ? Et tu vas me dire où on peut le trouver.

Oh, j'espère que vous allez vous rencontrer, pensai-je. *Vous êtes faits l'un pour l'autre.*

Il ouvrit ma cape de la pointe de sa batte, puis secoua la tête d'un air dégoûté.

— Parce que tu te crois infirmière ? marmonna-t-il.

Je t'en prie, Razoxane ! hurlai-je intérieurement. *Où es-tu ?* Mais elle devait toujours être à l'arrière. Ces deux-là étaient des créatures de chair et de sang, et non de fer et de pourriture. Le compas les avait ignorés.

— Tu sais comment on a fait pour te trouver ? siffla la brute. Le type qui habite ici nous a passé un coup de fil. Il nous connaissait, vu qu'on lui avait promis de s'occuper des hippies qui entrent sur ses terres. Les flics ne font rien.

Il me souleva le menton avec sa batte.

— Mais hier, on a agressé ce pauvre bougre... et l'une des salopes qui ont fait ça portait une cape d'infirmière. Comme la tienne. Ce matin, il m'a appelé depuis la maison de son frangin, à Farnham... pour dire qu'il ne reviendrait que quand on aurait nettoyé le secteur. Ta copine et toi lui avez vraiment flanqué la frousse, tu sais ? Et à sa femme et son gamin...

Il expira par le nez comme pour libérer la tension qui l'habitait, puis hocha la tête en direction de son pote.

— Bon, laissons-la couiner un peu. Mais si elle essaie d'appeler, tu lui brises la nuque, d'accord ?

L'autre retira sa main. Je faillis étouffer lorsque ses doigts se posèrent sur ma gorge.

— Allons, l'infirmière. Ta copine est là derrière... mais qui y a-t-il d'autre ?

— Personne, coassai-je. Juste nous deux...

— Et où est ton chéri aux cheveux longs ?

— Sais pas... n'importe où...

Il me regarda un bon moment, puis fit un pas en arrière.

— Je vais jeter un coup d'œil au premier... puis je reviendrai pour te poser la même question. Et gare à toi si tu ne réponds pas.

Il regarda son complice :

— Lorsque l'autre reviendra, empare-toi d'elle. Tony a dit que c'était une dure, alors ne la rate pas. Casse-lui un bras. Comme ça, on pourra l'interroger, elle aussi.

Et il s'en alla. Les marches craquèrent, marquant son ascension. Mon ravisseur desserra sa prise et me laissa respirer – pour me prendre par le col de la cape.

— Viens, finissons-en.

Enfin, je pus le voir. Son visage était dur, ses cheveux clairs. Il portait un blouson de cuir, des gants et un bonnet au bord roulé – qui, dans mon esprit, devint un masque de ski avec des trous pour les yeux et la bouche. Ces types n'étaient pas des amateurs. On aurait dit un bataillon paramilitaire.

— On va te donner une bonne leçon, fillette, promit-il en m'entraînant vers la porte. Cette pauvre bête là-dehors... vous êtes pires que des animaux.

— Quelle bête ? fis-je, soudain intriguée.

— Le cheval, bien sûr... là-dehors, dans le froid. Lequel de tes amis lui a crevé les yeux ?

Une onde glacée m'envahit. J'essayai de me dégager, mais il me saisit par le col. Nous partîmes vers la cuisine, si vite que je faillis tomber. Il jeta un coup d'œil à l'arrière de la maison, mais Razoxane n'était pas là.

Il me traîna vers la table, là où gisait l'étui à guitare, tout en essayant de maîtriser sa colère.

— On a déjà à faire avec les clodos et les rôdeurs... mais c'est les gens comme vous qu'il faut balayer. Ceux qui prennent leur pied à faire des choses comme *ça*... sale garce.

Soudain, il se retourna pour regarder derrière lui.

— Trop aimable, fit Razoxane en abattant sa pelle.

Je m'adossai à la cheminée pendant qu'elle l'achevait, brutalement et en silence. Elle posa le pied sur la lame qui comprimait sa gorge. Il se mit à gargouiller lamentablement ; un jet de sang aspergea la pierre.

Je posai mon poing sur mes lèvres et détournai les yeux.

Razoxane s'essuya machinalement la bouche en regardant le cadavre. Puis elle posa la pelle sur la table et ouvrit l'étui. Un lac écarlate s'étendait lentement en direction des pieds de la table.

Razoxane sortit la Poudrière du Diable et retira le linge qui l'enveloppait. Le canon luisait faiblement sous la clarté morbide. Du pouce, elle releva le chien.

— *Les* Ironsides *sont là*, sifflai-je d'une voix teintée d'hystérie.

— Je sais, répondit-elle, avec un calme olympien.

Une latte de plancher craqua au premier étage. La chambre du gosse. L'autre avait commencé par là, lui aussi.

Puis il y eut d'autres bruits d'une autre provenance, mais toujours à l'étage. Je fixai le plafond ; pas de doute, on avait déplacé quelque chose.

— Oh, merde, chuchotai-je entre mes doigts.

La brute marcha sur une planche. Puis il y eut un bruit de pas différent juste au-dessus de nous – là où le vigile était passé un instant auparavant. *Quelqu'un* le suivait. Je pensai à un arachnide fait de métal et de haillons, prêt à s'emparer de sa proie...

Le plafond s'étendait comme un mur blanc. Je m'attendais presque à le voir frémir ou se courber. Mais le seul mouvement était celui des toiles d'araignées qu'agitait la brise.

La créature devait être montée sur le toit d'un des autres bâtiments et, de là, avait dû passer par une fenêtre pour entrer dans la maison. Nous étions coincées en compagnie d'une chose morte en mal de vengeance...

Les planches émirent un nouveau craquement.

Razoxane leva la Poudrière, visant le plafond, et tira. La détonation fracassa mes tympans. Un nuage de fumée et de plâtre mélangés envahit la pièce ; le plafond se fit gruyère. Malgré mes oreilles tourmentées, j'entendis un cri et le bruit d'un corps qui s'effondre.

— Eh bien, il a eu ce qu'il méritait, fit sèchement Razoxane.

Le nuage se referma sur nous ; j'avais l'impression d'être tabassée, enterrée et brûlée en même temps. C'était plus que je ne pouvais en supporter : je m'enfuis vers la porte. Razoxane me cria quelque chose alors que je tirais les verrous. La porte s'ouvrit, laissant entrer un courant d'air glacial. J'inspirai profondément et me précipitai sur le seuil.

L'*Ironside* qui attendait dans la cour réagit en un instant qui me parut une éternité. J'enregistrai tous les détails : le chapeau à large bord, le masque de tissu, le manteau de cuir. Et surtout, le gros fusil qu'il braqua droit sur moi.

Puis il disparut derrière un nuage gras et gris qui roula sur la neige sale ; le toussotement de la décharge se répercuta dans la cour. Je serrai les dents, attendant la morsure de la balle – puis eus un hoquet de terreur lorsque la fumée se métamorphosa en flammes.

Les volutes embrasées roulaient dans ma direction ; leur chaleur me cuisait les joues. Je me jetai en arrière dans le vestibule en me protégeant le visage des mains. Le nuage se consuma alors que j'atteignais l'entrée ; sa clarté jaune vira à l'orange terne, puis redevint fumée – un relent âcre, toxique, qui manqua de m'asphyxier.

Razoxane alla refermer la porte, puis m'entraîna dans la cuisine. Je n'opposai aucune résistance. J'avais l'impression de cracher mes poumons.

— Je t'avais dit de ne pas sortir, fit-elle, exaspérée.

— Oh, mon Dieu... il a un lance-flammes...

— Un hurlefeu.

— Quoi ?

— Un hurlefeu. Un instrument de répression. Il projette un nuage de gaz inflammables et y met le feu. Plutôt ingénieux pour une arme datant du XVIIe siècle...

Je la regardai, incrédule.

— Je ne savais pas...

— Peu de gens sont au courant de leur existence. C'était les Armes du Diable, tout comme la *Machina* et la Poudrière ici présente...

— Tu parlais de répression... contre les sorcières ?

— Oui. Le feu par le feu.

— Et tu en connais un rayon là-dessus, pas vrai ? marmonnai-je.

Ignorant ma pique, elle alla à la fenêtre, son automatique en main. Des bribes de fumée dérivaient à l'extérieur, obscurcissant la pièce.

— Il est parti, murmura-t-elle. Il a changé de position...

L'étage était silencieux. Je me demandai où était passé mon ami le justicier. Il s'était probablement enfermé dans la chambre du gamin, terrifié par la tournure des événements. *À son tour d'en baver*, me dis-je avec un faible sourire empreint d'amertume.

Quelque chose de lourd se jeta contre la porte de derrière. Mon sourire se fana.

— Ne t'en fais pas : elle est fermée à double tour, dit Razoxane en jetant un coup d'œil en arrière.

Ce qui ne me rassura guère. Un nouvel impact secoua la maison. Quelque chose de sinistre cherchait à entrer. J'imaginai la crosse d'un antique mousquet heurtant la porte avec assez de force pour la déloger de ses gonds.

Même Razoxane n'était plus si sûre d'elle. Elle alla jeter un coup d'œil dans le hall pendant que les coups pleuvaient avec régularité. Je crus entendre un craquement.

La fenêtre de la cuisine vola en éclats.

Je me retournai pour voir un canon de fusil passer par l'ouverture. Il cracha un nuage spectral qui emplit la pièce en quelques secondes. Un instant avant qu'il ne s'embrase, je bondis et poussai Razoxane; nous déboulâmes dans le vestibule alors que la cuisine se transformait en fournaise. Un relent de peinture et de bois brûlé monta à mes narines.

Puis les gaz s'éteignirent. Razoxane alla récupérer l'étui, que des flammes léchaient déjà; mais elle réussit à le sortir sans se brûler. Cet effort l'avait vidée de ses forces : elle resta un moment adossée au mur, à tousser pour évacuer les vapeurs toxiques de ses poumons.

Puis ce fut la fenêtre du salon qui se brisa.

Elle se tourna vers moi, blanche comme un linge sous la suie qui maculait son visage.

— Hors de mon chemin ! siffla-t-elle. Monte à l'étage !

J'obtempérai, tentant de prendre de vitesse le nuage de fumée. Derrière moi, la porte de devant s'ouvrit, libérant un courant d'air glacé. Razoxane venait de sortir de la maison.

Je m'arrêtai à mi-chemin et me retournai, mais le vestibule était plongé dans l'obscurité. J'étais seule, abandonnée dans cet endroit maudit; je me mis à sangloter, mais continuai mon chemin. Il n'y avait rien d'autre à faire.

Une brume âcre envahissait déjà le palier. La porte de la chambre d'enfant était fermée, ce qui me convenait parfaitement. Je me pressai vers la porte de la pièce principale. Entrouverte, comme nous l'avions laissée. Je me figeai soudain.

L'*Ironside* était passé par là. Razoxane lui avait tiré dessus à travers le plancher. L'avait-elle détruit ? Pouvait-on tuer une chose pareille ?

Le cadavre n'avait pas pris feu. Un nuage de fumée dérivait dans la pièce, mais il devait provenir de la cuisine en contrebas. De ma position, je pouvais distinguer une portion de parquet. Pas de corps en vue.

Je restai là, indécise, puis battis en retraite, pas à pas. Je passais devant la porte de la salle de bains lorsque l'*Ironside* me sauta dessus.

Je le repérai du coin de l'œil et m'écartai de son chemin. Il alla s'écraser contre le mur d'en face – me coupant l'accès à l'escalier. Je perdis l'équilibre, et nous nous écroulâmes tous les deux. Sa tête casquée se tourna vers moi. Derrière les barreaux, son visage était recouvert d'une écharpe avec juste une fente pour les yeux. Son odeur monta à mes narines, un relent de tissu pourri – et un autre que j'avais respiré une fois aux urgences et n'avais jamais oublié. Le fumet atroce de la chair à demi carbonisée...

Sa main gantée de métal jaillit pour se refermer sur ma cheville. Je criai et me dégageai d'un coup de pied. Il se traîna à ma suite ; la décharge de Razoxane l'avait handicapé, mais il n'était pas mort, loin de là. Je ramenai mes jambes sous moi et me relevai. Il lutta pour faire de même. Je battis en retraite dans la chambre.

L'air devenait chaud et rance. Les fenêtres ouvertes ne suffisaient pas à évacuer la fumée qui s'élevait des parquets déchiquetés comme la brume d'un marécage. Une planche protesta bruyamment sous mon poids ; épouvantée, j'allai m'adosser au mur. Un regard en arrière : l'*Ironside* s'encadrait dans l'entrée.

J'étais prise au piège. Nous le savions tous les deux.

La fumée qui entourait le lit me fit tousser. Je le regardai venir. Il portait une épée à sa ceinture, mais ne fit pas mine de la tirer. Il se contenta d'étendre les bras. Mon regard paniqué passa sur le lit.

Sainte Marie.

C'était une prière, une supplique désespérée – et j'eus un éclair d'inspiration. Je me mordis la lèvre et me détachai du mur afin que le lit s'interpose entre nous. Un étrange calme s'empara de moi. Je m'immobilisai et attendis.

Il me parla d'une voix rauque, rendue inintelligible par son écharpe. Mais j'étais si tendue que je compris tout et identifiai une note de jubilation.

— Tu finiras brûlée et enterrée, putain papiste... et qui prieras pour *toi* ?

Sur quoi, dans un grand craquement, le plancher ravagé céda sous ses pas, et il plongea tout droit dans la fournaise qu'était la cuisine.

— Pas toi, mon pote, dis-je.

Une bouffée de chaleur s'éleva et me fit reculer. J'entrevis la pièce en contrebas, véritable vortex de flammes. Puis les bords du trou noircirent ; le tapis en lambeaux prit feu. Soudain, la chambre s'emplit de fumée.

J'allai à la fenêtre et me penchai à l'extérieur pour me vider les poumons. L'air froid gifla mon visage recuit.

Razoxane était là, dans la cour, et levait les yeux vers moi ; la Poudrière était prête à cracher le feu. Tout autour d'elle, la neige était constellée d'empreintes de pas. Pas trace du deuxième *Ironside*.

Où est-il passé ? disait clairement son expression.

— Je n'en sais rien ! lui criai-je.

La chaleur commençait à me brûler le dos. Je scrutai la neige, un étage plus bas. Elle n'avait pas l'air assez épaisse pour amortir ma chute. L'idée de sauter me mettait les nerfs à vif.

Je levai de nouveau les yeux, et entrevis un mouvement sur ma gauche. Une silhouette grise, spectrale, se découpait dans l'ombre du garage.

— Là ! lançai-je.

Razoxane virevolta et ouvrit le feu : son fusil cracha une flamme orangée qui éclata comme une bulle de savon. Le tracteur vola en éclats.

Une balle devait avoir touché le réservoir d'essence. Cette arme était si maléfique qu'il n'était peut-être pas nécessaire d'atteindre la cible. Les anciens avaient raison : c'était bien l'œuvre du Diable.

Un nuage d'essence embrasée dévora le garage, passant du jaune au rouge pour ne laisser qu'une fumée noire. Des débris surchauffés jonchèrent la cour et grésillèrent dans la neige.

Un casque noirci rebondit sur le sol et s'immobilisa en fumant.

Je ne pouvais plus attendre. Ma cape ne tarderait pas à prendre feu. J'inspirai profondément, couvris ma bouche et mon nez avec le col et me retournai.

L'air était lourd et glauque. Je rampai contre le mur – dont le papier pelait déjà – en direction de la porte. Mes yeux me piquaient tant que j'avais du mal à les garder ouverts ; mais au bout d'une étouffante éternité, je distinguai une tache de pâleur. Je plongeai dans le couloir (merci, mon Dieu) pour me diriger vers l'escalier. Une fois sur le palier, je regardai par la fenêtre pour voir ce qui se passait là-dehors.

La première chose que je vis fut l'*Ironside* qui m'avait

tiré dessus. Maintenant, il se tenait sur le toit d'un des bâtiments – et Razoxane était juste sous lui, à sa portée. Avant que j'aie pu l'avertir, il déchargea son hurlefeu.

Elle sentit venir le nuage, virevolta et plongea de côté alors que le gaz s'embrasait, faisant fondre un rectangle de neige. Mais les flammes se contentèrent de lécher ses talons. Elle roula dans la neige, se releva, puis lâcha la Poudrière vide pour prendre son automatique.

Elle se dirigea vers l'*Ironside* tout en tirant plus vite que je ne l'aurais cru possible avec une arme aussi ancienne. À chaque impact, la créature tressaillait ; puis elle partit en avant pour s'abattre sur les sacs de fourrage en contrebas. Ceux-ci s'embrasèrent, et une boule de feu enveloppa la carriole.

Je m'écartai de la fenêtre comme si quelqu'un m'avait poussée ; puis je me tournai vers l'escalier.

Un visage furieux et terrifié me faisait face.

Avant que j'aie pu réagir, le vigile barbu avait passé son bras autour de mon cou et m'avait immobilisée. Je tentai de le frapper, mais il me décocha un coup de poing dans les reins. J'émis un gémissement de douleur.

— On s'en va, feula-t-il à mon oreille. D'accord ?

Je n'allais pas discuter. Il me fit descendre l'escalier, jusqu'au vestibule enfumé. La porte de la cuisine était close et noircissait à vue d'œil ; l'odeur de bois brûlé était étouffante.

Razoxane l'attendait sur le seuil – un épouvantail sombre se découpant sur la neige. Elle poussa un cri de triomphe ; le vigile hurla lui aussi, mais de terreur pure. Il recula tandis qu'elle avançait et que résonnait cette stridence irréelle chargée de fureur. Lorsqu'elle passa devant moi, mon instinct me fit réagir : je me jetai sur elle, immobilisai ses bras et la collai contre le mur. Un spasme la traversa comme une nausée – ou un orgasme. Un crachat ectoplasmique frappa le papier peint.

— *Va-t'en !* criai-je à l'homme stupéfait. Cours !

Il resta un instant immobile avant de se décider, puis partit dans la cour en glissant à moitié sur la neige. Lorsqu'il eut disparu de ma vue, je réalisai enfin que je me cramponnais toujours aux épaules osseuses de Razoxane. Je la relâchai et sortis à mon tour dans le froid impitoyable.

Ce ne fut qu'une fois au milieu de la cour que je m'arrêtai pour respirer. Mon cœur ralentit peu à peu son allure. Je fixai la neige... puis le ciel bleu... pour revenir au bâtiment.

Celui-ci brûlait pour de bon ; les flammes jaillissaient des fenêtres de la cuisine et de la chambre dans un concert de crépitements malsains. Un cumulus de fumée montait au-dessus du toit.

Razoxane m'avait suivie. Je lui jetai un regard las.

— Ne dis rien... c'était un enfoiré, il m'a fait mal... mais je n'avais pas envie de me venger. Ni que quelqu'un d'autre le fasse à ma place...

Je secouai la tête, étonnée par ma propre réaction.

— Ne t'inquiète pas, répondit-elle sèchement. Il faut davantage de force pour pardonner que pour tuer.

Elle me laissa y réfléchir et alla récupérer la Poudrière. Elle l'épousseta et me regarda de nouveau.

— De plus... tu m'as rendu service. Je traîne déjà bien assez de fantômes derrière moi.

Je remuai la neige d'un pied morose. Le tracteur brûlait comme une torche et les flammes s'étaient propagées aux bâtiments adjacents, sans doute des entrepôts. Les animaux étaient parqués de l'autre côté de la cour et, avec un peu de chance, devaient être protégés par un coupe-feu. Le chariot était entièrement consumé.

— Le hurlefeu a toujours été une arme inflammable, marmonna Razoxane. Parfois, il t'explose au visage. Là, la charge s'est embrasée au contact de l'air. Il m'a suffi de le faire tomber et sa réserve a pris feu...

Je fis quelques pas en avant. Il ne restait plus grand-chose de l'*Ironside* : juste la plaque pectorale, comme le capot d'une épave de voiture, et un crâne frêle.

— Alors... les balles ne peuvent les tuer ?

— Non, il faut les incinérer ; qu'il n'en reste que des cendres et de la poussière...

Elle se tut, puis reprit, pensive :

— Mais quelque chose brûle toujours en eux, Rachel. Un souvenir. La *Machina* peut le libérer. Les balles aussi, peut-être, si on tire d'assez près...

Un détail me fit tiquer. Les balles avaient creusé plusieurs trous sur le côté gauche de la plaque. Je réalisai qu'elles dessinaient vaguement la forme d'un cœur.

— Oh, espèce de frimeuse, marmonnai-je.

Le craillement d'une corneille couvrit les crépitements de l'incendie. Je me tournai pour voir l'oiseau blanc qui se posait sur le toit de l'appentis.

— Où étais-tu fourrée ? lança Razoxane.

Son familier reprit ses craillements sans se démonter. Ils communiquaient sans avoir besoin de mots. Tout en l'écoutant, Razoxane sortit le chargeur de son arme. Puis l'oiseau se tut.

— Vedova a trouvé les autres, dit-elle. Ils sont à cinq kilomètres de là, dans un bois.

— Et... Cathy est avec eux ?

Elle haussa les épaules.

— Ils étaient recouverts de grain ; ils ne formaient qu'un point opaque sur la carte. Mais elle est certainement là.

Entourée de choses mortes. Mon Dieu. Je frissonnai et m'enveloppai dans ma cape – qui sentait toujours le brûlé.

Razoxane arborait toujours un air pensif. Un spasme secoua sa gorge ; elle se pencha et cracha dans sa main. Mes yeux s'écarquillèrent. Elle venait d'expectorer une balle ! Elle leva les yeux et me sourit.

— Ma condition n'a pas que des inconvénients.

Elle logea donc le morceau de métal dans son chargeur, puis prépara la seconde... Je la fixai avec un mélange de fascination et de répulsion.

— Alors, on va aller les chercher ? finis-je par demander.

— Chaque chose en son temps, Rachel.

Elle cracha dans la neige et remit le chargeur en place.

— Mais il vaut mieux ne pas rester ici. Quelqu'un a forcément remarqué notre petit spectacle.

Elle partit récupérer son étui, mais s'arrêta devant le casque de l'*Ironside* qui gisait toujours là où l'explosion l'avait projeté. Elle l'agrippa par ses barreaux et le regarda comme certain crâne dans une tirade célèbre.

— Quelques minutes de douleur pour une éternité de paix, murmura-t-elle. C'est ce que tu devras dire à toutes celles que tu as brûlées.

— Inutile d'en rajouter, marmonnai-je.

— Pourquoi pas ? C'est un des plaisirs de l'existence.

Elle rejeta le sinistre morceau de métal et récupéra l'étui. Apparemment, ce spectacle – selon ses propres termes – lui plaisait bien.

Je ne pouvais guère en dire autant.

Nous grimpâmes la colline; une fois au sommet, elle se retourna. Le brasier se refléta sur ses verres. Le toit du bâtiment central s'était effondré et les flammes montaient vers le ciel.

Razoxane reprit son chemin; je la suivis, hors d'haleine.

— Mais tout le monde pourra voir nos traces...

Ici, la police semblait évoluer dans un autre univers - mais si elle nous rattrapait, nous aurions bien du mal à lui fournir des explications convaincantes...

— Elles ne sont pas si faciles à suivre, répondit-elle sans se démonter.

Je me le tins pour dit. Après un dernier coup d'œil au bûcher, je m'élançai derrière elle, marchant dans ses empreintes. Suivant le vol de la corneille.

— Tu te souviens de ce qu'a dit le médium ?

— À quel propos ?

— De la légende de Lickfield Wood. De ces gens détruits par des *arcanes maléfiques*... C'était les hurle-feux, pas vrai ?

Nous nous étions arrêtées à l'abri d'un petit bois. Je m'étais assise sur un tronc abattu, hors d'haleine et plutôt mal en point; je me sentais vidée de ma substance. J'étais encore sous le choc, et le froid n'arrangeait rien.

— C'est probable, fit-elle, pensive.

— Et la façon dont ils cachent leur visage... comme s'ils étaient eux-mêmes brûlés...

Malgré mon expérience d'infirmière, je trouvais qu'il n'y avait rien de plus inquiétant qu'une tête entièrement bandée avec juste deux trous pour les yeux. D'une certaine façon, c'était encore pire que les cicatrices qui se cachaient dessous.

— Mais il n'y a pas que ça, reprit Razoxane. Quand un hurlefeu t'explosait à la figure, on considérait cela comme une forme de châtiment divin; les victimes étaient enterrées à toute allure, sans rituel religieux. Pour que les âmes soient restées chevillées aux corps, il faut qu'il se soit passé quelque chose. Et leur chef n'a l'air ni brûlé, ni putréfié...

Elle se tut à son tour. Le paysage autour de nous était comme figé.

Un peu plus tôt, nous avions entendu les sirènes dans le lointain. Il ne restait plus grand-chose des *Ironsides*, mais les policiers trouveraient un autre cadavre bien plus récent dans les cendres de la ferme...

Personne ne s'était lancé à notre poursuite. C'était facile à comprendre : nos traces de pas s'étaient fondues dans la neige comme des cicatrices bien refermées. Il fallait vraiment y regarder de près pour voir autre chose qu'une surface immaculée. Impressionnant.

— Ce que je ne saisis pas, dit Razoxane, c'est la raison pour laquelle ils cherchent à te tuer. Ils avaient tendu un piège bien agencé... mais ne tenaient pas à te prendre vivante. Or pourquoi voudraient-ils ta peau ?

— Il m'a traitée de putain papiste, murmurai-je avec une étincelle de satisfaction en pensant à la façon dont il avait payé cette insulte. Il m'a dit que je finirais brûlée et enterrée.

Elle eut un grognement de mépris.

— Pour ceux de son espèce, les sorciers et les catholiques étaient du pareil au même. Des impuretés dont il fallait débarrasser le monde. Mais cela ne nous dit pas pourquoi ils en ont particulièrement après toi.

— Sais-tu qui ils sont ?

— Je le crois. Je ne cesse de penser à ces soldats que j'ai connus... dans le temps. C'était vers la fin du règne de Cromwell. La chasse aux sorcières tirait à sa fin, mais restait plus cruelle que jamais. Cet hiver-là, le vent charriait un relent de chair brûlée. C'était comme une nouvelle guerre civile, et chaque parti employait la magie. On a cherché à gommer jusqu'au souvenir de ce qui s'était passé ; seuls les récits populaires et la toponymie y font encore allusion... Il n'y avait ni armées ni batailles, juste des factions ; des francs-tireurs qui écumaient les champs et les bois. C'était encore pire dans les campagnes. Beaucoup de traditions ont alors disparu. Mais les villes n'ont pas été épargnées pour autant : les Docteurs Noirs, par exemple, on été presque entièrement détruits...

Elle se tut. Je vis se crisper son visage.

— Regarde, dit-elle.

À l'est, le ciel était lourd de neige – mais une nébuleuse noire venait d'apparaître, comme un sombre blizzard. Des oiseaux, réalisai-je. Des corbeaux. Ils quittaient un bosquet situé à un kilomètre de là.

Quel que fût ce qui avait pu les chasser, ils étaient partis pour de bon : ils dérivèrent vers un autre bois comme pour mieux s'éloigner de leur précédent abri.

Mon estomac se serra. Des ténèbres prématurées s'étaient congelées dans ce petit bois, le rendant plus sinistre encore. Ce pan de forêt était vraiment affreux, tout en troncs pelés et en branches torturées.

— Rapprochons-nous, dit Razoxane.

— Ils vont nous voir, objectai-je.

— Pas si nous passons par là...

Elle désigna le chemin enneigé qui flanquait notre propre bosquet, entouré de haies gelées. Il passait tout près du sinistre bois, si près que les branches caressaient la route, comme pour saisir dans leurs griffes le promeneur imprudent.

Je mordis ma lèvre craquelée et sentit le goût du sang.

Razoxane ajusta la lanière de son étui à guitare, lesté par deux fusils et une pelle. Ses compagnons de route. Elle me regarda avec un sourire glacial.

— Viens. Il va bientôt faire nuit.

Elle se dirigea vers le chemin ; je la suivis, à demi accroupie, le rebord de ma cape balayant la neige. Seules les branches les plus hautes étaient visibles par-dessus la haie couverte de givre argenté, comme dans un conte de fées.

Nous progressions lentement, enfoncées dans la neige jusqu'aux chevilles. Des croassements résonnaient sur l'étendue déserte, mais le bois restait figé. Stagnant. Menaçant. Et de plus en plus proche.

À mi-chemin, Vedova partit en avant pour se percher sur un arbre et nous y attendit, telle une vigie patiente.

Razoxane fut la première à atteindre la bordure du bois. Je la regardai, indécise ; mais maintenant, j'étais tout près de Cathy. Seule avec les fantômes qui hantaient cet endroit. Comment pouvais-je renoncer ?

Alors que je patinais dans la neige, sa main s'empara de la mienne et me tira. Enfin, je la rejoignis sous l'ombre des arbres. Le silence nous enveloppa comme une couverture.

— Ils sont là ? chuchotai-je.

Razoxane hocha la tête en scrutant les profondeurs du bosquet. L'espace entre les troncs semblait encombré de toiles d'araignées ; des draperies grisâtres. Je me figurai d'énormes arachnides rôdant dans ce labyrinthe, et ma chair se hérissa.

Au-dessus de nous, Vedova s'envola soudain entre les troncs. Le claquement de ses ailes me fit sursauter. Razoxane la regarda partir, impassible, puis suivit son esprit familier d'un pas circonspect. Je fis de même.

Au moins, cette fois-ci, je savais ce que je cherchais – ce qui était presque pire. La peur de l'inconnu était certes abominable, mais je me souvenais toujours du choc de ma rencontre avec le premier *Ironside*. Chaque arbre semblait devoir se métamorphoser en cheval monté par un cavalier pourrissant.

Le craquement d'une brindille résonna comme le claquement d'un fouet. Nous nous figeâmes toutes les deux ; Razoxane s'accroupit et me fit signe d'en faire autant. J'obtempérai et m'appuyai contre un tronc, qui répercuta les battements de mon cœur. Enfin, j'osai regarder.

Une silhouette imposante traversait les bois. Un cavalier. Je me rencoignai dans ma cachette, puis risquai de nouveau un coup d'œil. Je ne vis que des flashes entre les branches. L'*Ironside* était courbé sur sa selle, cherchant un passage pour sa monture aveugle. Son casque évoquait un profil d'oiseau de proie. Je vis l'espèce de fusil posé sur ses cuisses. Ne l'appelait-on pas une arquebuse ? Une arme si ancienne qu'elle paraissait presque futuriste.

Je retins mon souffle tout le temps que dura son passage, puis expirai et me dirigeai vers l'endroit où se cachait Razoxane.

Au-dessus de nous, Vedova crailla un avertissement. Razoxane posa la main sur mon épaule pour m'immobiliser.

— Ce n'est que le cavalier de tête, chuchota-t-elle. Il y en a d'autres...

Une brindille craqua ; derrière nous, cette fois-ci.

Mon Dieu. Je rentrai la tête dans mes épaules. La main de Razoxane me clouait sur place ; nous restâmes ainsi, immobiles, au passage du cavalier. Du coin de l'œil, je vis son chapeau et l'écharpe qui semblait teintée de sang humain cachant son visage. Le cheval expirait des bouffées chaudes de condensation. Puis il s'en alla à son tour à travers les buissons. Je me laissai aller contre Razoxane, complètement vidée.

— Une arrière-garde, marmonna-t-elle. Les autres doivent former une colonne derrière le premier. Suivons-les.

Elle me serra l'épaule avec un sourire empreint d'une excitation que je ne partageais guère, mais qui me remonta quelque peu le moral.

Nous nous levâmes lentement et rejoignîmes le chemin emprunté par le premier cavalier. D'autres craquements provenaient du fond des bois ; des sabots et des bottes piétinant des feuilles recroquevillées. Soudain, un étau se referma sur ma poitrine. Les *Ironsides* venaient d'apparaître, silhouettes à peine distinctes dans la pénombre.

Ils formaient une colonne et, à part un autre cavalier, tous étaient à pied. J'entrevis des manteaux en haillons, des armures rouillées. Des chapeaux et des casques. Des fusils longs comme des mitrailleuses posés sur l'épaule. Tout cela à travers le filtre d'une clarté grise, comme une vitre sale couverte de givre.

Mais ils n'avaient toujours pas de visage. Sauf un.

Je reconnus immédiatement celui qui chevauchait au milieu de la colonne. Ses traits pâles et hagards encadrés de longs cheveux grisonnants. Le rebord de son chapeau cachait ses yeux, mais je savais déjà de quelle couleur ils étaient.

Il portait toujours son manteau de fourrure miteuse qui enveloppait un paquet posé sur ses genoux.

Quelque chose de petit, silencieux, immobile...

— Pas maintenant, grinça Razoxane à mon oreille.

Je les regardai, bouche bée, alors que le cheval s'éloignait ; mais ma gorge était si serrée que je pouvais à peine respirer. Le chef des *Ironsides* baissa la tête ; son manteau était constellé de flocons, telles des pellicules. Je fixai son fardeau jusqu'à m'en brûler les yeux, sans distinguer le moindre reflet blond.

Mais c'était elle, je le *sentais*. Après tous ces jours de séparation, ma petite fille était enfin à ma portée. Et je ne pouvais rien faire ; juste rester là pendant que le courant l'emportait. Ni aide ni espoir. Je me sentais comme une martyre du Moyen Âge ; écrasée jusqu'à ce que mort s'ensuive.

Razoxane avait posé la main sur mon épaule. Pour me rassurer ou me retenir ? J'étais trop mal pour le déterminer.

Le dernier fantassin tirait un disperseur de grain : un cercueil gluant de terre pourvu d'un harnais. Il ployait le dos sous sa charge. Je le regardai passer avec son fardeau.

— Viens, murmura Razoxane. Suivons-les.

Nous nous glissâmes donc d'arbre en arbre sans les perdre de vue. Le cercueil finissait toujours par apparaître. L'*Ironside* qui le traînait jetait un coup d'œil en arrière de temps en temps pour corriger sa trajectoire cahotante.

— Qu'est-ce qu'il y a là-dedans ? chuchotai-je.

— Le Diable seul le sait, répondit-elle avec sincérité.

Je fis la grimace, mais n'insistai pas.

Nous les suivîmes jusqu'à l'autre bout du bois. Entre-temps, la lumière avait commencé à décliner. Ils continuèrent leur chemin sur un sentier enneigé.

— On ne peut pas aller plus loin, dit Razoxane.

Je me retrouvai déchirée entre le soulagement et la frustration. Ces silhouettes impassibles étaient terrifiantes au-delà des mots, telles des araignées géantes. Mais je ne pouvais abandonner Cathy.

Razoxane dut lire mes émotions sur mon visage.

— La nuit tombe, dit-elle. Et il va encore neiger. Mieux vaut laisser tomber.

— Mais nous allons les perdre de vue ! protestai-je sans quitter des yeux leur chef – bien qu'il se fondît déjà dans la pénombre.

— Vedova ne les lâchera pas. Ils se redéploient, mais n'iront pas bien loin. Nous avons frappé fort aujourd'hui, Rachel. Nous les avons fait saigner, pour autant qu'on peut faire saigner des cadavres. Ils surveilleront leurs arrières, mais ils finiront par revenir.

Encore et encore, me dis-je. Jusqu'à ce qu'ils m'aient tuée. Ou qu'elle les ait tous brûlés – en sauvant ma fille.

Tout en regardant le dernier d'entre eux, celui qui traînait un cercueil, je me demandai quelle était la plus vraisemblable de ces conclusions.

Lorsqu'ils eurent disparu pour de bon, nous repartîmes vers la ville. Nous marchions d'un pas las, comme vidées de nos forces. Mes jambes étaient de plomb ; je crus plus d'une fois que j'allais m'évanouir en cours de route.

— Je te laisse, dit Razoxane à l'entrée de la ville, alors que les flocons commençaient à tomber. Va faire la paix avec ton ami. Et ne te balade plus toute seule. C'est moi qui viendrai te trouver, d'accord ?

— D'accord.

Je regardai derrière nous une fois de plus. Le ciel était d'un gris-vert déteignant sur la pâleur malsaine de la neige. Les arbres étaient d'un noir uniforme, comme si les flammes les avaient léchés.

Graham et Ruth étaient atterrés, et je ne pouvais pas les en blâmer – même après un interrogatoire en bonne et due forme. « Où étais-tu passée ? » « On s'est fait un sang d'encre ! » Après une journée pareille, j'aurais souhaité recevoir meilleur accueil ; mais, bien sûr, ils ne pouvaient pas savoir. D'une certaine façon, leur colère était rassurante. Les gens parfaits sont si pénibles...

Ainsi, j'acceptai leurs reproches comme une pénitence et, pour faire preuve de bonne volonté, proposai de me charger de la vaisselle. Graham s'était retiré dans son bureau pour préparer le sermon du dimanche ; Ruth et moi nous affairâmes en silence. Peu à peu, la tension se dissipa. Finalement, elle me dédia un sourire.

— Désolée d'avoir été si rude, mais... trouver la chambre vide, comme ça...

— C'est moi qui devrais m'excuser. Il... fallait que j'aille quelque part. J'aurais dû vous prévenir...

— Rachel... si nous pouvons t'aider d'une façon ou d'une autre...

Je baissai les yeux sur l'assiette que j'étais en train d'essuyer.

— Ce n'est rien, finis-je par dire. Dans deux jours... tout sera redevenu normal.

Elle aurait bien voulu en savoir plus, mais ne voulait pas insister lourdement. Je sentis son conflit intérieur.

La neige caressait la fenêtre embuée ; je pouvais voir voleter ses flocons sur fond de ténèbres. Cela faisait une heure qu'elle tombait sans discontinuer.

— Je n'aime pas te savoir dans les rues par un temps pareil, murmura Ruth. Tu sais, tu peux rester chez nous aussi longtemps que tu le désires. Jusqu'à ce que tu aies résolu tes problèmes...

Je pensai à ce qui se trouvait là, derrière la fenêtre. Des champs immenses noyés sous une chape de noirceur. Des bois plus obscurs encore. Où était Cathy dans tout ce vide ? Dans tout ce *froid*...

Et la neige recouvrirait leurs traces. Demain, il nous faudrait repartir de zéro...

Ruth posa une main sur mon bras.

— Qu'est-ce qu'il y a, Rachel ?

— Oh... rien.

J'avais l'impression de la trahir. Je reniflai et me forçai à sourire. Je me sentais fragile comme une poupée de porcelaine.

— Mais c'est gentil de me le demander. Il faut que je m'en sorte de moi-même, c'est tout.

Ruth me serra une dernière fois le bras, puis me laissa. Elle dut se dire que j'avais certainement mes raisons. Je m'essuyai les yeux pendant qu'elle vérifiait l'eau qui chauffait dans la bouilloire.

— Du café ? me demanda-t-elle, comme si c'était la seule question à laquelle je répondrais ce soir-là.

— Avec plaisir.

— Ça avance ? demandai-je à Graham depuis l'entrée. Il me regarda, puis s'étira.

— Lentement. Je tiens mon sujet... mais il reste à savoir sous quel angle l'aborder.

— La crampe du sacristain ?

Il eut un petit rire amusé. Je bus une gorgée de café et attendis dans l'embrasure de la porte.

— Tu as entendu ce qui s'est produit ces derniers jours ? Non, bien sûr... Tu te rends compte, il y a eu *quatre* meurtres rien que cette semaine ! Celle de Noël, en plus. On parle de paix et de bonne volonté... et voilà.

— Pour certains, Noël est un jour comme les autres.

— J'en ai bien peur. L'un des assassinats a été commis la nuit dernière, tu te rends compte ? La nuit de Noël. Ce pauvre diable s'est fait écharper dans son propre jardin. Le pire, c'est qu'il n'y a même pas de mobile...

Je hochai la tête. *La nuit dernière ?* Il s'était passé tant de choses depuis.

— Et ce matin, quelqu'un a mis le feu à une ferme, et il paraît qu'on a trouvé un cadavre dans les décombres...

Il secoua la tête, puis me jeta un regard d'excuse.

— Tu comprends pourquoi nous nous faisons du souci, Rachel ? Même dans une petite ville comme celle-ci, personne n'est à l'abri...

— Il est des guerres qui ignorent la trêve de Noël, murmurai-je, certaine qu'il ne pouvait comprendre tout ce qui se cachait derrière ces mots.

Il tapota son crayon contre le bureau, puis me sourit.

— Cette phrase me plaît bien. Je peux la mettre dans mon sermon ?

— Je t'en prie.

CHAPITRE X

LES AMANTS

Une pellicule de gel couvrait la fenêtre de ma chambre, mais, en pressant mon nez contre la vitre, je pouvais voir virevolter les flocons de neige.

Où pouvaient bien s'être abrités les autres ? Au plus profond des bois, dans une maison abandonnée ? Par un temps pareil, ils ne pouvaient pas rester dehors.

Mon Dieu, pourvu que ma petite fille soit au chaud.

Le froid s'était infiltré dans la chambre et transperçait ma chemise de nuit. Je frissonnai, allai farfouiller dans mes vêtements et en tirai la photo que j'avais récupérée chez moi. Je me mis au lit, puis m'adossai à l'oreiller pour mieux la regarder. Je passai mes doigts sur sa surface lisse portant l'image de ma fille. Un symbole assez éloquent de la barrière invisible qui nous séparait.

Je me rappelai le rêve que j'avais fait la nuit précédente. Ce cadavre au cœur d'argent – et sa cage thoracique béante. Fallait-il y voir une quelconque signification ?

Alors que je caressais les traits de Cathy, je repensai à ce que nous avions tiré du *Livre des Martyrs*. Pouvais-je faire de même avec cette photo ? Si je me concentrais, mon œil interne me montrerait peut-être l'endroit où ils détenaient Cathy. Là où je pourrais la retrouver.

Je scrutai son sourire comme l'on médite devant une icône. Lorsque j'étais enfant, je m'emplissais l'esprit d'images joyeuses dans l'espoir – souvent vain – de faire de beaux rêves. Ce n'était pas si différent...

Finalement, j'éteignis la lampe de chevet, puis me blottis sous les couvertures et attendis en pressant le sourire de ma fille contre mon sein.

Une partie de moi-même était persuadée que cela ne marcherait pas – ou le redoutait. Mais lorsque le sommeil me prit, je plongeai dans le néant comme si mon lit s'était transformé en puits sans fond.

Le vide m'avala, de plus en plus froid et asphyxiant. La panique monta en moi. Je *bloquai* mon esprit et stoppai ma descente, puis tâtonnai autour de moi. J'avais l'impression de nager sous un lac gelé, entourée de ténèbres, prisonnière sous une chape de glace. J'avais plongé de ma propre volonté et me retrouvais prise au piège. Il fallait que je découvre une issue avant de manquer d'air.

Ma phobie de la noyade me prit à la gorge. Je regardai dans toute les directions, en vain.

Puis je distinguai une vague lueur au-dessus de moi, comme la pleine lune perçant à travers le brouillard. Je rassemblai mes dernières forces pour nager dans cette direction. Plus je m'approchais, plus la lumière se faisait nette – jusqu'à ce que je me trouve face à un visage. Celui de Cathy.

Elle avait les yeux fermés et semblait très fatiguée.

Pas d'autres détails ; impossible de voir où elle se trouvait. Son visage était la lumière au bout du tunnel. Ses traits étaient tirés, comme si son sommeil n'était pas naturel ; ses cheveux dorés étaient ternes et décoiffés. Mais elle était toujours vivante. Son front attendait mon baiser.

Une immense griffe noire apparut, planant au-dessus d'elle.

Je dus pousser un cri, mais seul son écho parvint à mes oreilles. Je tentai d'avancer, mais les ténèbres se solidifièrent autour de moi. La griffe s'immobilisa au-dessus de mon ange. Son front se plissa comme si, dans son propre rêve, elle sentait cette ombre sur sa peau d'une pâleur lunaire...

Puis la griffe se retourna. Ce n'était qu'un gant.

La main qui se trouvait dessous était longue et mince, et avait des doigts déliés. Elle se déplia lentement pour caresser le front de ma fille, lissant ses rides en même temps que sa frange.

Alors que je restais pétrifiée, mon esprit s'accoutuma à la pénombre. Je distinguai le bras prolongeant cette main ; des épaules ; le manteau souillé qui le faisait ressembler à un ours. Puis, enfin, son visage.

C'était la première fois que je le voyais sans son chapeau. Ses cheveux étaient une crinière d'argent, et pourtant, il semblait si jeune ! Guère plus âgé que moi, en tout cas. Son visage était sévère, comme dans mes souvenirs... mais c'est son expression qui me déconcerta. Ni satisfaction ni désir, plutôt une sorte de volonté sombre. Un espoir au-delà des mots.

L'ombre de quelque chose que j'avais déjà vu – chez Nick. Un regard de père contemplant son enfant. L'expression d'un amour inconditionnel.

Mon esprit choqué eut un mouvement de recul – puis la tête se retourna brusquement vers moi. Son expression s'était durcie.

— Rachel ? demanda-t-il d'une voix douce.

Flottant dans les ténèbres, je me figeai. Mais c'était *ma* vision ; il ne pouvait certainement pas me voir...

— Je te connais, Rachel, fit-il comme pour se moquer de mon arrogance. Tu vas venir à moi, je le sais.

Il eut un mince sourire et se retourna vers Cathy ; un doigt osseux caressa sa joue. Je ne pus m'empêcher de siffler :

— Ne la touche pas.

Il se tourna vers moi, les yeux luisants.

— Tu as peur pour ta fille, Rachel Young ?

Je m'étais trahie. Je ne pouvais plus cacher ma frayeur – ni ma colère.

— Bien sûr, espèce de...

Je retins ma langue avant de lui cracher ma bile. Il pouvait perdre son calme – et que se passerait-il alors ?

Ses longs doigts rampèrent sur la tête de Cathy ; de nouveau, je pensai à une araignée.

— Je ne lui ferai pas de mal, dit-il.

— Alors, que veux-tu ?

— Une rencontre, comme celle-ci. Ta noire compagne s'interpose entre nous, mais elle ne peut fermer les fenêtres de ton esprit.

Je lâchai alors les mots qu'il me fallait prononcer, même s'ils scellaient mon destin :

— Si c'est moi que tu veux, d'accord... mais libère ma petite fille.

Il pencha la tête avec une expression d'indulgence.

— Et que ferions-nous de toi ?

Je me souvins de mon rêve, celui où on m'emmenait vers le bûcher. Ma peau sembla se dessécher.

— Je m'en fiche... ce que vous voulez... mais laissez-la.

Il baissa les yeux pour regarder Cathy ; enserra une mèche de ses cheveux entre ses doigts.

— Ton enfant est entre mes mains... et je peux te faire agir à ma guise, n'est-ce pas ? fit-il d'un ton pensif.

— Oui...

Il retira sa main.

— J'aurais voulu qu'il en soit autrement. Que ce soit la foi qui te motive, et non la peur.

— Je me rendrai, chuchotai-je. Je le jure...

Il secoua la tête.

— Ta vie ne m'intéresse pas.

J'essayai de ressentir du soulagement. En vain.

— Quoi alors ?

L'*Ironside* croisa les doigts. Il me regarda un instant en silence, puis eut un pâle sourire.

— Je veux régler mes comptes avec ta sœur la sorcière.

Je le dévisageai, incrédule. L'homme gris se pencha.

— Mon nom est Warwick. Un nom approprié pour qui passe sa vie à guerroyer contre les sorcières.

— C'est *elle* que tu poursuis ? chuchotai-je.

— En effet. Nous l'avons chassée à travers les villes et les campagnes ; jusque par-delà la tombe.

Je frémis en contemplant ce regard. Il me donnait une idée de ce qui se cachait derrière ce calme apparent, telle la fenêtre d'une chaudière. Cet homme brûlait d'un fanatisme défiant toute raison ; une haine que même la mort n'avait pu éradiquer.

— Les barreaux de l'enfer l'ont protégée de notre courroux. Mais sa faim l'a poussée à revenir. Son avidité de pouvoir. Elle s'est réincarnée pour reprendre son errance.

C'est un chasseur de sorcières, me dis-je, et un frisson me traversa.

— Lorsque nous l'aurons piégée sous son apparence humaine, nous pourrons détruire son âme – à jamais.

— Pourquoi m'avoir entraînée là-dedans ? Pourquoi ma *fille*, bon sang ?

— Tu es liée à ta sœur des ténèbres, répondit-il. Elle sait que tu dois lui faire confiance. Si ton amour pour cet enfant est assez fort, tu pourras résister à la tentation.

— Razoxane n'est pas ma sœur ! m'écriai-je avec l'énergie du désespoir.

— Pas par le sang, certes, mais par l'esprit. Les deux faces d'une même pièce.

Mon regard se posa de nouveau sur Cathy ; sur son visage assoupi. *Mon Dieu, faites-la revenir, je le VEUX...*

— Si tu nous livres la sorcière, tu seras libre – et nous te rendrons ta fille.

Il me laissa réfléchir en silence. Ce que je fis, bien qu'encore sous le choc.

— Razoxane est au courant ? demandai-je.

Il hocha la tête.

— Elle sait qu'un jour ou l'autre, elle devra rendre des comptes.

Razoxane. Sale garce. Tu aurais pu me prévenir.

Mais je haïssais tout autant ce pseudo-chasseur. Ce voleur d'enfants. Ce vantard. Cette goule. La peur et le dégoût obscurcissaient mon esprit.

— Tu ne lui dois rien, insista-t-il. Où qu'elle aille, elle répand la mort et la perdition. Mais ne te laisse pas abuser : ce n'est plus un être humain. Elle n'est qu'un *moteur* sans âme ; l'instrument de la mort elle-même. Elle s'est tournée vers toi parce qu'elle n'avait pas le choix – sa magie se nourrit de ton innocence. Elle cherchera à en profiter par tous les moyens.

Comment pouvais-je hésiter un seul instant ? Et pourtant, j'abhorrais l'idée de lui livrer Razoxane. Elle était le mal incarné, je n'en avais jamais douté – mais je connaissais son but ultime : sa propre rédemption. Quoi qu'elle puisse manigancer cette fois-ci, je ne pouvais la condamner sans savoir.

Mais *Cathy*...

— Tu n'es qu'un jouet pour elle, dit Warwick. Elle te détruira comme elle a détruit ma fille.

Je vis passer une ombre sur son visage. Le fantôme de ce qui avait jadis appartenu à l'*humanité*.

— Ta fille ?

— Oui. J'ai jadis eu une fille.

Il me regarda en silence avant de reprendre :

— Le Diable l'a emportée. Il l'a pervertie et dévorée. Et la sorcière me le paiera.

Je regardai Cathy, endormie dans ses bras.

— Pourquoi hésites-tu encore ? Elle est damnée, tu le sais bien – et elle recevra bientôt son châtiment. Son esprit errant va enfin trouver le repos. Elle ne viendra plus te hanter.

Cathy. Oh, mon ange. Il fallait qu'elle me revienne.

— Donne-moi ta parole, Rachel Young. Tu nous livres la sorcière. Et je te rendrai ta fille.

J'ouvris la bouche sans vraiment savoir ce que je voulais dire. Mais soudain, quelque chose s'interposa et le froid glacial se mit à bouillonner.

La vision se brouilla sous mes yeux comme un reflet dans une piscine. Le vide avala le visage de Cathy. Je voulus hurler – et sentis une présence à mes côtés. Une ombre muette dans la nuit.

— Nick..., fis-je en tendant les bras.

Mais lorsque je réussis à sortir de ce trou glacé, c'est Razoxane que je trouvai au pied de mon lit.

— Tu as fait de beaux rêves ? demanda-t-elle sèchement.

Je n'osai même pas répondre. Derrière le masque boudeur que je venais d'endosser, mon esprit tremblait de frayeur. Ne sentait-elle pas ma culpabilité ?

S'était-elle immiscée dans mes rêves ? Savait-elle avec qui je complotais dans son dos ?...

Un bruissement dans les ténèbres attira mon attention. Vedova vint se percher au pied de mon lit. L'oiseau entreprit de lisser ses plumes blanches, puis me dédia un regard lourd de conséquences.

Une bretelle de ma chemise de nuit avait glissé ; je me dépêchai de la remonter.

Le bord du chapeau de Razoxane était couvert de neige, et celle-ci formait une fine poussière sur ses épaules. Dieu sait comment ces deux-là avaient pu entrer, mais elles avaient amené l'hiver avec eux. Son amertume envahit la pièce et mordit mes épaules.

Elle retira mes vêtements de la chaise sur laquelle je les avais posés et s'assit. Son sourire luisait faiblement dans la pénombre, mais ses lunettes semblaient deux puits sans fond.

Ma réaction initiale – mon mouvement de recul, mon cri étouffé – devait avoir renouvelé ses soupçons. Mon regard horrifié me trahissait : il contenait bien plus que la simple surprise de la voir là.

Mon Dieu, et si elle *savait* ?

— Ton amoureux fantôme est encore venu te voir ? demanda-t-elle calmement.

Il y eut un instant de silence, alors que je cherchais le piège ; la double signification. Puis je hochai la tête.

Razoxane retira son chapeau et épousseta la neige qui le saupoudrait avant de me regarder de nouveau.

— Tu ferais mieux de le laisser reposer en paix, tu sais, murmura-t-elle.

Je la dévisageai comme si elle m'avait giflée.

— C'est *lui* qui est venu à moi !

— Parce que tu l'as appelé. Intérieurement, tu le supplies de revenir, et il te répond. Tant que tu ne lui permettras pas de trouver le repos, il restera coincé dans les limbes.

J'en restai bouche bée – et vaguement coupable. Avais-je vraiment dérangé le sommeil de mon bien-aimé au point qu'il se sente obligé de quitter sa tombe ?

— Je l'aime, chuchotai-je. Il est une partie de ma vie.

Razoxane eut un petit geste sardonique.

— C'est-y pas mignon.

— Qu'est-ce que tu peux comprendre à ça, de toute façon ? crachai-je, bien trop fort dans cette maison silencieuse.

— Pas grand-chose, admit-elle. Ma mère m'avait prévenue de ce qui m'attendait si j'empruntais ce chemin. Des nuits sans amour, des êtres sans visage, des routes sans fin...

Sa voix s'affaiblit comme si elle se plongeait dans ses souvenirs, et son sourire se fana.

— Cathy est sa fille à lui aussi..., marmonnai-je.

— Pardon ?

— Rien. Et d'abord, qu'est-ce que tu me veux ?

— Te parler de ce que nous allons faire demain.

— Comment es-tu entrée ? insistai-je en une vaine tentative de détourner la conversation.

— Pas sans mal. Écoute-moi, maintenant.

Elle se pencha en avant.

— Nous avons quelque chose à faire avant d'aller récupérer ta fille.

Comme toujours, non ? Mes épaules s'affaissèrent.

— Quoi ?

— Isoler et détruire leur dispenseur de grain.

Je me souvins de ce cercueil lugubre et frissonnai. Je n'avais aucune envie de savoir ce qui se cachait sous ce couvercle.

— Nous n'avons pas le choix, reprit-elle. Tant qu'il est là, je ne peux discerner leurs mouvements. Il faut que je les voie. Si nous devons nous rapprocher d'eux... dans les bois, par exemple... il leur sera facile de me prendre au piège.

Et c'est ce qu'ils cherchent, pas vrai ? Une bonne occasion de t'abattre...

Je posai le menton sur mes genoux.

— Mais... ils le gardent près d'eux, non ?

Donc, on ne peut pas s'en approcher !

— Pour le moment, oui. Mais ils vont certainement employer de nouvelles tactiques. Dans le temps, ils arpentaient la campagne en formation serrée, armés de leurs hurlefeux. Mais lorsqu'ils évoluent en terrain hostile, ils se divisent en cellules indépendantes et libres de leurs mouvements. S'ils se dispersent, nous pourrons attaquer celui qui répand le grain. Ils ne s'y attendront pas.

— Est-il possible que Cathy se trouve avec celui-ci ?

Razoxane secoua la tête.

— Ils seront en formation *caput et cauda* ; la tête et la queue. Leur chef suivra les autres cellules – et il emportera son otage.

Je revis le visage de Warwick, toujours enchâssé dans l'ombre de mon esprit, et déglutis avec peine.

— Et... où sont-ils maintenant ?

— Par un temps pareil, c'est difficile de garder le contact... mais une maison à l'ouest de la ville est isolée par le grain – d'après mon espion...

Elle jeta un regard d'indulgence à la corneille, qui émit un craillement. Dans les champs, ce bruit aurait pu porter à des kilomètres, mais, dans l'espace réduit de la chambre, il résonna comme un coup de feu. Je fis la grimace et lui fit signe de se taire. Trop tard : dans la chambre de Ruth et Graham, il y eut un grincement de sommier. Des murmures ensommeillés. Ils devaient croire que c'était le bébé qui les avait réveillés et débattre de qui irait s'en occuper. Sauf que, maintenant, le silence était retombé sur la maison.

Razoxane sourit.

Son esprit familier se lissait les plumes. Je le défiai du regard. *Un cri, un seul, et je te tords le cou.* Sauf que je n'aurais jamais le courage d'affronter ce bec et ces griffes.

La porte grinça. J'entendis des pas sur le parquet ; un bâillement à demi étouffé. Ce devait être Graham.

Il s'arrêta devant ma porte. Il venait de se rendre compte du silence ambiant.

Razoxane avait baissé la tête comme pour mieux écouter. Un embryon de sourire étirait toujours ses lèvres.

Vedova piétinait le rebord du lit. Je me mordis les lèvres pour mieux étouffer le cri qui nous trahirait.

Puis le bébé se mit à hurler comme une sirène. J'eus un soupir de soulagement – mais, en même temps, ressentit une pointe de douleur. Cet appel m'était familier au point d'en être insupportable.

Razoxane ne bougea pas pendant que Graham tentait de rassurer sa fille. Au bout d'un moment – le temps de changer sa couche, probablement –, il retourna dans sa chambre. J'attendis que le silence fût retombé pour de bon avant de lever mes yeux humides de larmes.

Razoxane me regardait patiemment. Mon cœur se serra. Une nouvelle fois, je me posai la question : est-ce qu'elle savait ? Impossible de le dire. Attendait-elle son heure, ou se contentait-elle de jouer avec moi comme un chat avec une souris ? Je savais ne pas pouvoir lui faire confiance ; mais que ferais-je si elle commençait à se défier de *moi* ?

Je déglutis et me redressai.

— Je reviendrai demain, dit Razoxane. Prends un solide petit déjeuner. Il fait froid là-dehors.

— Rachel, fit gentiment Ruth, tu ne vas tout de même pas sortir par un temps pareil ?

Il me suffit de jeter un coup d'œil à la fenêtre opaque pour savoir qu'elle avait raison : je n'avais aucune envie de m'aventurer dehors. La neige avait cessé, mais le ciel était bas et livide ; la clarté du jour avait quelque chose de patiné. Un autre univers, immobile et glacé.

Je me tournai vers Ruth et haussai les épaules.

— Il faut que j'aille voir quelqu'un.

Et je mordis dans mon toast comme pour couper court à tout argument. Le pain grillé avait la consistance et le goût du carton.

Elle me regarda, puis haussa elle aussi les épaules. Je sentis que sa patience commençait à s'émousser et ne pouvais pas l'en blâmer : ma propre ingratitude me retournait l'estomac. Lorsque je l'avais croisée sur le palier, dans ma robe de chambre d'emprunt, elle m'avait conseillé de rester couchée aussi longtemps que je le désirais ; et j'étais là, tout habillée, incapable de dissimuler ma hâte de partir.

Ruth hésita avant de faire une nouvelle tentative.

— S'il faut vraiment que tu sortes... au moins, prends un de mes manteaux. Habille-toi chaudement.

Je ne pouvais même pas accepter. Ma cape était un objet presque magique ; un fragment de mon passé – qui m'enveloppait de souvenirs autant que de chaleur. La première fois que je l'avais endossée, j'étais encore étudiante...

— Merci, mais j'ai ce qu'il faut.

— Je ne te comprends pas, Rachel, dit-elle franchement. Pourquoi es-tu comme ça, sur la défensive ? Si seulement tu nous laissais t'aider...

— J'ai l'impression d'entendre ma mère.

Je lui dédiai un faible sourire, mais, dans un tel contexte, ce n'était pas un compliment et elle le savait très bien. Elle abandonna avec un soupir de défaite.

Je l'écoutai battre les coussins dans le salon et soupirai à mon tour avant de faire passer les dernières miettes de mon toast avec le reste du café.

Peu après mon départ, Vedova vint me chercher. L'oiseau se mit à tourner tout autour de moi comme un feu follet. Je suivis sa silhouette blanche soulignée par l'étrange clarté du jour, arpentant des rues silencieuses. Il y avait déjà des traces de pneus sur la voie, mais les trottoirs disparaissaient sous dix bons centimètres de blancheur.

Razoxane m'attendait en bordure de la ville, assise sur un muret. Derrière les haies dénudées, les bois semblaient très proches et lourds de ténèbres comme les nuages l'étaient de neige.

Elle me sourit, apparemment très à l'aise dans ce paysage amorphe. Elle épousseta son manteau sans cesser de me dévisager.

L'étui à guitare était posé contre le muret. Elle passa la lanière autour de son épaule et rajusta son écharpe mitée.

— Prête ?

— Où sont-ils ? demandai-je.

— Ils se sont séparés, comme je l'avais prévu. L'une des cellules s'est mise en mouvement à l'aube et n'a pas arrêté depuis : ils hantent le sud. L'autre est restée sur place. Ce sont eux qui détiennent le grain.

— Et... Cathy est avec les premiers ?

— Oui.

— Avec... leur chef ?

Je n'osai former son nom dans mon esprit de peur qu'elle ne le déchiffre. Elle hocha la tête.

— Alors pourquoi ne pas les attaquer *eux* ? À un contre quatre, tu peux t'en tirer... pas vrai ?

Je regardai son étui avec insistance.

— Ce n'est pas si facile. Ils couvrent leurs traces à l'aide du grain. Je ne peux les lire.

Tout comme ils ne pouvaient décrypter les nôtres. Un duel de magie. Je scrutai les arbres pour éviter qu'elle ne sonde mon regard.

— À moins d'un kilomètre d'ici, reprit-elle, il y a une vieille grange complètement isolée et dépourvue de tout signal psychique. Vedova est allée y jeter un coup d'œil. Nous pensons qu'ils s'y sont réfugiés.

J'avais l'impression d'être une souris dans les griffes d'un chat. Elle savait. C'était obligé. Elle était un *esprit*.

Je tentai de me raisonner. Razoxane n'était pas infaillible : elle-même l'avait admis. Elle s'était réincarnée et souffrait de toutes les faiblesses de la chair. Peut-être ne voyait-elle pas plus loin que mon apparente soumission ; son agneau prêt pour le sacrifice.

Et si elle ne savait pas...

Je n'osai pas m'aventurer plus loin. Pas tant qu'elle était si proche de moi.

Razoxane partit en direction des bois ; je la suivis en fixant sa nuque, au-dessus de l'étui élimé. J'eus une pensée digne de Judas.

Je vendrai chèrement ma peau, avait-elle dit. Mais Cathy n'avait pas de prix. Une vie pour une autre ; cela me semblait équitable...

Razoxane jeta un coup d'œil en arrière, et mon cœur bondit dans ma poitrine. Mais elle se contenta d'attendre que je la rejoigne.

— Il y a un chemin à travers les arbres, dit-elle. Il mène à l'endroit où, jadis, s'élevait un village. Il n'en reste plus que cette grange.

Vedova se posa sur une branche au-dessus de nous, provoquant une mini-avalanche.

— Les villageois ont dû succomber à une épidémie, reprit Razoxane, ou peut-être sont-ils morts de leur belle mort. Mais de tels endroits émettent d'étranges échos. Des fantômes appelant d'autres fantômes.

Sur cette touche spectrale, elle partit au cœur des arbres. Je la suivis en me souvenant d'une allégorie entendue à l'école du dimanche – et dont je comprenais enfin la pleine signification. Le pèlerinage de l'Effrayé, suivi de ses compagnons, Peine et Souffrance.

La grange était un long bâtiment court sur pattes au toit fortement pentu. Elle était nichée au bout d'un champ, et cette étendue de neige immaculée renforçait encore ce sentiment d'isolation. De notre position, en bordure de forêt, je pouvais entrevoir les bâtiments d'une ferme plus moderne à travers les arbres décharnés qui flanquaient la grange.

Le tapis blanc était immaculé ; pas la moindre trace de pas. Je regardai Razoxane.

— Alors c'est là, tu en es sûre ?

— Tu ne sens rien ?

Je regardai à nouveau la grange. L'arête du toit était irrégulière comme une colonne vertébrale noueuse. Je pensai à un animal de pierre recroquevillé sous un manteau de neige.

Oh, si. Je sentais leur présence.

— Ils sont quatre, alors ?

— Probablement quatre.

Elle mâchonnait pensivement le bout d'une allumette.

J'attendis en silence, bien que j'eusse aimé pouvoir faire quelques pas. Maintenant que nous avions cessé de marcher, le froid commençait à montrer les dents.

— Et à présent, que fait-on ? insistai-je.

— Je suis en train d'y réfléchir.

Je grimaçai – ma peau était si froide que je crus l'entendre se craqueler –, posai le menton sur mes genoux et m'emmitouflai dans ma cape. Au bout d'une minute, je fis une nouvelle tentative :

— On attend qu'ils bougent... ou quoi ?

— On ne peut pas attendre.

— Pourquoi ?

— Parce que nous sommes suivis... pas vrai, Vedova ?

Elle prononça ces mots d'un ton si tranquille, avec un regard d'affection vers son esprit familier, que je mis un instant à comprendre leur signification. Nos traces s'enfonçaient sous le couvert des bois, visibles comme le nez au milieu de la figure. Quel que fût le charme qu'elle eût utilisé pour les couvrir, il était trop lent pour être efficace.

Je ramenai mes jambes sous moi, prête à bondir.

— Tu veux dire... que les autres reviennent ?

Elle secoua la tête.

— La signature est différente. Celui qui est à notre poursuite ne cherche pas à se cacher. C'est un homme seul, à pied. Sans doute ton ami le chasseur de sorcières.

Mon Dieu, me dis-je, et je faillis me trahir ; puis je réalisai de qui elle voulait parler.

— Chris ?

— Oui, et il tombe à pic, répondit-t-elle.

Je la dévisageai sans comprendre.

— En rassemblant nos ennemis, nous pouvons jouer sur les deux tableaux, expliqua-t-elle. Les monter l'un contre l'autre. Pendant qu'ils s'amuseront entre eux, nous aurons le champ libre.

— Comment ? fis-je en regardant la grange.

— C'est simple. Je vais faire sortir les *Ironsides*, et toi, tu te charges de ton copain. Attire-le là, devant la grange. Il détournera leur attention et nous aurons le champ libre.

— *Quoi ?* fis-je d'un ton qui signifiait : tu te fous de ma gueule ?

— Tu es courageuse, Rachel, tu l'as déjà prouvé. Tu peux y arriver.

La corneille crailla, comme pour approuver.

— Et toi, ferme-la, lui dis-je.

— Chris et toi êtes devenus proches, reprit doucement Razoxane. Ce lien peut te servir.

— Il veut me *tuer*, bon sang ! protestai-je.

— Je croyais qu'il en avait après *moi*. C'est bien ce que tu m'as dit ? Alors, pourquoi ne pas en profiter ? Fais-lui une proposition. Dis-lui que tu veux me livrer.

Elle *sait*.

Alors que j'avançais entre les arbres, je ne pus m'empêcher de jeter un coup d'œil en arrière en tendant l'oreille, comme si j'avais pu les entendre murmurer dans mon dos.

Elle se jouait de moi, j'en avais la certitude. Sans doute pour satisfaire son sens de l'humour pervers. Même si je parvenais à attirer Chris dans son embuscade, peut-être comptait-elle se débarrasser de moi en même temps que des autres.

J'eus un sursaut d'horreur. Comment allais-je m'en sortir ? Ce n'était pas *moi* qui étais allée trouver Warwick. Elle le comprendrait certainement.

Si elle savait ce qu'il en était.

Je frissonnai et continuai d'avancer dans la demi-clarté silencieuse. Au fond, me dis-je, peut-être son raisonnement était-il l'inverse. Elle m'avait envoyée le trouver parce qu'elle savait qu'elle pouvait me faire confiance.

J'étais encore indécise lorsque j'atteignis le chemin. Celui-ci serpentait à travers les bois telle une rivière blanche. Les arbres formaient une haie d'honneur de chaque côté ; là, sous la masse des branches, la clarté du jour était comme déchirée, dispersée.

Je m'accroupis pour mieux écouter, puis risquai un œil prudent. À gauche, là où le sentier rejoignait le monde extérieur, il y avait un peu plus de lumière.

Et une silhouette solitaire se découpait sur ce tapis blanc. Je distinguai son long manteau, et le fusil qu'il serrait contre sa poitrine. Il ne cessait de tourner la tête en tous sens, comme un serpent ; fouillant les moindres recoins, à la recherche d'un signe de notre passage.

— Chris..., appelai-je.

Il tourna vers moi son regard et son canon. Mes nerfs me criaient de me baisser, mais je me raidis et tins bon. De là où j'étais, j'avais l'avantage de la hauteur ; plus l'épaisseur rassurante des taillis derrière moi.

Il leva les yeux et parut hésiter. Une ombre passa sur son visage ; un sentiment que je ne pus identifier et qui disparut immédiatement, mais il eut du mal à reprendre contenance.

— Rachel, fit-il en s'humectant les lèvres. Tu veux que je fasse vite ? C'est possible.

Je secouai la tête et faillis grincer des dents alors que mes nerfs me picotaient de nouveau. S'il ouvrait le feu, pourrais-je vraiment me cacher à temps ?

— Il faut qu'on parle, fis-je d'une voix rauque.

— Je n'ai rien à te dire, répondit-il avec une pointe de résignation. Je te propose de t'abattre avant de te brûler ; tu ne sentiras rien, je te le promets...

— Alors que je peux te livrer Razoxane ?

Il fronça les sourcils.

— Que veux-tu dire ?

— Je peux te montrer où elle se trouve. Là, tout de suite. Tu n'auras qu'à la tuer. Du coup, peut-être... que je serai sauvée... lorsque tu l'auras détruite...

Il réfléchit en silence. Malgré le froid, je me sentis baignée de sueur.

— Descends de là, me dit-il.

Un instant, mes jambes refusèrent de bouger ; puis j'obtempérai et me dirigeai lentement vers lui – ignorant la petite voix qui me soufflait que je faisais une bêtise.

Lorsque j'atteignis le chemin, il posa soudain la crosse du fusil sur son épaule, visant ma poitrine. De si près, la mire télescopique était bien inutile. Absurde, même. Mon cœur sembla se rétrécir.

— Avec ce fusil, mon père a abattu des buffles, dit-il. C'est un 44 magnum. Il tire des balles grosses comme le doigt...

Un doigt de whisky ? pensai-je. *Un doigt de porto ?* Un doigt qui suffirait pour m'envoyer au paradis...

Je levai les mains en signe de reddition. Ma cape s'ouvrit, révélant sa doublure écarlate. Pas question de céder ; pas devant lui. J'ignorai mon cœur qui battait la chamade et trouvai assez de courage pour le dévisager.

— As-tu déjà vu une carcasse à l'étal d'un boucher, Rachel ? Moi, j'en ai vu des dizaines. Une simple pression du doigt, et tu ne vaudras pas mieux.

Salopard ! me dis-je en m'efforçant de ne pas frémir.

— Je t'ai dit que je te mènerais à la sorcière !

Il baissa son fusil, mais celui-ci restait braqué dans ma direction.

— Où est-elle ?

— Il y a un ancien village... de l'autre côté de la forêt. C'est là qu'elle se terre.

— Et pourquoi devrais-je te faire confiance, Rachel ? demanda-t-il.

Son regard était aussi dur que le canon qu'il braquait sur moi. Prêt à exploser. Peut-être aurais-je le temps de bondir avant que la balle ne me frappe...

— Parce que je veux en être débarrassée, dis-je avec un désespoir qui n'était pas feint.

— Vraiment?

Je me signai, lentement, froidement.

— Au nom du Père, du Fils et du Saint-Esprit.

Il était tiraillé entre sa défiance instinctive et son désir de piéger Razoxane. Mais peut-être était-ce mon serment qui fit pencher la balance. Il baissa son fusil.

— Très bien, Rachel. Je te suis. Mais n'oublie pas qu'au moindre faux pas tu es morte.

Je fis la grimace, m'enveloppai dans ma cape et tournai les talons. Il escalada la colline derrière moi en gardant ses distances, mais sans me lâcher d'un pouce. Je m'arrêtai au sommet pour reprendre mon souffle et entendis sa respiration régulière.

Dans les bois, la lumière était comme coincée entre les branches et les nuages pour ne laisser qu'une pénombre malsaine. Je pouvais voir mes pas qui remontaient vers la grange – et ce qui s'y terrait. Ces *choses* que, à cet instant même, Razoxane attirait dans ma direction.

Mais je ne les voyais pas. Le silence était encore plus oppressant que la neige.

— Ne me fais pas attendre, murmura-t-il à mon oreille.

Je lui jetai un regard malheureux; je me sentais bien petite, bien seule. De l'autre côté de cette colline gisait tout ce qui me rattachait à une vie normale. Là, j'étais en terre inconnue, entre les mains d'un meurtrier, en partance vers une embuscade de cadavres.

Je baissai la tête et partit en avant, une fois de plus. Je sentais son arme braquée sur mon dos.

— Tu joues vraiment ton rôle, murmura-t-il.

Celui de sorcière ou de veuve? me demandai-je avec amertume. Son visage était impassible, mais que pouvait-il cacher? Un chasseur comme lui devait savourer ce silence; et pourtant, il se sentait obligé de le rompre. Il fallait qu'il parle.

— Je te l'ai dit, marmonnai-je, je ne suis pas sa créature.

— Pas de ta propre volonté, peut-être...

Son ton contenait une vague ouverture. Une opportunité. Soudain, je compris pourquoi. Je l'avais moi-même envoûté! Il était sous mon charme! Cette idée était si incongrue que je faillis éclater de rire.

— Peut-être serai-je incapable de te sauver, Rachel, fit-il comme s'il soupesait le pour et le contre. Je ne peux m'opposer à la sentence de Dieu...

J'hésitai avant de répondre. Écoutai. Rien.

— Je ne te crois pas, dis-je alors.

Il eut un reniflement de mépris.

— Les gens comme toi ne comprennent que lorsqu'il est trop tard.

— Comment un chrétien peut-il envoyer des âmes brûler en Enfer ? demandai-je.

Une ombre passa sur son visage. Doute ou dérision ?

— Elles ont mérité leur châtiment.

— *Personne* ne mérite un tel sort.

J'avais tenu ce même raisonnement trois semaines plus tôt, lors d'un débat du groupe féminin catholique. Mais je savais que Chris mordrait à l'hameçon.

— Et qui a prononcé ce jugement ? Sais-tu ce que c'est que d'avoir un enfant ? Un père ou une mère ne violeraient-ils pas toutes les lois au monde pour sauver la chair de leur chair ?

— Fais attention, Rachel. Tu ne sais pas de quoi tu parles.

J'évitai un arbre ; un écran de buissons gelés bloqua ma vue. Je continuai de parler afin de détourner son attention. Les *Ironsides* devaient certainement être tout près. Chaque pas nous en rapprochait.

Tu as entendu, Dieu ? Je veux juste rentrer chez moi. Et qu'on me rende Cathy.

Un craquement sec sur ma gauche ; je me tournai dans cette direction et entrevis une silhouette au-delà des buissons. Grande, coiffée d'un chapeau. Dépourvue de visage. Elle s'avançait vers nous. Je me figeai ; elle fit de même. Mais une autre forme la suivit.

Je fis un pas de côté pour que Chris puisse les voir, puis me mis à courir.

Il ouvrit le feu immédiatement. J'entendis la détonation, attendis l'impact – mais la balle vint se loger dans un tronc, provoquant un déluge de neige poudreuse. Je perdis l'équilibre et tombai à quatre pattes. Sa deuxième balle siffla au-dessus de ma tête.

Cours, ma fille, cours !

Je continuai mon chemin. Le fusil cliqueta alors qu'il réarmait, puis un autre coup de feu frappa la neige en une mini-éruption. Je tombai dans un fossé, emberlificotée dans ma cape. En heurtant le fond, j'eus une vision – mon visage blanc, mes yeux révulsés, ma poitrine que la décharge avait fait exploser, étripée comme un mouton à l'abattoir. Je me redressai avec un hoquet d'épouvante et partis en courant.

Razoxane surgit devant moi sans crier gare, comme issue de la neige elle-même. Son manteau en était recouvert, même ses lunettes étaient croûteuses de givre : elle ressemblait à un explorateur polaire. Un sourire féroce découvrit ses dents. Elle se saisit de mon manteau et m'attira à sa suite.

Je me débattis et jetai un coup d'œil en arrière, mais personne ne nous suivait. Je pouvais juste entendre des craquements ; des choses sinistres qui rôdaient dans les taillis. La balle suivante ne m'était pas destinée.

— Bien joué, Rachel, siffla Razoxane à mon oreille. Il est seul face à eux quatre. Allons-y.

Comme si j'avais besoin d'encouragements ! Nous nous dirigeâmes vers l'autre côté du bois aussi vite que la couche de neige et les buissons nous le permettaient. Derrière nous retentirent d'autres coups de feu, secs et sporadiques comme les craquements d'un incendie. Peut-être était-ce au tour de Chris de connaître la peur, seul face à un ennemi supérieur en nombre.

À ton tour de passer en jugement.

La grange apparut entre les arbres. Sur la couche de neige recouvrant le champ, les traces de pas évoquaient des cicatrices. Heureusement que je n'avais pas vu ceux qui les avaient laissées.

Le bâtiment morose nous dominait de toute sa taille, et le silence était tel que je pouvais presque l'entendre craquer, écrasé qu'il était sous son linceul blanc. Les *Ironsides* l'avaient quitté, mais leur relent imprégnait toujours l'atmosphère. Chaque ouverture calfeutrée semblait cacher d'insondables mystères. Et le cercueil était toujours là ; la chose maléfique que nous venions détruire. Sa présence faisait de la grange un tombeau.

Je regardai derrière moi, mais personne ne nous avait

suivies. Il y eut une lueur entre les arbres ; un jaillissement de flammes brillantes, voraces. L'avaient-ils brûlé ?
Chris était-il en train de subir le sort qu'il me réservait ?
Je n'eus pas le temps d'y réfléchir : Razoxane se dirigeait
déjà vers la porte.

Elle la poussa, puis me fit signe de la suivre. J'obtempérai après un dernier coup d'œil en direction des bois.

L'intérieur était sombre, caverneux, et sentait l'humidité. Nos ombres nous devancèrent, s'étirant le long de
l'allée centrale, enchâssées dans un long rectangle pâle.
Razoxane déposa son étui, puis s'avança au cœur de la
pénombre.

Le cercueil à grain était là, posé sur deux tréteaux à
l'autre extrémité de la grange. Son bois fatigué était
emplâtré de boue. En le voyant, je sentis vaciller mon
courage.

— Tu ne risques rien, murmura Razoxane. Si l'on agit
avec prudence, il restera inoffensif.

Elle alla se tenir devant lui et me fit signe de me poster
à l'autre bout du couvercle limoneux. Ainsi, nous nous
retrouvâmes face à face.

— Et maintenant ? murmurai-je comme si je redoutais
de réveiller quelqu'un – ce qui était le cas.

Razoxane posa les mains sur le cercueil et se pencha
vers moi.

— Tu sens ? Toute cette *puissance*...

J'hésitai, puis posai à mon tour les mains sur le bois.
Aussitôt, mes doigts me picotèrent. À travers mes gants,
je ressentais la vibration subliminale de ce qui reposait
sous ce couvercle.

Puis vint un mouvement plus substantiel. Quelque
chose remuait dans son sommeil. Je reculai et dévisageai
Razoxane. Elle arborait un sourire de goule.

Elle tira une bourse, comme celle où elle rangeait ses
pièces. Mais celle-ci était plate et, lorsqu'elle l'ouvrit au-
dessus du cercueil, il ne s'en échappa que des cendres.

Elle étala la pâte grise sur le couvercle en murmurant
des mots étranges ; puis jeta la bourse vide.

— C'est bon ; allons-y.

Nous nous dirigeâmes vers l'entrée. Je n'osai pas
regarder en arrière. Le champ était toujours désert. Une

fois dehors, Razoxane se mit à courir. J'essayai de la suivre loin, loin de ce bois, de cet endroit maudit. Elle fila droit vers la grande barrière qui fermait le champ et jeta son étui par-dessus avant de l'escalader. Je fis de même, malgré ma cape qui me gênait. Lorsque je retombai de l'autre côté, je vis que Razoxane tenait une allumette entre ses doigts. Elle fixait la grange.

— *Fiat Lux*, murmura-t-elle en serrant le poing.

L'allumette s'alluma avec un craquement, et la grange vola en éclats.

Ni la pierre ni la neige ne purent contenir le souffle de l'explosion ; on aurait dit un réservoir d'oxygène. Une boule de flammes monta vers le ciel pour finir en un panache de fumée. Des morceaux de tuiles rebondirent sur le sol et de la poussière de neige liquéfiée et noircie nous aspergea le visage.

— Merde..., murmurai-je.

— C'est une grande perte architecturale, répondit-elle, mais bon...

Je fis un pas en arrière. La boule de feu avait disparu, laissant derrière elle des fragments de bois embrasés sous ce sinistre linceul de fumée.

Les coups de feu avaient cessé. Le silence revint, plus oppressant que jamais.

— Il y avait beaucoup de terre noire dans ce cercueil, murmura Razoxane. Un vrai *trésor*...

Elle posa une main sur mon épaule ; je sursautai.

— Mais ils ne pourront plus s'en servir. Viens ; ne traînons pas dans le coin.

Des volutes de fumée grasse s'accrochaient aux hautes branches des arbres. En regardant le sol, je vis crépiter des flammes. Au cœur des bois, par contre, tout était noir et silencieux. Derrière moi, Razoxane tourna les talons, mais je ne pus me convaincre de la suivre. Du moins jusqu'à ce que quelque chose ne vienne agiter les buissons tout proches.

Cela me suffit. Je la suivis au pas de course sans attendre l'arrivée des *Ironsides*. Je ne voulais pas les voir émerger de la forêt. Même à cette distance, je sentais leur rage froide – comme la mort.

— Je me doutais qu'on ne s'en débarrasserait pas si facilement, dit Razoxane.

Son ton gardait une nuance d'amusement, mais, avant même que je me retournât pour regarder en arrière, ma nuque se hérissa.

Une silhouette mince et efflanquée nous suivait. Même à cette distance – cinq cents mètres environ – je reconnus Chris. Sa silhouette se découpait sur le ciel.

— Merde.

Je cherchai des yeux une cachette, mais nous nous trouvions sur un chemin de terre entouré de deux haies dégarnies avec quelques arbres isolés aux alentours. Cette fois, c'était lui qui avait l'avantage de la hauteur.

— Ne t'inquiète pas, dit Razoxane. À cette distance, il ne peut pas nous atteindre.

— Ce fusil a un viseur télescopique ! lui fis-je remarquer en lui jetant des regards nerveux.

— Cela ne lui servira à rien. Je peux l'aveugler en lui renvoyant la lumière qui nous sépare... et il le sait.

Je n'y comprenais goutte, mais ne pouvais qu'envier son sang-froid.

— Il me flanque la frousse.

— Difficile de distancer un loup en chasse. Il nous faudra faire avec... pour l'instant.

— Oui, mais... il faut que je me repose. Cela fait des heures qu'on marche.

Après l'explosion de la grange, j'espérais que nous retournerions en ville, mais elle s'était de nouveau perdue dans la campagne. Avant même l'arrivée de Chris, j'avais émis quelques doutes. Ne serions-nous pas plus en sécurité dans les rues ? De plus, je commençais à ressentir les effets conjugués du froid et des kilomètres parcourus. *Mais nous avons détruit leur linceul*, avait-elle répondu. *Là, à découvert, je peux les localiser.*

Certes. Seulement, eux aussi nous voyaient. Et ils pouvaient nous empêcher de revenir en ville avant la tombée de la nuit. Ensuite, ils s'arrangeraient pour nous séparer – et nous traquer.

Dès la tombée de la nuit...

Razoxane fit une pause et rajusta son étui. Je regardai

son visage lugubre. Ressentait-elle la même lassitude ? À force d'errer sans fin, les revenants pouvaient-ils se fatiguer ? Possible.

Un arbre nous attendait un peu plus loin, silhouette décharnée se découpant sur le ciel. Il régnait un silence de mort. Pourtant, la destruction de la grange n'était certainement pas passée inaperçue. Tout d'abord, j'avais guetté les hélicoptères de la police – mais peut-être étaient-ils cloués au sol par la neige. Seule Vedova, qui décrivait des cercles au-dessus de nous, mettait un peu d'animation dans ce paysage désolé.

Lorsque je regardai de nouveau en arrière, je vis Chris qui descendait la pente. De toute évidence, il voulait rejoindre le chemin pour mieux nous suivre.

Vedova se percha sur une branche et entreprit de se lisser les plumes.

— Tu as faim ? me demanda Razoxane, du ton qu'elle aurait pu avoir si nous n'avions pas été traquées par un tueur sans merci.

— *Oui.*

En fait, mon estomac criait famine !

Razoxane s'était figée. Je suivis son regard vers la haie incrustée de givre. Il n'y avait rien à voir.

— Qu'y a-t-il ? demandai-je.

Elle posa son doigt sur ses lèvres sans détourner les yeux. Je regardai derrière nous, inquiète. Chris était là, à bonne distance.

Soudain, Razoxane s'accroupit ; la détonation de son automatique me fit sursauter. Je ne l'avais même pas vue dégainer. Le temps sembla se figer. Puis elle se releva et me sourit.

Je lui rendis son regard, éperdue. Les échos du coup de feu balayaient encore la campagne. Je me tournai vers Chris. Il s'était arrêté, lui aussi.

Razoxane se dirigea vers la haie. Elle rangea son arme et se pencha pour farfouiller dans les racines. Lorsqu'elle se retourna, elle tenait un lapin inerte et ensanglanté qu'elle avait empoigné par les oreilles.

— Bon Dieu, Razoxane ! bafouillai-je.

— Tu manges bien de la viande, je crois.

J'allais acquiescer, puis compris ce qu'elle voulait dire et arrêtai mon geste.

— Inutile de faire une tête pareille, murmura-t-elle. J'ai appris à chasser il y a bien longtemps, mais cela ne s'oublie pas. Maintenant, trouvons-nous un coin tranquille. Il faut que tu reprennes des forces.

Une fois le lapin monté sur une rôtissoire improvisée, une bonne odeur de viande monta à mes narines et raviva mon appétit. Le petit déjeuner était bien loin ; mon estomac était aussi froid et vide que les champs avoisinants.

Nous avions installé notre foyer au sommet d'une colline, d'où nous pouvions surveiller les alentours. Chris était assis à une centaine de mètres de là, telle une vigie silencieuse. Il n'avait pas fait mine d'approcher.

— Ça sent bon, dit-elle, suivant mon regard. On devrait peut-être l'inviter à partager notre repas.

Je lui décochai un regard moins glacial que je ne l'aurais voulu.

Le feu crépitait joyeusement, et sa chaleur réchauffait mes joues. De son côté, Chris s'était confortablement installé et nous surveillait, attendant son heure.

— Qui est-il vraiment, Razoxane ? murmurai-je.

— Je me le demande aussi. Quel rôle joue-t-il dans cette histoire ? Tiens...

Elle découpa un morceau de viande et me le tendit. Je mordis du bout des dents. Je n'avais pourtant jamais rien mangé d'aussi délicieux.

— Tu veux vraiment le savoir ? continua-t-elle.

Un instant, je cessai de mastiquer.

— Comment... en provoquant une nouvelle vision ?

— Pourquoi ne pas profiter de sa présence, là, tout près de nous ? Nous pourrions en tirer un commencement de réponse.

Cette idée me coupa définitivement l'appétit. Ces voyages spirites risquaient d'avoir raison de ma santé mentale. Mais je n'hésitai qu'un bref instant.

— Alors, allons-y, dis-je.

Elle jeta des brindilles dans le feu et l'éventa avec son chapeau. Je me mordis la lèvre. J'avais réussi à avaler encore un peu de viande, et son arrière-goût graisseux m'engluait la gorge.

— Détends-toi, me dit Razoxane, accroupie devant le foyer. Concentre-toi sur la flamme, comme tu l'as fait avec la chandelle. Je me charge du reste.

Je me souvins de ma fascination pour notre cheminée, lorsque j'étais enfant. Je fixais ses profondeurs faites de braises rougeoyantes et de bûches réduites en cendres, tout en m'imaginant que je contemplais un autre monde.

Une illusion qu'elle avait le pouvoir de transformer en réalité. Et maintenant, un souvenir plus récent me revenait : ma rencontre avec Warwick. Peut-être était-il toujours à mes côtés, murmurant sur sa longueur d'onde spectrale. Peut-être reprendrais-je contact avec lui au cours de ma transe – et avec ses tourments.

Un autre univers composé de flammes. L'Enfer ?

Je repoussai cette idée et cherchai des yeux Chris. Il n'avait pas bougé.

— Et s'il en profite pour attaquer ?

— Vedova nous préviendra.

Je ne pouvais plus reculer. Je déglutis et me tournai vers le feu, résignée à mon sort. J'étais comme un blessé dont il faut nettoyer la plaie : aussi désagréable que cela puisse être sur le moment, il sait qu'il se sentira mieux ensuite.

Les petites flammes dansaient comme des feux follets : une oasis de lumière dans ce paysage désolé. J'y plongeai mon regard. Le monde vira au rouge flamboyant.

Je sentis, vaguement, la main de Razoxane sur mon épaule. Puis Warwick tourna la tête et me dévisagea.

Je voulus battre en retraite, mais n'en eus pas le temps : il était déjà sur moi, assez près pour m'embrasser. Cette fois encore, je voyais en négatif, mais tout était coloré par les flammes : des ombres jaunes, des blancs écarlates. Un monde d'or et de sang.

Ce moment se prolongea, puis il détourna les yeux. Son expression sinistre n'avait pas changé. Cette fois-ci, il ne pouvait pas me voir.

Perdue dans le flot des événements qui s'écoulaient autour de moi, je compris enfin que j'étais revenue dans le passé ; à l'époque des *Ironsides*. Les images se superposaient comme les souvenirs de personnes différentes se mêlaient dans mon esprit. Des cavaliers casqués, des mousquetaires à pied ; des gens abattus, poignardés, brûlés. Et le feu s'étendait partout, aux bâtiments, aux forêts, aux bottes de foin.

Et j'étais prise au piège au milieu des flammes écarlates. Je ne pouvais même pas fermer les yeux. Un cavalier galopait dans ma direction à travers un rideau de sang bouillonnant, faisant voler les pans de son manteau. Il ne portait pas de casque ; ses cheveux lui tombaient dans les yeux. Il avait une carabine en main. J'entrevis un visage jeune, mais tendu et vieilli par le désespoir – puis il disparut.

Un spasme nauséeux faillit me faire perdre pied. J'étais en train de me réveiller.

Un *Ironside* tomba de sa selle, les bras écartés ; il avait un trou rouge dans sa cuirasse. Des pendus accrochés aux arbres oscillaient au gré du vent. Warwick, à cheval, dirigeait les opérations. On avait érigé des bûchers qui finissaient de consumer des cadavres racornis.

Maintenant, je pouvais sentir les doigts de Razoxane posés sur mon épaule ; la vision se dissolvait peu à peu, comme du sang dans l'eau. On entraînait un homme au gibet, et je crus reconnaître ce cavalier. Ses traits aquilins restaient sereins, ses yeux ne cillaient pas. Mais son visage ne m'évoquait rien.

Warwick passa lui-même le nœud coulant autour de son cou.

C'est alors que je me réveillai en sursaut.

Je tremblais comme une feuille, mais Razoxane me berça jusqu'à ce que les spasmes s'apaisent. Malgré la chaleur du feu, mon front était baigné d'une sueur glacée. La force de ma vision me retournait l'estomac. Je fis de mon mieux pour ne pas vomir mon repas improvisé.

— Ça va ? demanda Razoxane.

Je fis oui de la tête, puis regardai le long du chemin. Chris n'était plus là.

— Oh, mon Dieu..., chuchotai-je.

— Il est parti, m'assura-t-elle. Vers l'est. Vedova l'a suivi.

— Il a abandonné la partie ?

— Permets-moi d'en douter.

— Alors... que dis-tu de tout ceci ?

Elle prit une branche pour remuer le brasier.

— C'était la guerre de Warwick. Sa dernière campagne. Il a entièrement rasé un hameau. L'histoire l'a oublié, mais l'air et la terre s'en souviennent encore.

— Alors, comment a-t-il pu perdre la guerre ?

Elle haussa les épaules tout en remuant les cendres.

— Je ne sais pas. Ce n'était pas qu'un problème d'armement. Tu peux en être sûre.

Je pensai à la première vision que nous avions partagée ; cette femme qui disparaissait dans les bois – poursuivie par des fantômes. Ce n'était pas Razoxane, je l'aurais juré, et pourtant...

— Est-ce que... tu t'y es trouvée mêlée ?

Elle me regarda, puis eut un mince sourire et secoua la tête.

— Je venais à peine de renaître, Rachel. Lorsque tout cela est arrivé, je n'étais qu'une enfant. Pas plus âgée que ta fille...

Je l'examinai en silence. Cherchant ce qu'elle omettait de dire. Mais c'était inutile : je n'arrivais toujours pas à percer ce masque impassible.

— Nous allons bientôt repartir en ville, dit-elle. Les deux cellules doivent s'être cachées. Ils savent que je ne peux plus les suivre.

— Et Chris ?

— Il gardera ses distances.

Mais ne nous lâchera pas. Je regardai autour de moi ; les champs étaient déserts. Lui aussi devait s'être trouvé une tanière. Un petit bois tout proche nous bloquait la vue, mais je présumai que Vedova devait surveiller ce secteur. Chris n'était pas là, à nous épier...

— Ce soir, je vais prendre un bain bien chaud, marmonnai-je comme une promesse.

Je me demandais comment éluder les questions de Ruth et Graham, mais Razoxane dit doucement :

— Tu ne peux pas retourner là-bas.

— Pourquoi ? fis-je, prise de cours.

— Parce que demain, tout sera terminé, et il faut que tu te prépares.

Terminé. Ce mot rebondit dans mon esprit incapable de saisir sa pleine signification. Ce cauchemar faisait désormais partie de ma réalité. Il n'aurait pas de fin...

Puis je réalisai son ambiguïté. Est-ce que demain, je retrouverais ma petite fille ? Ou mourrais-je en essayant de la sauver ?

— Comment ça ? demandai-je.

— Maintenant qu'ils n'ont plus de cercueil à grain, nous pourrons les affronter au moment voulu.

— Et qu'allons-nous faire ? Passer un marché ?

Elle secoua la tête d'un air sombre.

— On ne peut traiter avec des êtres tels que ceux-ci...

Je regardai le feu.

— Il nous faudra un camp de base, reprit-elle. Une maison vide que, s'il le faut, nous pourrons transformer en fortin. S'ils savent où te trouver, il est possible qu'ils s'aventurent en ville...

— Donc... si je ne retourne pas chez mes amis, ceux-ci ne risqueront rien ?

— En effet. Il vaut mieux les garder hors de tout ceci.

Bien sûr. Depuis que je connaissais Razoxane, trop nombreux étaient ceux qui avaient souffert à cause de moi. Parfois, même après toutes ces années, ils revenaient me hanter...

— D'accord, marmonnai-je. Comment dois-je me préparer ?

— Il faut que tu rassembles tes forces et la moindre parcelle de ton amour pour ta fille. Demain, il n'y aura pas de quartier – il faudra que je les détruise tous. Je dois pouvoir puiser un surcroît de force à même ton esprit. Il faut que je me sente *vivante*.

— Rachel ! fit la voix lointaine de Ruth. Tu aurais pu nous en parler avant !

Je fis la grimace et passai une main dans mes cheveux.

— Je suis désolée, Ruth... Vous avez été formidables, tous les deux. Mais j'ai l'impression d'avoir profité de vous et... il vaut mieux que je trouve un autre refuge.

— Nous t'avons dit et répété que tu étais la bienvenue. Franchement, Rachel... tu te conduis comme la fille de ma meilleure amie, qui est en pleine crise d'adolescence. Je suis désolée de te gronder ainsi, mais... nous t'aimons beaucoup, d'accord ?

Et moi aussi, je vous aime beaucoup. C'est pour ça que je ne peux pas rester.

— Tu ne vas tout de même pas devenir squatter ?

— Non, non...

En fait, c'était exactement ça : nous nous préparions à investir une grande maison étroite au bout d'une rue anonyme. Depuis la cabine téléphonique, je pouvais voir ses fenêtres aveuglées par des planches. Son toit se dressait vers un ciel d'une couleur rouge malsaine.

Pas une âme en vue ; le crépuscule teintait la neige de rose. Razoxane se tenait un peu plus loin.

— Je t'en prie, Rachel, ne reste pas dans le froid...

Chris n'était toujours pas là. Il s'était remis à nous suivre lorsque nous étions reparties vers la ville, mais nous l'avions semé. Du moins nous l'espérions.

— ... tu es là ?

— Désolée, Ruth, je n'ai plus de monnaie. Je te rappellerai bientôt.

— Rachel...

— Au revoir, dis-je aussi gaiement que possible, et je raccrochai.

Un autre lien sectionné. Il ne restait plus que nous deux. Razoxane leva les yeux.

— Viens ; on va passer par-derrière.

Je regardai la maison de l'autre côté de la rue. Elle avait parlé d'un camp de base, et cet endroit convenait parfaitement. Avec ses hauts murs, ses briques sales et ses fenêtres barricadées, il évoquait une forteresse. Après une ultime hésitation, je suivis ma sœur des ténèbres.

Les planches qui bloquaient l'accès à la cuisine ne pouvaient pas résister bien longtemps à sa magie. Les clous sortirent un par un, comme mus par un tournevis invisible, pendant que je jetais des regards nerveux à l'arrière du bâtiment. Au-dessus de nous, les gouttières rouillées ployaient sous le poids de la neige. Le petit jardin était enseveli sous une couche cotonneuse de plusieurs centimètres.

Lorsque toutes les planches furent tombées au sol, elle tira le loquet ; la vieille demeure s'ouvrit à nous comme un trou noir aux relents de moisi. Razoxane gratta une allumette et me guida vers l'escalier.

En l'absence de toute lumière, les ténèbres avaient eu le temps de parvenir à maturité. Elles se pressaient autour de nous comme pour nous reprocher notre intrusion. À la lumière jaune de son allumette, je pouvais à peine entrevoir quelques détails aussitôt avalés par l'obscurité. Seules les variations dans l'espace me permettaient de sentir les pièces que nous traversions.

— Est-ce qu'il y a... des fantômes dans cette maison ? demandai-je alors que nous gravissions les marches.

Je ne voulais pas vraiment le savoir, mais le silence opaque me tapait sur les nerfs.

— Uniquement ceux que nous y apportons.

À la faible lueur de l'allumette, le plafond me semblait bien bas, trop bas. Je luttai contre un sentiment de claustrophobie.

Sur le palier, nous tournâmes à gauche, rasant un mur sale couvert de graffitis. Le fond du couloir évoquait l'ouverture d'un tunnel. Lorsque Razoxane s'arrêta pour ouvrir une porte, je me sentis presque soulagée.

Je ne la lâchai pas d'un centimètre. L'allumette nous avait accompagnées jusqu'ici, mais, maintenant, elle était presque entièrement consumée. Razoxane continua néanmoins d'avancer dans la pénombre. Avant que la flamme ne s'éteignît pour de bon, elle éclaira le mur d'en face.

Une forme monstrueuse en occupait toute la surface, du sol au plafond. J'eus un mouvement de recul. On avait peint un immense visage sur le mur ; ses traits étaient légèrement érodés, mais ses yeux se détachaient très nettement, et ils étaient braqués sur moi.

Mon estomac se souleva. On aurait dit le Diable.

Mais non, réalisai-je. C'était tout autre chose.

— Oh, Marie mère de Dieu...

Razoxane eut un sourire sardonique.

— J'étais sûre que tu aimerais.

Je m'avançai vers le dessin et m'arrêtai face au mur. Je ne m'attendais pas à voir une chose pareille au cœur de cette maison abandonnée. Au milieu de toute cette pourriture et de ces graffitis obscènes, on aurait dit un autel.

Ce dessin était déjà ancien; des mois, des années. La peinture s'était assombrie au contact de l'humidité et pelait par endroits, mais il était facile de voir ce que l'artiste anonyme avait voulu représenter : une mère et son enfant. Une image tracée à grands traits, arborant l'aspect dérangeant des icônes austères que l'on trouve dans les églises du tiers-monde. Certainement l'œuvre d'un pauvre S.D.F.

Je regardai les lampes espacées. Depuis combien de temps n'avaient-elles pas éclairé cette pièce ?

— Installe-toi, fais comme chez toi, dit Razoxane en frottant le sol de la pointe de sa botte. La nuit sera longue.

Je lui jetai un regard torve.

— Tu ne vas pas... me pomper mon énergie ou quelque chose comme ça, non ?

Elle pencha la tête en souriant.

— Pour qui me prends-tu ? Pour un vampire ?

— Je sais très bien ce que tu es, Razoxane.

Elle garda son air amusé tout en allant récupérer une vieille couverture abandonnée dans un coin de la pièce, qu'elle vint poser à mes pieds. J'hésitai un instant, puis m'assis soigneusement et m'adossai au mur. Elle se laissa glisser à côté de moi.

— Il te suffit de te concentrer, dit-elle. Pense à demain, de toutes tes forces. À ta fille. Ainsi, tu créeras une réserve de pouvoir que nous partagerons et dans laquelle je pourrai puiser. Mais tu ne dois pas regarder en arrière, ne l'oublie pas. Rien ne doit te détourner de ta tâche. Si tu veux retrouver ta fille, tu dois être prête à tout sacrifier.

— Tout..., répétai-je. Jusqu'à ma vie, tu veux dire ?

Le haut de son visage était plongé dans l'ombre, mais un sourire étirait ses lèvres.

— Facile à dire, non ?

— Non. Non... sérieusement.

— Chrétienne comme tu l'es, je présume que tu n'as pas peur de la mort ?

Je déglutis et secouai la tête.

— Pas la mienne, non...

— Et as-tu peur d'être *défigurée*, Rachel ?

Je la regardai. Mes mains me trahirent : elles se

posèrent d'elles-mêmes sur mes joues. Sous mes doigts, ma peau était douce.

— Cela ne devrait pas être si terrible : somme toute, la chair est faible. Et pourtant, cela reste un sort pire que la mort, pas vrai ?

J'opinai du chef, vaguement honteuse – et effrayée.

— Tout, Rachel, murmura-t-elle. Y compris ta vie. Y compris ton *visage*.

Ébranlée, je fixai la Madone défigurée.

— Les moines appellent ce moment la « petite mort », reprit-elle. La dernière veillée avant de prononcer leurs vœux. C'est ce qui t'attend cette nuit.

Je la regardai et m'humectai les lèvres.

— Si ça ne te gêne pas, je préférerais rester seule.

— Comment, dans cette vieille baraque ? Avec des chandelles pour toute compagnie ?

Je tournai la tête face à ses sarcasmes et désignai la forme sombre sur le mur.

— *Elle* sera là.

Razoxane haussa les épaules et se leva.

— Très bien, c'est d'accord. Je vais me trouver un coin sombre.

Elle s'arrêta dans l'embrasure de la porte et me regarda d'un air pensif.

— Peut-être cet endroit a-t-il servi un jour à la méditation. Un lieu où se retirer du monde. Mais tu ne peux pas tourner le dos indéfiniment à ce qui t'attend dehors. À un moment ou à un autre, il faut faire face. Alors, dis tes prières, Rachel. Je dirai les miennes.

Et elle me laissa seule. J'écoutai grincer le plancher en scrutant le visage sur le mur. Puis je sortis lentement le portrait de Cathy et fixai son sourire.

La nuit s'écoula si lentement qu'elle semblait ne devoir jamais finir ; seules les chandelles, en s'éteignant, marquaient le passage du temps. La pénombre s'épaissit et assombrit le visage de Marie la veuve. Mais ses yeux pâles restaient braqués sur moi.

Le silence semblait plus dense encore. Il me rappelait un autre terme monastique : celui qui désignait les heures vides qui s'étendaient entre complies et mâtines. Le Grand Silence.

Je regardai de nouveau Cathy et touchai son visage, puis en dessinai les contours de la pointe du doigt. *Bientôt, ma petite. Nous rentrerons bientôt chez nous.* Mon gosier se mit à trembler, mais je ne pouvais pleurer. J'étais à bout de larmes.

Je levai les yeux sur l'icône des ombres, cherchant une lueur d'inspiration. La Madone me regardait avec une infinie tristesse. Elle avait tout sacrifié pour satisfaire la volonté divine. Mais elle ne savait pas qu'on lui prendrait jusqu'à son fils.

Mon Dieu, non, fis-je alors que l'épouvante me mordait les tripes. *Tu ne peux pas me demander une chose pareille.*

Il faut être prête à *tout* abandonner, avait dit Razoxane. Tout...

Mais pour qui ?

Un horrible doute s'infiltra en moi. Elle m'avait promis de me ramener ma fille, et je n'avais pas d'autre choix que de la croire. Mais qu'avait-elle à y gagner ? Cette histoire avait pour origine une rivalité millénaire ; un vieux compte à régler avec Warwick. Et Razoxane payait toujours ses dettes.

Mais peut-être n'était-ce pas tout ?

La reine noire et sa corneille. Je les imaginai en train de comploter – décidées à remporter cette partie maléfique, quel qu'en soit le coût. Une manœuvre. Un gambit. Un *sacrifice*...

Je levai les yeux. J'avais cru percevoir un mouvement dans la pénombre. J'attendis, le cœur au bord des lèvres. Puis le silence retomba, aussi vide que précédemment.

Je scrutai ce recoin pendant une bonne minute encore avant de déglutir, puis de baisser les yeux.

Je t'ai entendue, Cathy. J'arrive. Si vite que même mon ombre ne pourra pas me suivre...

Et pourtant si. Elle me suivrait.

Je crus de nouveau surprendre un mouvement au cœur de la nuit.

Je ramenai mes jambes sous moi. Désormais, l'air était particulièrement dense. Les quelques chandelles survivantes brillaient comme des étincelles.

Je me levai péniblement. Mes articulations étaient toutes raides. J'allai ouvrir la porte.

Les ténèbres se massaient dans le couloir ; mon instinct me conseillait de refermer la porte avant qu'elles inondent la pièce. Je rassemblai mes forces et me penchai.

— Razoxane ? chuchotai-je.

Pas de réponse. La maison était désespérément vide et parcourue de courants d'air furtifs comme des rats.

Mon Dieu, elle ne m'aurait tout de même pas abandonnée ?...

Pas question de m'aventurer dans ces couloirs. Je refermai la porte en silence, comme si je craignais d'attirer quelqu'un, puis m'adossai au panneau et embrassai le visage de Cathy.

Si vite que même mon ombre ne pourra pas me suivre...

Une autre chandelle s'éteignit. J'eus un soupir las.

Puis je réalisai que Nick était là, avec moi.

Je n'avais rien à quoi me rattacher ; rien d'aussi substantiel que cette fleur solitaire. Mais je savais qu'il était là, tout près. Dans cette pièce. En face de moi...

— Oh, pourquoi es-tu revenu ? chuchotai-je. Je ne voulais pas te réveiller...

Pas de réponse. La présence resta là où elle était. Mais des bribes de réponse s'assemblèrent dans ma tête. À travers ma frayeur et ma peine, j'avais établi un certain lien avec lui. Par la force de l'horreur, nous nous étions rejoints. Une véritable fusion nucléaire, plus brûlante que le soleil lui-même...

Il était venu me dire quelque chose, j'en étais certaine – mais, malgré tous mes efforts, je n'arrivais pas à entendre sa voix. Peut-être ne me parvenait-elle que dans mes rêves. Voulait-il m'encourager ? Ou me lancer un avertissement désespéré ? Comment le savoir ?

— Oh, Nick, que puis-je faire ?

Mes doigts enserraient toujours la photo. Je pouvais invoquer encore une fois Warwick. Il me suffirait d'accepter ses conditions pour sauver notre fille. Quant à

Razoxane... la tentation était grande de me débarrasser d'elle avant qu'elle ne se débarrasse de moi.

De plus, je ne lui devais rien. Le chasseur de sorcières avait raison sur ce point.

Je levai de nouveau les yeux et fouillai les ténèbres – mais Nick ne pouvait me conseiller. Il faudrait que je prenne ma décision seule.

J'hésitai encore. Devais-je vraiment invoquer Warwick ? Je m'étais déjà approchée de son esprit tourmenté ; j'avais senti la haine qui le consumait. Mais Cathy et moi étions prises entre deux feux : c'était Razoxane qu'il voulait. Il n'avait rien contre moi. Autant les laisser s'affronter.

Il devait venger sa fille. Pourquoi l'en empêcher ?

Je me tordis nerveusement les mains. Ce salaud se servait de Cathy comme d'un appât. L'idée de céder à son chantage me révulsait.

Je n'ai pas plus confiance en lui qu'en Razoxane, Nick. Pour eux, je ne suis qu'un pion.

Mais Warwick avait été père, lui aussi. Il savait ce que c'était que de perdre un enfant. Je revis son expression alors qu'il caressait les cheveux de ma fille. Il ne trichait pas. Il relâcherait Cathy.

Mon cœur s'accéléra ; ma décision se prenait d'elle-même. Certes, une partie de moi restait ouverte à la discussion. Et pourtant, je savais que j'avais déjà franchi le point de non-retour.

Je fixai une fois de plus la photo de Cathy pour en absorber jusqu'au moindre détail, puis fermai les yeux et posai ma tête contre le mur. J'ordonnai à mon cœur de se calmer. Laissai dériver mon esprit.

Les murs disparurent pour laisser entrer une lumière crue qui lamina la pénombre et m'abandonna au beau milieu d'une vaste étendue blanche et silencieuse.

La neige et le ciel laiteux se pénétraient ; j'avais l'impression d'être enveloppée dans du coton. Pourtant, l'air était aussi froid et acéré que des éclats de cristal. Je pouvais entrevoir des troncs d'arbres, mais leurs formes torturées étaient presque entièrement recouvertes de givre. Je pensai à des squelettes emprisonnés. À un enfer de glace.

C'était l'univers de Warwick; celui de ses pensées. Le monde sauvage et désolé d'où il venait.

Ma silhouette devait être visible à des kilomètres. Une mouche prise dans la glu, luttant pour ne pas sombrer.

Les cloches résonnèrent à l'extrême bord du silence comme des fantômes sonores frappant mon oreille interne. Pourtant, il n'y avait toujours rien à voir, rien qu'un océan de blancheur aussi étouffant que du brouillard.

Le carillon se tut peu à peu, comme emporté par un vent invisible. Mais je reconnus l'air qu'il jouait, même si ce n'était qu'une parodie.

Je courus vers la musique qui, pourtant, ne cessait de se dérober. Puis elle fut derrière moi, fausse et déformée. Je me retournai, mais ne pus discerner sa provenance. Le son était partout et nulle part à la fois. Pendant un horrible instant, je crus qu'il n'existait que dans ma tête.

Puis il parut prendre corps près d'un bosquet d'arbres. Je plongeai dans cette direction, hors d'haleine. Mais, lorsque j'y arrivai, le carillon passa au-dessus de ma tête, dérivant au fil des brises.

Ce petit refrain que Cathy aimait tant était comme rouillé; le mécanisme de la boîte tombait en miettes. Soudain, j'eus l'affreuse conviction que sa vie elle aussi tirait à sa fin; que le silence qui suivrait les dernières notes serait celui de la mort. À moins que je ne parvienne à trouver la boîte pour la remonter.

Prise de panique, je me mis à tourner en rond dans ce monde sans repères. La musique s'était tue, et, pourtant, elle restait présente, tel un écho dans ma tête. Comme si chaque note qui fût jamais sortie de cette carcasse d'acier se moquait de moi.

Je sanglotai, titubai, puis m'affalai sur le sol. C'est à genoux que je pressai mes mains contre mes oreilles et hurlai, suppliai, demandai grâce.

Une ombre s'abattit sur moi. Quelque chose de grand et de sombre se posa sur mon épaule. Je laissai retomber mes mains et me retournai.

Ils me dominaient de toute leur taille; le cheval et son cavalier réunis en une seule chair corrompue. La tête de l'animal était si proche qu'il pouvait renifler ma cape; ses orbites vides me fixaient de leur regard aveugle. Warwick semblait aussi grand que le ciel lui-même. Il était tout enveloppé de gris et son visage restait dans l'ombre.

Dans sa main gantée, il tenait la boîte à musique de Cathy. Je tendis les bras, mais il la referma d'un coup sec, coupant net le carillon.

Une lame de glace me poignarda le cœur. Je me laissai tomber avec un hoquet.

Warwick releva son chapeau, exhibant son visage. Ses traits étaient dépourvus de toute expression, comme gravés dans la pierre.

— Eh bien, Rachel Young, tu as fini par revenir.

— Où est Cathy ? Vous ne lui avez pas fait de mal, n'est-ce pas ?

— Ta fille dort, comme toi. Tu veux qu'elle s'éveille ? Alors livre-nous la sorcière.

Je me relevai à grand-peine, mais trouvai assez de force pour lui cracher à la figure :

— Je veux la voir avant.

Sa monture renâcla, et il raffermit sa prise sur les rênes. Tout d'abord, je crus que c'était ma voix qui l'avait effrayée – mais non. D'autres ombres venaient d'apparaître ; une vague noire dans le ciel. Les corbeaux de tous les champs alentour, rassemblés en un seul vol noir. Et ils fonçaient droit sur moi. Ils avaient perçu mon rêve et venaient le mettre en pièces.

Les *Ironsides* m'entouraient de partout ; où que se portât mon regard, je butais sur leurs visages cachés par leurs casques et leurs chapeaux. Je pensai une fois de plus à de grands brûlés couverts de bandelettes. Néanmoins, je ressentais la pression de leurs yeux invisibles, emplis d'hostilité.

D'un geste, Warwick désigna la petite troupe.

— Regarde les horreurs qu'elle a commises ; les péchés qu'elle doit expier. Ces hommes étaient mes soldats. De braves serviteurs de Dieu. Cooper, Langshank, Nickolas... Tous ont fini dans les flammes de l'Enfer – maniées par l'envoyée du démon...

Je sentis qu'il se penchait vers moi.

— Veux-tu voir leurs visages ?

Je secouai la tête, réprimant un frisson.

— Alors, contemple ce que j'ai vécu, fit-il – et ses yeux plongèrent dans les miens.

On aurait dit que mes orbites se remplissaient d'eau glacée. Un trait de douleur me poignarda le front. Les silhouettes qui m'encerclaient devinrent peu à peu transparentes ; des spectres dans une cathédrale de verre. Puis tout se mit à tournoyer – et lorsque le monde se stabilisa, le décor avait changé.

Je me trouvais au cœur d'une forêt enneigée. Je voyais de nouveau en négatif : les arbres blancs, la neige noire. Des silhouettes pâles cheminaient à mes côtés. Une autre figure flamboyante ouvrait la marche.

Nous la tenons, fit Warwick dans ma tête.

Je ne pouvais qu'entrevoir leur proie qui courait à travers les arbres, mais je savais de qui il s'agissait. La femme en noir que j'avais déjà vue.

Les *Ironsides* qui me flanquaient pressèrent le pas comme des chiens qui viennent d'apercevoir un renard. Apparemment, ils ne ressentaient pas cette atmosphère de désolation qui planait sur la forêt.

Nous sommes trop loin, pensai-je, soudain étreinte par un sombre pressentiment.

Mais nous étions dans le passé, et personne ne m'entendit. J'avais l'impression d'être moi-même un fantôme hantant Warwick, chevauchant derrière lui, sur son cheval. C'est de là que je vis la proie ; elle se retourna et fit face à la troupe.

En arrière, par pitié ! cria-t-elle. *Laissez-nous en paix, moi et les miens.*

Sa voix rauque trahissait son désespoir. Dieu sait depuis combien de temps ils la pourchassaient. Mais Warwick se contenta de faire un geste à ses hommes – le signal de la curée.

Et soudain, l'hiver devint automne.

Les couleurs étaient si vives que, en un instant, les arbres s'engloutirent dans une masse orange et dorée, tel un paquet de feuilles embrasées. Puis la vision bascula une fois de plus : des flammes sombres, la fumée blanche.

Je vis à peine ce qui arriva aux chasseurs. Un hurlement au cœur de la brume ; une silhouette qui courait désespérément. Mais le temps se fragmentait ; il manquait des bribes de souvenirs. Sans doute ceux qu'il avait réussi à oublier.

Nous gisions dans la neige : son cheval nous avait éjectés. Les cris avaient cessé. À part le crépitement des flammes, le bois était silencieux.

La femme se tenait devant nous. Je la regardai ; je n'étais pas là, mais crevais néanmoins de peur.

Elle faisait plus que son âge, qui devait être le mien. Ses traits étaient tirés, à bout d'horreur et de dégoût. Ses yeux brillants devaient être bleu pâle, comme ceux de Warwick. Voire plus purs encore. Un bleu parfait...

Vas-t'en, dit-elle. *Je ne veux pas ta mort.*

Je la regardai, fascinée. Ce n'était pas Razoxane, bien sûr, mais ces yeux de glace avaient quelque chose de familier.

Puis ce moment s'enfuit et je me retrouvai face à Warwick ; son visage trahissait sa douleur. Les silhouettes de ses hommes s'agitaient autour de nous. Eux aussi devaient revivre leur propre mort.

— Tu comprends maintenant ? dit le chasseur de sorcières. La veuve nous a pris au piège ; elle nous a menés à notre perte. Elle m'a enlevé ma fille. Maintenant, je vais tuer la sienne – et elle le saura.

Je mis un instant à réaliser la pleine signification de ce qu'il venait de me dire. Puis j'encaissai le choc avec un hoquet.

— Razoxane est sa *fille* ?

— Celle qui t'accompagne est une sorcière, née d'une sorcière. Elle paiera pour les péchés de sa mère. Ainsi, nous serons vengés.

J'étais encore ébranlée, mais trouvai néanmoins une incohérence à laquelle m'accrocher.

— Mais elle vient de dire... qu'elle ne voulait pas ta mort.

— Elle m'a épargné ; au nom de ma fille, disait-elle. Une telle ironie était plus que je ne pouvais en supporter. J'ai posé mon pistolet sur ma tempe et ai quitté ce monde...

Je me tenais devant lui, blottie dans ma cape. La « sorcière » n'ironisait pas. Elle le suppliait d'arrêter la spirale de l'horreur. Mais Warwick ne l'avait pas écoutée.

— Nous avons pendu l'amant de la sorcière. Et nous enterrerons les ossements de sa fille dans ce même champ.

Je revis cette pendaison – puis reculai alors que le cheval de Warwick avançait. Lui-même se pencha vers moi et me tendit la boîte à musique de Cathy.

— Livre-nous la sorcière et sauve la vie de ta fille.

J'allais la prendre, mais eus une ultime hésitation.

— Prends-la, insista Warwick. Elle t'attend.

Je le fixai, indécise ; puis avançai la main...

Et, soudain, une poigne de fer se referma sur mon poignet. Le paysage du rêve disparut en un fondu au noir de cinéma. Je me retrouvai allongée, hors d'haleine, sur le plancher de la pièce, et Razoxane se penchait sur moi. Elle enserrait toujours ma main comme si elle m'avait sauvée de la noyade.

— Il te tenait presque, fit-elle. Presque...

Je tentai de me dégager ; elle utilisa son autre main pour me maintenir en place.

— Rachel. C'est fini. Il ne peut plus rien te faire.

— Mais il tient toujours Cathy, bafouillai-je, puis je me tus soudain.

Un demi-sourire flottait sur ses lèvres.

— Tu savais, pour nous deux ?

Je réalisai à quel point ma phrase était ridicule. On aurait dit que Warwick et moi étions amants, pas que nous conspirions pour le tuer.

— Non, je ne savais pas. Ça te la coupe, hein ? Mais l'esprit de ton mari est venu m'avertir. Il ne pouvait pas te prévenir du danger, alors il s'est tourné vers moi.

Oh, Nick, je suis désolée. J'imaginai son visage prisonnier derrière une vitre ; il hurlait, hurlait sans pouvoir se faire entendre.

Je regardai de nouveau Razoxane et déglutis.

— Il s'appelle Warwick. Il tient ta mère responsable de la mort de sa fille, et il crie vengeance.

— Il l'a *brûlée*, Rachel. Il l'aimait, et il l'a brûlée vive.

J'ouvris de grands yeux. Elle hocha la tête.

— C'est ma mère qui me l'a dit, bien des années plus tard. Elle m'a parlé de cet homme qui avait une fille ; la prunelle de ses yeux. Mais il s'est mis en tête qu'elle avait été infectée par la sorcellerie – et il a édifié un bûcher. Elle avait quatorze ans.

J'étouffai un gémissement. S'il avait fait une chose pareille à la chair de sa chair, quelles pouvaient être les chances de Cathy ?

— La douleur l'a rendu fou. Chasser et tuer les sorcières est devenu une obsession. Ma mère était une guérisseuse, mais peu lui importait. La veuve dans son cottage. L'une d'entre *elles*...

Je me relevai péniblement ; Razoxane fit de même.

— Mais elle a tué ses hommes, n'est-ce pas ?

Elle fit un geste évasif, la mine sombre.

— Je présume. Ma mère n'en a jamais parlé. Et elle ne m'a jamais dit comment elle s'y était prise.

— Je l'ai *vue*, Razoxane. À travers ses yeux à lui. Elle les a suppliés de repartir. Elle ne voulait pas les tuer.

— Je te l'ai dit, c'était une guérisseuse. Elle m'a appris la magie blanche...

— Mais elle connaissait aussi sa partie sombre, dis-je. Assez pour brûler vifs ses ennemis.

Je me souvenais de mes visions ; de ce sentiment de désespoir et de dégoût. En dernier ressort, afin de sauver sa vie et celle de sa fille, elle avait eu recours à la puissance dévastatrice de la sorcellerie.

Sa fille. Razoxane. Je secouai la tête.

— C'est elle qui a enterré ses livres sous le champ, réalisai-je. Sous l'épouvantail. Ainsi, elle croyait pouvoir oublier le passé et protéger sa fille. Quelle ironie ! Tu as toi-même choisi ce chemin. Tu voulais devenir guérisseuse et t'es retrouvée dans la peau d'une meurtrière. La maladie et non le remède...

Razoxane me gifla alors, assez fort pour me projeter contre le mur. Je repris mes esprits et lui décochai un regard furieux.

— C'est la vérité.

Elle fit un pas en avant et me saisit par les revers de ma cape pour me clouer sur le béton moisi.

— Tu sais ce que j'ai dû faire afin de pouvoir revenir ? cracha-t-elle. Tu sais à quel point ça peut être douloureux ? J'ai risqué mon *éternité* pour toi. Et toi ? Que sacrifieras-tu en échange ?

— C'est toi qu'ils veulent, sifflai-je, aussi furieuse qu'elle. Tout ceci n'est qu'un piège – et c'est *toi* la cible. Et tu l'as toujours su.

Elle s'autorisa un petit sourire tordu.

— Je n'en étais pas certaine. J'espérais m'être trompée. Mais je me souviens de ses yeux. C'est lui que j'ai vu passer devant notre cottage. Nous croyions qu'ils nous laisseraient en paix...

Pendant qu'elle revoyait ces images du passé, je pris le temps d'y réfléchir. Puis ma rage fut remplacée par de l'étonnement.

— Et pourtant, tu es revenue.

Elle eut un rire sans joie.

— Tu m'aurais crue si je t'avais dis la vérité ?

— Quelle vérité ?

— Que je ne pouvais pas te laisser seule face à une telle menace. Crois-le ou non, nous sommes toujours sœurs.

J'étudiai son visage. Elle ne pouvait pas me tromper ; plus maintenant. Mais elle semblait sincère

— Tu... es revenue pour moi ? chuchotai-je.

— Oui. Et peu importe si tu n'étais qu'un appât visant à me jeter dans leurs griffes. Je te dois bien ça.

— Promesse de sorcière ? demandai-je.

— D'ange, plutôt.

Je me sentais groggy, comme si elle m'avait décoché un coup de poing. Je me laissai retomber contre le mur.

— Et Cathy ? fis-je, au bord des larmes. Comment va-t-on la leur reprendre ?

— En renvoyant les *Ironsides* dans leurs tombes.

— Tu crois pouvoir y arriver ?

Elle resta songeuse un moment, puis hocha la tête :

— Oui.

Sur ce, elle se radossa au mur. Je me redressai. Maintenant, la pièce était presque entièrement plongée dans l'obscurité.

— Pendant que tu communiquais avec Warwick... t'es-tu rendu compte de l'endroit où ils se trouvaient ?

— Non. Il n'y avait qu'une campagne désolée... et la forêt où le massacre s'est produit. Mais...

Je me tournai vers elle en fronçant les sourcils.

— Il a parlé... de l'ami de ta mère. Celui que nous avons vu pendre. D'après lui, il est enterré quelque part par là.

Elle absorba l'information, plongée dans ses pensées.

— Je ne me souviens pas de lui, mais il doit avoir joué son rôle dans ce petit drame. Peut-être est-ce là qu'ils nous attendent : sur sa tombe.

Elle sourit, puis désigna la porte.

— Allez, viens.

— Où ça?

— Au grenier.

Je jetai un regard chargé d'appréhension vers le plafond.

— Qu'est-ce qu'il y a là-haut?

— La tanière de Vedova. J'ai une dernière tâche à lui confier.

Elle gratta une autre allumette et me guida vers l'escalier. Un bruit furtif au cœur de l'obscurité me fit frémir, mais, alors que nous atteignions le palier, la silhouette blanche de la corneille vint se poser sur le poing de Razoxane.

L'allumette s'éteignit, ne laissant qu'une faible luminescence qui provenait de la trappe dans le plafond. Cette clarté diffuse soulignait à peine les contours de Razoxane. Elle caressait les plumes de son esprit familier. Au bout d'une minute, elle se tourna vers moi.

— Tu te souviens de l'histoire de Noé? Du haut de son arche, il a envoyé un corbeau et une colombe pour qu'ils inspectent la surface des flots. Vedova jouera les deux rôles à la fois...

Elle se tut, puis reprit d'un ton empreint d'une étrange mélancolie.

— L'ombre n'a cessé de voler aux quatre vents sans jamais trouver le repos... mais la pureté a retrouvé son chemin.

Elle resta un instant plongée dans ses étranges pensées, puis leva la tête.

— Espion, trouve-moi une tombe.

CHAPITRE XI

LES JUGES

Lorsque nous sortîmes de la maison, le ciel était encore sombre. Les réverbères éclairaient la rue déserte, jetant des lueurs orangées sur la neige.

— Elle nous appelle, dit Razoxane. C'est par ici.

Je n'entendais rien. Même pas un souffle de vent. Mais je n'allais pas douter de sa parole, ça non.

— Où est-elle ?

— À un peu plus d'un kilomètre d'ici, à la sortie de la ville, il y a une église. Le signal vient de là.

Je parcourus la rue des yeux, m'arrêtai sur la cabine téléphonique que j'avais utilisée la veille au soir. Une petite lumière y brillait derrière un filtre de givre comme pour mieux symboliser l'atmosphère d'abandon qui planait sur la ville.

Je pensai à tous ceux qui ne dormaient pas. Comme les infirmières de nuit de Sainte-Catherine et de l'hôpital, à cinq cents mètres de là ; mieux que tout autre elles connaissaient ces heures glauques du petit matin. Mais mes pensées dérivèrent et se perdirent dans les ténèbres massées au-delà des lumières.

C'était là, dans un de ces champs gelés, que Warwick nous attendait, ma fille dans les bras.

Nous partîmes ; écrasées de froid et de silence. Je portais des gants, mais dus fourrer mes mains dans mes manches.

— Quelle heure est-il ? murmurai-je entre mes dents.

— La dernière heure de veille avant le matin, répondit-elle. Et tu sais quel jour nous sommes ?

Non. J'avais perdu toute notion du temps.

— Le 28 décembre. Le Festin, tu t'en souviens ?

Je m'arrêtai net. Mon estomac devint plus froid encore que ma peau.

Le Jour des Saints Innocents. À quelques encablures de Noël, on célébrait la mémoire des enfants assassinés. Je regardai Razoxane. Mon expression horrifiée la fit sourire.

— Souviens-toi qu'il y a un moyen sûr d'empêcher un nouveau massacre des innocents.

Je déglutis et demandai :

— Lequel ?

Elle tira sur la lanière de son étui avant de répondre :

— Massacrer leurs assassins.

Le chemin menant à l'église n'était pas éclairé. Nous venions de passer devant le dernier réverbère, et la route qui s'étendait au-delà n'était qu'un ruban sombre niché entre deux haies sous un ciel de plomb.

— Cela sent l'embuscade, remarquai-je.

— Pas sur cette route, en tout cas. La voie est libre. Mais nous devons être à pied d'œuvre au lever du soleil.

Je regardai autour de nous ; écoutai le silence. Lorsque nous étions en ville, ce calme me paraissait presque surnaturel, mais là, en rase campagne, il était quasi étouffant.

— Tu sais de quelle église il s'agit ?

— Vaguement.

Elle n'en dit pas plus pendant une centaine de mètres, puis leva la tête.

— On dit que jadis, lorsqu'ils hantaient le secteur, les soldats y ont établi leur quartier général. Warwick a sans doute dormi là-bas la nuit précédant sa mort. Peut-être est-ce pour cela que l'endroit est resté stérile...

La route semblait disparaître entre les haies de plus en plus hautes. Nous abordâmes un tournant – puis la silhouette de l'église se dressa droit devant nous. Je m'arrêtai net ; Razoxane en fit autant.

Deux cottages flanquaient le bâtiment, mais ils n'étaient pas éclairés. Je tendis l'oreille, guettant des bruits de sabots. Mais je n'entendis que le rugissement du sang à mes oreilles.

Une étrange clarté croissait autour de l'église. Les bâtiments s'y découpaient en ombres chinoises. Les arbres parsemant le cimetière n'étaient que de grosses taches d'encre.

Nous quittâmes l'allée pour nous diriger vers le porche. La neige friable crissait sous nos pas. Les tombes ensevelies sous un linceul de neige n'étaient que de vagues rectangles blancs.

Razoxane tira son compas de sa poche et s'arrêta pour en ouvrir le couvercle. Il faisait encore trop noir pour que je puisse voir ce qu'indiquait l'aiguille, mais au bout d'un moment, elle hocha la tête.

— Tu as repéré les *Ironsides* ? demandai-je.

— Rien ne bouge. Mais ils montent la garde.

Je frissonnai et me mis à claquer des dents. Au-delà du cimetière s'étendait un champ qui descendait en pente douce vers un bosquet évoquant une tache d'encre. Je regardai derrière moi. La vue n'était guère plus rassurante : les cottages que nous avions dépassés étaient enrobés de ténèbres, et le chemin s'étendait comme une frontière entre eux et nous. Même les gargouilles semblaient se moquer de nous, du haut des chéneaux.

— Il y a un espace vide là-dessous, dit soudain Razoxane en se débarrassant de son fardeau.

Je jetai un dernier coup d'œil vers la grille, puis la suivis vers un espace découvert. Elle posa son étui sur une pierre tombale et en tira la pelle. Engoncée dans ma cape, je la regardai creuser. Elle toucha immédiatement une surface solide, qu'elle dégagea peu à peu. C'était une porte, ou ce qui y ressemblait, mais posée à plat sur la terre. Razoxane la souleva de l'extrémité de sa pelle — révélant une toile cirée maintenue en place par des briques. J'en délogeai une de la pointe du pied.

Un craillement déchira le silence. Je fis la grimace, tournai la tête et vis que Vedova s'était perchée sur une pierre tombale solitaire. Nous allâmes voir ce qu'elle avait découvert.

La tombe se trouvait dans un coin, près de la haie mal taillée, à l'écart des autres. Elle semblait très ancienne. Le rectangle de marbre couvert de lichen était légèrement de guingois, comme si la terre elle-même avait remué dans son sommeil.

Razoxane se mit à genoux et gratta la surface de sa main gantée. En regardant par-dessus son épaule, je crus voir un visage qui émergeait de la pénombre, comme s'il prenait forme sous ses doigts. Son sourire torve me mettait mal à l'aise. Puis les yeux apparurent à leur tour ; je compris que, sous cette couche de mousse qui lui servait de peau, il y avait un crâne.

Razoxane tira une allumette de sa poche et la gratta contre la pierre. Sa flamme fit ressortir tous les détails, jusqu'au orbites béantes remplies d'ombre. Elle se pencha pour examiner l'inscription gravée en dessous.

— Je n'arrive pas à déchiffrer les dates..., dit-elle au bout d'un moment, mais je dirais qu'elle a au moins trois cents ans. Rien d'étonnant qu'elle soit érodée... Par contre, l'épitaphe est lisible. *Hodie Mihi – Cras Tibi.*

J'avais déjà vu une telle inscription sur des pierres tombales et m'étais déjà vaguement demandée ce qu'elle pouvait bien signifier.

— Traduction ?

Elle sourit et éteignit son allumette.

— Aujourd'hui, c'est mon tour... demain le tien.

Vedova s'envola dans un bruissement d'ailes et alla se poster sur l'arbre le plus proche.

— *Qui* repose là-dessous, Razoxane ? chuchotai-je.

— Touche-le et tu le sauras, répondit-elle.

Je la dévisageai avant de me tourner vers la pierre. Sa surface morose et érodée gardait tout son mystère, et pourtant... je sentis qu'il y avait là bien plus qu'une simple porte dans la neige.

De nouveau, je regardai autour de moi. Le cimetière était désert et silencieux. Tout comme le reste du monde.

— Enlève ton gant, fit Razoxane qui retirait déjà le sien.

Je déglutis et fis de même. Hésiter n'était plus de mise. Le gel engourdit immédiatement mes doigts.

— Ils peuvent essayer de nous tomber dessus à l'improviste..., marmonnai-je.

— Ne t'en fais pas ; on en a pour une minute à peine.

Elle me fit signe de poser ma main sur la tombe. Je finis par obtempérer; la pierre était glaciale. Puis elle posa sa propre paume sur la mienne.

Le passé me traversa comme un courant électrique. Impossible de dire combien de temps dura ce moment, mais chaque détail s'imprima dans ma mémoire. Soudain, nous étions en plein jour. Je me tenais au côté de Warwick et le regardais placer un nœud coulant autour du cou d'un autre homme.

J'avais déjà assisté à cette scène, dans les flammes de notre feu de camp : le cavalier hagard entraîné vers son funeste sort. Mais son visage restait calme; dédaigneux même. Ses yeux bruns croisèrent ceux de Warwick et ne les lâchèrent plus.

D'autres *Ironsides* nous entouraient, à pied ou à cheval. Leurs visages étaient découverts – et tous étaient indiscutablement humains. Un homme arborait les joues rouges d'un fermier; un autre se frottait le menton d'un air pensif. Un jeune imberbe triturait un brin de paille...

Le visage de Warwick était mal rasé et éclaboussé de sang, mais les rides de colère qui le sillonnaient le marquaient plus encore. La haine consumait jusqu'à son âme. Il fit un pas en arrière et parla à travers ses dents serrées.

— Sache bien que ce bûcher est une œuvre de miséricorde. Brûler la chair permet de purifier l'âme.

Il hocha la tête d'un air lugubre.

— Mais nous ne t'accorderons pas un tel bienfait. Le salaire du péché sera enterré avec toi. Puissiez-vous pourrir pour l'éternité.

Je remarquai trois jarres de terre posées aux pieds du jeune homme. Il les surveillait avec une nonchalance affectée en faisant rouler son brin de paille entre ses lèvres. Son manteau et son chapeau semblaient trop grands pour lui, mais, à en juger par la crasse qui maculait ses joues, il avait joué un rôle de premier plan dans le combat qu'ils avaient remporté...

— Trois mille pièces d'argent, continua Warwick. Cent fois ce qu'a reçu Judas. De quoi te garder sous terre jusqu'au Jugement dernier. Lorsque nous t'aurons enseveli, nous nous mettrons en quête de la femme et nous la brûlerons.

Le condamné tourna la tête pour soulager la tension sur son cou avant de reprendre :

— Elle a renoncé à ses anciennes pratiques. Elle ne vit plus que pour son enfant. Elle n'a rien à voir avec tout ceci.

Warwick eut un reniflement de mépris.

— Penses-tu que nous allons te croire, traître ?

— Que le Seigneur me soit témoin, répondit-il. J'ai toujours plaidé la cause de la veuve.

Warwick fit un geste à ceux qui tenaient la corde. Ils tirèrent un bon coup. Le condamné s'éleva dans les airs en battant des pieds...

La vision vacilla ; le contact se rompit. Ma main se vit arrachée à la pierre. Dieu merci, Razoxane avait eu assez de force pour intervenir. Elle m'aida à reprendre mon équilibre. J'étais de retour dans les ténèbres – mais désormais, j'avais vu la vérité.

— Chris..., fis-je en un murmure rauque. C'était *Chris*.

— Comment le sais-tu ?

— Il me l'a dit, un jour. Qu'il avait toujours plaidé la cause de la veuve. Ce sont ses propres mots.

Je fronçai les sourcils.

— Mais son visage, sa voix... tout était différent.

— Il t'a parlé ? Qu'est-ce qu'il t'a dit ?

— Qu'il avait déjà vécu, comme... toi.

— Peut-être est-ce vrai. Peut-être que son esprit est beaucoup plus âgé que son corps.

— Warwick l'a qualifié de traître...

— Ce devait être un mercenaire. Le défenseur des opprimés.

Elle eut un petit sourire.

— *Il Monco*. Les cartes ne s'étaient pas trompées.

Le Mercenaire. Le soldat d'infortune.

— Mais il te pourchasse...

— Il veut trouver la paix. S'ils l'ont enseveli avec tout cet argent sur la poitrine, son âme errera à l'infini. Mais maintenant, on a déterré ses souvenirs... peut-être est-ce *moi* qui l'ai invoqué en revenant sur les lieux. Peut-être a-t-il réalisé ce qu'il devait faire...

Elle me regarda avant de continuer :

— Trois mille pièces d'argent. Il faut qu'il regagne cette même somme afin de payer sa dette. Afin de rompre le cercle. Un jour, on a mis ma tête à prix. Pour trois mille shillings...

Ses mots se fondirent dans la nuit. Je m'éloignai de la tombe sans quitter la pierre des yeux. Le crâne semblait me surveiller; aussi peu substantiel qu'une empreinte digitale sur le rectangle sombre.

Son esprit à lui dans le corps de Chris. J'avais partagé mon *lit* avec ce cadavre pourrissant...

Razoxane posa sa main sur son épaule, me faisant sursauter.

— Regarde, dit-elle.

Je suivis la direction qu'elle m'indiquait et eut un hoquet de surprise.

Une silhouette enveloppée d'un linceul venait de sortir des bois et traversait le champ, rampant comme une mite sur le tapis spectral. Un cavalier et son cheval qui venaient droit sur nous.

Warwick.

Mon cœur battit la chamade. Je fis un pas en avant, plissant les yeux dans la pénombre.

Razoxane resta figée encore un instant, puis alla ramasser son étui. Je la rejoignis au moment où elle l'ouvrait.

— Je t'en prie, ne tire pas... Cathy est peut-être avec lui.

— Je sais... simple question de prudence.

Elle tira son fusil aux six canons, enclencha la crosse et testa sa bonne rotation. Les cliquetis mécaniques étaient particulièrement secs, comme répercutés par l'air gelé. Je fixai cette arme affreuse d'un regard impuissant.

Le cavalier se rapprochait.

Razoxane referma le couvercle de l'étui et le remit à son épaule; puis elle leva le *Todesorgel*. Warwick était venu sans ses hommes – mais avait-il amené Cathy? Peut-être croyait-il toujours en notre marché.

Razoxane se dressait derrière moi, immobile, les canons de son arme braqués vers le ciel. On aurait dit que nous montions la garde près de la tombe. Cette idée m'aida à tenir bon.

Une fois en bordure du champ, Warwick fit arrêter sa monture pour nous observer. Ainsi, il avait l'air d'un cardinal taillé dans la pierre – une éminence grise et sinistre sur la neige luisante.

— As-tu fait ton choix, Rachel Young ? lança-t-il.

Oui, mais je ne savais trop comment le dire.

— Alors, tu vas mourir, fit-il avec une assurance sinistre. Toi et ta sœur. Et cette enfant qui t'importe si peu.

— Non ! criai-je en retour.

Ma voix se fissura.

Razoxane rompit le silence.

— C'est avec *moi* que tu as des comptes à régler, frère Warwick. Laisse donc partir Rachel et sa fille.

Il secoua la tête avec un sourire glacial.

— Il faut éradiquer les dernières traces de l'héritage maléfique qui est le tien. L'âme de ta sœur est déjà contaminée. Et qui sait, peut-être celle de sa fille...

Il parut hésiter, rien qu'un instant. Mais, avant que j'aie pu intervenir, il brandit la boîte à musique de Cathy.

Du coin de l'œil, j'entrevis comme un mouvement sur la neige. Malgré moi, je dus me retourner pour voir ce qui se passait. À une vingtaine de mètres, le phénomène se reproduisit : une vague luminescence parmi les tombes. Soudain, le tapis blanc se souleva.

Et un *Ironside* s'extirpa de la neige, tel un mort-vivant sortant de sa tombe.

— *Merde*, fis-je en faisant un pas en arrière.

La silhouette sombre secoua la poudre blanche qui la recouvrait. Elle tenait un hurlefeu, qu'elle braqua vers nous.

Un bruissement à ma gauche ; une autre silhouette s'asseyait en une parodie de résurrection. Et bien d'autres firent de même, surgissant de derrière les tombes ou de lits creusés dans le champ. Mon Dieu, ils avaient toujours été là, dès le début, attendant leur heure !

Nous plongeâmes derrière la tombe, juste à temps : une vague de chaleur nous enveloppa. La neige se mit à fondre et à bouillonner avec des sifflements rageurs. L'odeur âcre de la décharge emplit alors mon nez et m'irrita la gorge.

318

Razoxane saisit ma cape, me releva de force et m'entraîna à sa suite. J'avançai d'un pas mal assuré en toussant comme une malheureuse. Le rideau de fumée nous dérobait à la vue des *Ironsides*. Razoxane vit l'un d'entre eux qui tentait de traverser les volutes – silhouette grise sur fond gris – et tira d'une main. La décharge éveilla mille échos au-dessus des champs.

Je perçus alors des claquements étouffés et rapprochés. Des chevaux. Ils fonçaient vers nous.

La fumée se dissipa, dévoilant deux cavaliers au galop. Warwick, lui, s'était mis sur le côté. Il avait dû ordonner à ses dernières troupes de rester dans le bois jusqu'à cette ultime charge.

— Ne te montre pas, fit Razoxane avant de s'avancer, le *Todesorgel* planté contre sa hanche.

Elle appuya sur la détente alors que le premier cavalier atteignait la haie, puis posa sa main sur la poignée. Les canons rotatifs crachèrent le feu par saccades, l'un après l'autre. Le cheval plongea comme s'il avait heurté un fil tendu en travers de sa route ; l'*Ironside* s'affala lourdement au sol. Le second infléchit sa trajectoire. Razoxane braqua l'arme sur lui, mais au tonnerre des canons se substitua le cliquètement des barillets vides. Elle poussa un juron et rejeta l'arme vide.

Le cavalier abattu tentait de se relever tout en tirant un pistolet antique. Razoxane se tourna vers lui. Avec un calme invraisemblable – alors que mon cœur battait la chamade –, elle reposa l'étui, en tira la Poudrière et ouvrit le feu. Un crachat de fer et de plomb renversa sa cible qui explosa en une gerbe de flammes.

Une détonation bien différente retentit : la voix d'un autre fusil. Je me laissai tomber de tout mon long, attendant le souffle embrasé... qui ne vint pas. À sa place me parvint quelque chose de plus inquiétant encore : des battements d'ailes. Un vol de corbeaux invisibles.

Je roulai sur le dos. Razoxane s'était mise à l'abri derrière une pierre tombale. Elle avait sorti son automatique.

— De la bonne vieille mitraille, dit-elle. Ces fusils à l'ancienne font bien des dégâts à bout portant... mais ils prennent un temps fou à recharger.

Puis elle bondit et courut entre les tombes et les arbres.

Elle se dirigeait vers notre point de départ, réalisai-je. En cours de route, elle tira plusieurs coups de feu, visant l'*Ironside*. Une balle ricocha sur la pierre ; une autre heurta quelque chose de métallique. Puis elle atteignit la pierre tombale, sauta dessus, et fit un bond de côté sans cesser de tirer. Un jet de flammes et de fumée grasse l'enveloppa soudain.

Je me relevai lentement, horrifiée – pour voir Razoxane s'extirper du brasier. Elle n'avait pas l'air blessée, bien qu'une flammèche attaquât un pan de son manteau. Elle se laissa tomber une fois de plus dans la neige pour l'étouffer, se releva et se dirigea vers moi.

Derrière elle, l'*Ironside* était la proie des flammes ; mais d'autres venaient d'apparaître, à droite comme à gauche. Tous convergeaient vers notre position. J'attendis qu'elle vienne se mettre à l'abri à côté de moi.

Elle dégagea le chargeur de son automatique ; elle haletait.

— Tu as pu les compter ?

Je secouai la tête.

— Moi non plus. Le suspense reste intact.

Elle s'adossa à la pierre et resta un instant immobile, comme pour ravaler sa nausée, puis elle frissonna et se mit à cracher des balles.

Je jetai un coup d'œil prudent. Un filet de fumée dérivait lentement. En ce monde crépusculaire fait de neige et de pierre, les silhouettes grises de nos agresseurs s'étaient fondues dans le paysage.

L'immobilité leur servait de camouflage. Mais l'un d'entre eux finirait bien par bouger – et se diriger vers nous, silencieux comme le spectre qu'il était...

Razoxane ne cessait de recharger une balle après l'autre. Ses doigts étaient gluants de mucus ectoplasmique.

— Tu as besoin du fusil ? demandai-je à voix basse.

Je savais déjà quelle serait sa réponse et la redoutais néanmoins ; mais il fallait bien que je prenne une part active à tout ceci.

Elle répondit affirmativement ; je partis sur-le-champ sans prendre le temps de changer d'avis. Je rampai jusqu'à l'endroit où elle avait laissé tomber son étui.

Celui-ci n'était pas entièrement fermé. Les flasques remplies de poudre et de mitraille étaient encore dedans ; elle en aurait besoin. La peur enserra ma gorge comme les mains d'un étrangleur lorsque j'entendis un bruissement tout proche, mais je pris le temps de refermer l'étui de mes doigts engourdis par le froid.

L'Orgue de Mort était là, tout près, grésillant dans la neige. Je m'assis, regardai autour de moi, puis le ramassai vivement avant de retourner vers Razoxane, non sans prendre l'étui au passage.

Une décharge de mitraille frappa la pierre à côté de moi ; un nuage de fumée puante s'éleva dans la pénombre. Quelque chose tira sur ma cape et me griffa la cuisse ; puis je retombai à son côté.

— Merci, chuchota-t-elle, puis elle entreprit de recharger le fusil, son automatique posé à côté d'elle.

Au bout d'un moment, je passai une main sous ma cape pour palper ma cuisse inerte. Mon jeans était déchiré et, lorsque je ramenai ma main, mes doigts gantés étaient chauds et humides. Même après plus de dix années d'hôpital, cette vision m'emplit néanmoins d'appréhension. *Pourvu que la plaie soit superficielle.*

Razoxane enclencha sa dernière balle et me regarda.

— C'est bon ?

— J'y survivrai.

— Il ne devrait plus en rester que trois ou quatre. Il va falloir que je les démolisse l'un après l'autre. Coup par coup.

Elle ôta la sécurité.

— Baisse la tête.

Je faillis protester : rester en arrière me semblait plus effrayant encore. Et je voulais me battre, moi aussi : c'était *ma* fille qu'il s'agissait de sauver. Mais si je suivais Razoxane, je risquais de la gêner...

Je la regardai s'éloigner comme une ombre. Sans réfléchir, je m'essuyai la bouche – et grimaçai en sentant le goût du sang. Je tirai mon rosaire et m'y cramponnai comme si la croix pouvait me tenir chaud.

Razoxane avait franchi une centaine de mètres. L'église restait plongée dans le silence. Les fantômes de fumées marquant la trace des *Ironsides* déjà abattus commençaient à se dissiper.

Puis j'entrevis un mouvement sur la gauche. Un *Ironside* qui s'avançait sous l'ombre d'un arbre. Sang ou pas, je posai mon poing sur ma bouche. Il avait vu Razoxane, mais elle ne l'avait pas repéré.

Pas le temps de l'avertir. Je me levai et plongeai sur l'assaillant. Le visage masqué se tourna vers moi et il braqua son canon, vaste et béant comme la gueule d'un prédateur. Mes jambes me lâchèrent ; je me laissai tomber dans la neige au moment où il ouvrait le feu. L'essentiel de la décharge passa au-dessus de ma tête et pas un plomb ne me toucha – bien que, tout d'un coup, ma cape parût mangée aux mites. Je me redressai, hors d'haleine.

Tu seras brûlée et enterrée, putain papiste...

Je dévisageai l'*Ironside* et agitai mon rosaire. Ma croix catholique.

— Allez, viens ! Essaie donc de me l'arracher !

Il plongea vers moi, levant son lourd mousquet pour s'en servir comme d'une matraque. Je l'évitai en plongeant de côté ; il marcha sur moi à grandes enjambées. Je lui montrai une fois de plus le crucifix en hoquetant un *Je vous salue Marie*. Un mélange de prière et de provocation.

— Sainte Marie... mère de Dieu... priez pour nous... maintenant et... *maintenant*.

Razoxane abattit alors l'*Ironside*, qui tomba dans la neige et ne remua plus. Elle mit un genou à terre et tira de nouveau. Cette fois, la magie de la *Machina* fit son usage ; le cadavre explosa en une éruption de flammes.

Je m'accrochai à une pierre tombale pour reprendre mon équilibre.

— ... et à l'heure de notre mort, amen.

— Bien joué, marmonna-t-elle. Au suivant.

Elle tourna la tête ; je regardai dans cette direction. Soudain, je calculai qu'il en restait deux. Sans nous concerter, nous revînmes en arrière pour fouiller la neige. En levant les yeux, je vis une silhouette grise qui passait d'une tombe à l'autre.

Le cri de la corneille rompit le silence. Je scrutai le ciel, mais ne pus l'apercevoir : je repris donc mon travail.

Vedova crailla de nouveau. Ce bruit était toujours aussi pénible, mais j'y perçus une certaine *insistance*.

— Quelque chose tracasse ton familier, dis-je sans cesser de pelleter des morceaux de neige.

— En effet.

Razoxane regarda en l'air ; j'entrevis la corneille perchée sur la tour de l'église.

— Quelque chose l'a effrayée... mais quoi ?

Elle s'arrêta, puis me toucha l'épaule.

— Encore une ou deux poignées, puis on file.

Je hochai la tête. Des croûtes de neige collaient à mes doigts gantés. Le froid s'était infiltré jusqu'à mes os.

Je me relevai et courus vers les grilles, penchée en avant pour présenter une cible moins évidente. En jetant un coup d'œil derrière moi, je vis qu'un des *Ironsides* avait quitté son abri pour se lancer à ma poursuite. Il atteignit l'endroit où nous nous tenions quelques secondes auparavant – et le sol se déroba sous ses pieds. La bâche glissa dans le trou, emportant avec elle la neige qui lui servait de camouflage.

À peine avait-il heurté le fond de la tombe que Razoxane jaillit pour l'achever. Une gerbe de flammes illumina ses lunettes noires. Notre piège avait fonctionné. Celui-ci ne se relèverait plus.

Je réalisai alors que je souriais comme une gamine sadique. Je cessai de courir le temps de reprendre mon souffle, puis me retournai vers la grille.

Un *Ironside* me bloquait le chemin.

Je faillis hurler ; de toute façon, je n'avais pas le temps de faire quoi que ce fût d'autre. *Petite idiote*, me souffla une voix intérieure.

Puis un coup de feu transperça le silence et le fit tournoyer avant qu'il n'eût pu ouvrir le feu. J'entendis très nettement le *clang* métallique. Il heurta le pilier soutenant la grille et s'y retint pour ne pas tomber. Sous la violence du choc, un peu de neige poudreuse dégringola du sommet.

Je plongeai derrière le premier refuge venu. Il y eut un raclement. Tout près. Je regardai autour de moi. Chris se tenait là, à une dizaine de mètres. Son fusil était braqué sur moi.

Un instant, le tableau se figea ; inerte, j'attendis le coup de feu fatal. Puis la détonation retentit à mes oreilles. Des balles de cent cinquante grains ; bien assez pour traverser une armure – et arracher une âme à sa cage de chair embrasée. L'*Ironside* explosa littéralement.

Alors que les flammes roulaient vers le ciel, Chris actionna le levier de son arme. Je regardai tomber la cartouche, et vis ce qui gisait à ses pieds. Deux bonbonnes d'essence reliées entre elles par une ficelle. *Mon Dieu*, pensai-je. *Il veut nous brûler toutes les deux.*

Il se tourna, vit Razoxane et lui tira dessus. Elle plongea derrière une pierre tombale ; la décharge arracha un morceau de marbre dans un jaillissement poudreux. Razoxane atteignit le mur de l'église et se cacha derrière un pilier. Chris changea de position et mit son fusil à l'épaule pour mieux viser – et c'est alors que je me jetai sur lui. Le coup partit ; j'entrevis un jaillissement de neige. Avant qu'il eût pu reprendre son équilibre, je l'attrapai par les cheveux et par le col de son manteau et tentai de le renverser.

Il émit un grondement et me repoussa. Je perdis pied, atterris sur le dos. Chris se tourna vers moi et braqua son fusil. Sans prendre le temps de réfléchir, je pris une poignée de neige et la lui jetai dans les yeux. Il fit un pas en arrière, secouant la tête comme un ours.

Je me relevai d'un bond, mais il m'attendait de pied ferme. Il plongea la crosse de son arme dans mon ventre. Je me cassai en deux avec un soupir rauque.

Chris me domina de toute sa taille. Il haletait. Je pouvais sentir le canon braqué sur moi tel un doigt accusateur. Il déglutit.

— Par ta faute, ta fille sera damnée, elle aussi. Va donc y réfléchir au fond de ta *tombe*.

Je tournai la tête en avalant de grandes goulées d'air et vis la gueule béante du fusil. Il lui suffisait de fléchir son index, et tout serait fini. Mais cela ne pouvait pas se terminer ainsi. Pas *maintenant*.

J'ouvrais la bouche pour parler – mais c'est lui qui eut un gargouillement de surprise. Son corps se raidit. Il laissa tomber son fusil.

Je n'allais pas gâcher cette chance : je rampai pour m'éloigner de lui, puis roulai sur le dos. Chris, lui, était toujours debout, mais ne pensait plus à me tuer. Il était trop occupé par la corde qui s'était enroulée autour de son cou. C'était un *Ironside* qui cherchait à l'étrangler ; le dernier des cavaliers de Warwick. Il considéra sa victime, le visage dans l'ombre – on aurait dit qu'il n'y avait rien sous le casque –, puis se détourna et éperonna sa monture aveugle.

La corde se tendit ; Chris tomba en arrière. Le cavalier ne se retourna pas ; il continua sa course en direction des bois, traînant son prisonnier derrière lui, laissant un sillage dans la neige.

Alors que je tentais de reprendre mes esprits, cette vision m'emplit d'horreur. On aurait dit une araignée emportant sa proie. J'avais beau ne ressentir aucune compassion pour Chris, cela suffit pour me révulser l'estomac.

— Rachel ! cria Razoxane.

— Mais ce fut Warwick qui répondit à son appel. Il s'était glissé entre les tombes sans être vu ; ses hommes étaient chargés de faire diversion. Maintenant, il était prêt à frapper. Je poussai un cri pour avertir Razoxane, mais elle se tournait déjà pour faire face à cette nouvelle menace. Warwick brandissait un sabre rouillé et ébréché. Comme elle évitait de justesse la lame qui s'abattait pour lui fracasser le crâne, elle fut déséquilibrée, et heurta la colonne de pierre.

Warwick frappa une deuxième fois. Razoxane para le coup avec son fusil, mais la violence du choc le lui arracha des mains. Elle se jeta de côté et effectua un roulé-boulé. L'épée du mercenaire heurta la pierre, faisant jaillir des étincelles.

Je fonçai vers l'étui, mais n'y trouvai qu'un seul objet qui pût être utile : la pelle. Je la jetai à Razoxane, qui s'en empara et se campa fermement sur ses pieds.

Maintenant, ils étaient à armes égales et se tournaient autour comme des duellistes, piétinant la neige. Il ne me restait plus qu'à rester à l'écart et à regarder le combat.

Warwick fouetta l'air de son épée ; Razoxane para le coup en tenant la pelle à deux mains et battit en retraite. Il continua d'avancer pour profiter de son avantage, aussi imposant qu'un grizzly – mais Razoxane était agile comme un chat. Elle fit un bond, virevolta pour donner de la puissance à son coup et lui balança sa pelle dans les côtes, lame en avant.

Au tour de Warwick de perdre du terrain.

Razoxane le contourna en haletant. Lui-même leva son épée. Ils ressemblaient à deux spectres prisonniers de l'aube ; l'un gris, l'autre noir.

Il feinta et attaqua à nouveau. Elle dévia son assaut. Warwick lâcha son épée, qui s'envola hors de sa portée.

« *Oui !* » faillis-je m'exclamer en le voyant battre en retraite.

Razoxane fit un pas en levant sa pelle. Je ne comprenais pas pourquoi le visage de Warwick exprimait une telle joie – puis je vis le pistolet qu'il venait de tirer de sous son manteau.

— Porte-le dans ton cœur, dit-il, et il lui tira dessus.

L'arme cracha une fumée sale, mais je vis distinctement l'impact de la balle, qui fora un trou de la taille d'une pièce de monnaie dans sa poitrine. Sous la violence du choc, Razoxane se cabra. Elle oscilla sur ses talons, les bras écartés, puis s'abattit dans la neige.

Je restai là, pétrifiée, à attendre qu'elle se relève ; mais elle resta à terre, tout son corps agité de soubresauts. Puis elle se figea et ne bougea plus.

— Razoxane..., fis-je, les yeux écarquillés.

Je ne détournai pas mon regard, même lorsque Warwick s'avança vers moi. Je laissai passer ma dernière chance de réagir. Il me prit par les cheveux et le bras pour m'entraîner vers les portes de l'église.

— Viens avec moi, fit-il d'une voix râpeuse. Je me charge de te purifier.

La porte n'était pas fermée. Il l'ouvrit d'un coup de pied et m'emmena dans l'allée, puis bifurqua... vers les fonts de pierre.

L'eau, me dis-je. *Oh, non, pas encore !*

J'étais déjà passée par là. Le destin ne pouvait pas me faire un coup pareil.

Je tentai de me dégager, mais il me ramena la tête en arrière – et sans douceur. La douleur m'arracha une grimace ; je me cognai à un prie-Dieu et faillis tomber, mais il ne relâcha pas sa prise et me releva de force. Il me fit passer devant lui et continua son chemin à grandes enjambées ; nous nous rapprochions de la vasque de pierre.

— Oh, mon Dieu, fis-je en tentant de coincer mes talons contre les pierres. Tu l'as abattu, comme tu le voulais. Laisse-moi, maintenant...

— Il faut que je le fasse, répondit-il, implacable. C'est pour le bien de ton âme...

Il me colla contre la pierre ; le choc me vida les poumons. Je me débattis sous son poids qui m'écrasait, mais il était bien trop fort, et je ne pouvais résister à la pression qu'il exerçait sur ma nuque. Centimètre par centimètre, mon visage s'approcha de l'eau. Mon dernier cri fit naître des rides sur la surface placide.

— Je t'en prie, laisse-moi voir ma fille...

— Demande-le à Dieu, pas à moi, fit-il, et il me plongea la tête dans l'eau.

Que cette eau fût bénite ne faisait pas grande différence : elle était aussi glaciale que celle de la baignoire de Chris – et la sensation de noyade était tout aussi horrible. Je me tortillai, prise de panique ; Warwick retira ma tête dégoulinante.

— Je te baptise, Rachel Young... au nom du Père...

Il me fit plonger à nouveau ; puis j'émergeai en toussant.

— ... et du Fils...

J'essayai de me cramponner au rebord de pierre, en vain.

— ... et du Saint-Esprit.

Une détonation assourdissante rompit le silence de l'église et éveilla tous les échos possibles. Mais quelque chose de plus substantiel heurta le rebord de pierre, soulevant une bouffée de poussière.

Warwick eut un mouvement de recul et desserra sa prise. Je tombai à genoux, hors d'haleine, une joue humide pressée contre la pierre.

Razoxane se tenait dans l'embrasure de la porte.

Sa silhouette se découpait sur la clarté blafarde de l'aube. D'une main, elle braquait son automatique auréolé d'un nuage de fumée évoquant de l'encens. De l'autre, elle enserrait la pelle.

Un frisson s'infiltra sous les cheveux mouillés qui trempaient ma nuque.

Warwick émit un juron étouffé et fit un pas en arrière. Razoxane resta immobile encore un instant, puis s'engagea lentement dans l'allée, droit sur nous.

Mon estomac se retourna. Son visage blême n'avait rien d'amical. Warwick l'avait abattue. Détruite. Et maintenant, son cadavre criait vengeance.

Soudain, Warwick s'empara de nouveau de mes cheveux et m'attira tout contre lui.

— Va-t'en! aboya-t-il. Au nom de Jésus-Christ, retourne dans ta tombe!

Razoxane continua d'avancer. Le mufle de son arme ne dévia pas de sa cible. La pelle, qu'elle traînait derrière elle, raclait contre la pierre, comme en contrepoint à sa démarche lente, posée.

Je ramenai mes jambes sous moi et tentai de me relever, mais Warwick m'attira contre lui. Ma bouche s'ouvrit sur un grand cri silencieux.

Dans sa main libre, il tenait un petit livre noir. Il le brandit en direction de Razoxane.

— Arrête-toi. Tu n'as aucun pouvoir. Tu es ici dans la maison de Dieu.

Sa voix farouche était pleine de conviction. Mais Razoxane continua son chemin sans l'ombre d'une hésitation.

Je pouvais sentir son odeur. Le trou béant à l'emplacement de son cœur exhalait un relent de pourriture immémoriale.

— Au nom de Jésus-Christ, je t'ordonne de t'en aller! hurla Warwick.

Le fait qu'il pût proférer une telle invocation avait quelque chose de désespérant.

Razoxane était désormais toute proche. Warwick tendit sa Bible ou son livre de prières; je crus voir trembler légèrement son bras.

— Jésus-Christ, répéta-t-il d'une voix rocailleuse.

Razoxane finit alors par s'arrêter. Elle pencha la tête avec un air d'indulgence moqueuse, puis leva son pistolet d'un geste théâtral – et le jeta au loin. Il alla cliqueter sur les dalles de pierre.

Elle prit alors sa pelle à deux mains et l'abattit sur sa tête.

Warwick se déroba, mais pas assez vite : le tranchant frappa son épaule. Il accusa le coup avec une grimace et fit un pas de côté. Son livre s'envola pour tomber à terre. Ses pages jaunies battirent comme des ailes.

Je me tournai pour le voir heurter un pilier. Le coup devait lui avoir rompu la clavicule – au moins. Il glissa lentement vers le sol, impuissant, incapable de résister à Razoxane qui s'approchait pour le coup de grâce.

— Il n'y a pas de flamme en ton cœur, Warwick, fit-elle entre ses dents. Mais lorsque je t'aurai arraché le cerveau, ce sera tout comme...

— Non, attends ! bafouillai-je en luttant pour me relever. Où est Cathy ? Il faut qu'il nous le dise.

Razoxane se retourna sans lâcher sa pelle. Son mince sourire familier caressa ses lèvres. Aussi glacial soit-il, je pouvais m'y accrocher. C'était bien *elle*.

— Très bien, Rachel. Je te le laisse.

Je déglutis et regardai Warwick. Ses yeux me décochèrent un regard lourd de haine.

— Ta fille est vivante, cracha-t-il. Elle dort à l'orée du bois. Prie pour que son âme ne soit pas contaminée par les péchés de sa mère.

J'eus un étourdissement et faillis tomber.

— Alors tu ne lui as pas fait de mal ?

— Je ne l'ai pas touchée, répondit-il – mais avec un rictus qui cachait ses véritables sentiments. Va donc la chercher. Et brûle en Enfer.

— Montre-lui le chemin, rétorqua Razoxane en levant sa pelle.

— Ta mère l'a épargné, *elle*, dis-je soudain.

Razoxane ne changea pas d'expression – mais elle se figea. Ma gorge se serra. Ces mots étaient venus de nulle part. Mon Dieu, je n'étais même pas sûre de penser vraiment ce que je disais.

Razoxane me jeta un regard interrogateur. J'eus une hésitation, puis m'approchai d'eux. Une lumière s'était allumée dans ma tête et devenait de plus en plus claire, comme le jour qui pointait dehors.

— C'était une guérisseuse, pas vrai ? continuai-je, ignorant Warwick. Elle voulait que tu suives ce même chemin.

Les lèvres de Razoxane s'étirèrent en un sourire dépourvu d'humour.

— Je le voulais aussi, Rachel. Tu le sais bien. Mais la destinée en a choisi autrement.

— Alors, change-la, murmurai-je. Il en est encore temps.

Elle eut un reniflement amusé, mais ses traits étaient tirés.

— Parce que tu crois que c'est aussi facile que ça?

— Peut-être, si tu en as la force. N'as-tu pas dit qu'il est plus dur de faire preuve de miséricorde que d'exercer sa vengeance?

Son visage trahissait son conflit intérieur. Warwick le sentait, lui aussi. Il nous regardait avec un rictus d'incompréhension.

— Je me passe de la miséricorde de tes semblables, marmonna-t-il.

— Oh, ferme-la, sale *puritain!* rétorquai-je.

J'eus bien du mal à ravaler ma colère. Je me ressentais encore de ma semi-noyade; j'avais encore le goût de cette eau froide sur ma langue..:

Razoxane vint se tenir à mes côtés. Je tirai sur sa manche sans quitter Warwick des yeux.

— Je sais ce que tu as fait à ta fille, repris-je, et je sais aussi que tu ne peux l'oublier. Cathy lui ressemble, pas vrai? Et tu veux prendre sa vie pour annuler ta dette? Si seulement tu pouvais nous laisser en paix...

Le visage de Warwick était de pierre; impossible de lire les sentiments qu'il dissimulait. Razoxane était, elle aussi, raide comme une statue. Je réalisai que je lui avais pris le bras sans m'en rendre compte.

Puis, soudain, elle baissa sa pelle, comme lasse de supporter son poids. Ses épaules se détendirent. Tout comme les miennes.

Silence. Puis Warwick hocha la tête.

— Non. C'est impossible. Si tu m'épargnes, il faudra que j'aille en Enfer.

— Garde ton âme, répondis-je. Nous n'en voulons pas. Maintenant, va-t'en. Laisse-nous.

Il me dévisagea d'un air perplexe, puis se leva lentement. Le craquement du cuir de son manteau résonna dans l'église déserte. Nous nous écartâmes pour le laisser passer. Ma peau me picota désagréablement lorsqu'il passa près de moi, mais il se contenta de me jeter un regard torve. Son visage plongé dans l'ombre me donnait toujours des frissons.

Il regarda aussi Razoxane – qui, par prudence, n'avait pas lâché sa pelle – mais conserva son mutisme. Nous le vîmes descendre l'allée centrale pour sortir dans la clarté diffuse de l'aube. Une ombre noyée dans la lumière. Il ne se retourna pas.

J'avais mal dans la poitrine tant j'étais oppressée ; j'exhalai en un grand soupir l'air que j'avais retenu.

— Alors, c'est fini ? chuchotai-je en fixant la porte grande ouverte.

— Tu lui as offert une porte de sortie et il l'a empruntée, dit Razoxane d'un air pensif. En ce cas, ce doit être fini et bien fini.

Je la regardai alors. Le trou dans sa poitrine. L'odeur de pourriture qui s'en dégageait me révulsa.

— Mon Dieu, qu'est-ce qui t'arrive ?

Elle me regarda un instant ; puis ouvrit son manteau... et en sortit son jeu de tarot. Elle me le tendit avec un sourire mystérieux. La première carte représentait la mort : un squelette armé d'une faux. Il y avait un trou en son milieu.

— *Razoxane*, fis-je avec un soulagement mêlé de colère.

Le paquet avait été comprimé pour ne former qu'une masse pulpeuse exsudant l'odeur des siècles, comme un jus ranci. Razoxane l'enserra entre ses doigts : les cartes friables se fragmentèrent et tombèrent en gros morceaux moisis. Je les regardai ; chacune était trouée en son centre. Elles se massèrent à mes pieds tels des bouts de carton détrempés.

La balle était arrivée jusqu'aux deux tiers du paquet. Soudain, je vis le cylindre noir qui glissa à son tour – mais, de sa main libre, Razoxane l'attrapa au vol. Elle tourna les dernières cartes pour voir celle qui avait arrêté le fragment de plomb.

— *Il Becchino*, murmura-t-elle, comme si elle s'y attendait. Le Fossoyeur.

Elle glissa les cartes intactes dans sa poche, puis leva la tête et désigna la porte.

— Viens. Allons creuser une tombe.

Lorsque nous fûmes ressorties, je regardai autour de moi, soudain nerveuse... mais personne ne nous attendait. Pas trace de Warwick. Les cadavres incinérés de ses hommes gisaient là où ils étaient tombés, dans la neige fondue.

Maintenant, les fenêtres des maisons étaient illuminées. Le dernier acte de cette tragi-comédie avait enfin éveillé l'attention, mais personne n'avait osé s'aventurer à l'extérieur.

Razoxane désigna la tombe du mercenaire.

— C'est celle-là.

Je pensai à Chris, entraîné comme une mouche au bout d'un fil d'araignée, et me mordis la lèvre.

— Mais... pourquoi ? Il est mort, non ?

Non sans mal, elle planta sa pelle dans la terre gelée, puis me regarda.

— Son corps, oui. Mais quoi qu'ils lui aient fait (et j'aimais mieux ne pas y penser), son esprit continuera sa longue errance. Tant qu'il ne reposera pas en paix, nous ne serons jamais tranquilles.

— Comment faut-il faire ?

— Tirer la bourse de la terre et répandre les pièces qu'elle contient.

Je regardai la neige. Le sol devait être quasi vitrifié par le gel. Et il fallait creuser six pieds ! Cela pouvait nous prendre toute la journée.

— Bon, d'accord... mais d'abord, il faut qu'on trouve Cathy. Elle est quelque part par là, toute seule. Et l'un des hommes de Warwick s'est échappé...

— Je ne sais pas si tu l'as remarqué, mais nous avons fait un peu de bruit, remarqua-t-elle sèchement en désignant les maisons. Bientôt, il va y avoir du monde dans le secteur. Il faut se dépêcher.

— On en a pour des *heures*, bon sang !

— Tu crois ?

Elle empoigna le manche de sa pelle et baissa la tête, puis me prit par le rebord de ma cape et m'entraîna à l'écart, laissant la pelle plantée dans le sol comme un arbre étrange.

— Viens, il faut qu'on se mette à l'abri.

Je la suivis sans trop savoir à quoi m'attendre. Elle louvoya entre les tombes, puis me fit signe de m'accroupir derrière une pierre tombale et me rejoignit dans son ombre.

Il y eut un silence horripilant. Puis la tombe vola en éclats dans un déluge de mottes de terre durcie. On aurait dit qu'une fosse septique venait d'exploser ; et l'odeur putride qui en émana confirmait cette impression. Mon estomac se souleva.

Razoxane n'attendit pas que les derniers débris soient retombés : elle se releva d'un bond. À l'emplacement de la tombe, il n'y avait plus qu'un cratère entouré de neige sale. La pierre tombale était réduite en poussière.

— Comme quoi un explosif en vaut bien un autre, murmura-t-elle, l'air satisfait ; puis elle me fit signe de la suivre.

Des résidus de pénombre s'étaient agglutinés dans le cratère, le faisant paraître plus profond qu'il ne l'était réellement ; les formes sombres qui se trouvaient en son sein n'étaient qu'à deux mètres. Je posai une main sur mon nez et ma bouche pour combattre cette terrible odeur et tentai de mieux voir. Je ne distinguai que trois fragments grisâtres aux contours indéfinis gisant sur le sol retourné. Je mis un bon moment avant de comprendre de quoi il s'agissait : des éventualités toutes plus sinistres les unes que les autres s'offraient à moi.

— Je me demande combien vaudrait ce butin de nos jours, fit Razoxane d'un ton badin.

L'une des jarres s'était fendue, et une masse de pièces de monnaie engluées de boue s'en échappait.

Je secouai la tête.

— Il est hors de question que j'y touche.

— C'est la sagesse même. Et pourtant, il va falloir que tu descendes les chercher.

Ça va pas la tête ? pensai-je en levant les yeux.

— Oh, vraiment ? Et toi alors ?

Elle me signifia d'un geste la futilité de ma question.

— Je te rappelle que c'est le prix qu'ils ont mis sur ma tête. Je ne peux pas m'en approcher. Sinon, *il* sentira ma présence.

— Qui ça ?

Elle me désigna la fosse. Je baissai les yeux.

Tout d'abord – un bref instant – je crus voir des vers qui se tortillaient entre les jarres. Puis une onde glacée descendit le long de mon échine. Je réalisai qu'il s'agissait de longs doigts gris qui avaient traversé la terre et cherchaient aveuglément la lumière. Ils tenaient encore à des mains pourries, elles-mêmes croisées sur la poitrine d'un mort.

— Oh mon Dieu..., chuchotai-je.

— Ne t'inquiète pas. Fais vite. Il ne te connaît pas.

Je frissonnai et fis un pas en arrière.

— Pas question de descendre là-dedans !

— Il le faut, dit-elle avec calme.

— Attends... comment peut-il être là en bas... alors que Chris est ailleurs ?

— Son esprit vagabonde, mais sa chair est animée par son instinct, ou ce qui en reste. C'est peut-être moi qui l'ai réveillé...

— Et si c'était *moi* ?

— Voyons, Rachel, fit-elle en souriant. Tu n'as pas confiance ?

— Oh, non !

Elle reprit son sérieux et poursuivit :

— Pour apaiser son fantôme, il faut retirer ces pièces de sa tombe. Je ne peux pas les toucher. Mais toi, si.

Je regardai une fois de plus ces phalanges grises et pitoyables qui gigotaient dans la terre. Prise de nausée, je me souvins de mon rêve : ce cadavre piégé, l'appât d'argent, cette cage thoracique qui se refermait comme un piège à loup. Sans doute un avertissement. Et...

— Maman..., fit une petite voix derrière moi.

Oh, mon Dieu !

Mon corps réagit avant mon cerveau. Mes jambes faillirent me lâcher, et un raz de marée d'émotion submergea ma poitrine.

Mon Dieu, faites que ce soit elle.

Je me retournai – et eus un hoquet d'horreur pure.

Cathy était bien là, à me regarder d'un air malheureux. Parce que Chris la tenait serrée contre lui.

Et, de sa main libre, il brandissait un revolver.

CHAPITRE XII

MARTYRES

Chris avait réussi à brûler l'*Ironside* qui s'était emparé de lui ; je le compris en voyant son col roussi et son visage noir de fumée.

Cathy me regardait de ses grands yeux empreints de frayeur ; elle n'arrivait pas à comprendre comment son cauchemar pouvait se poursuivre maintenant qu'elle était enfin réveillée et qu'elle attendait que je la ramène chez nous.

Ce n'est pas le revolver qui me fit reculer. Mais la scène était tout aussi figée que la neige qui nous entourait, et j'avais peur de rompre ce silence. Et peur de ce qui s'ensuivrait.

Chris, impassible, me regarda droit dans les yeux, puis passa à Razoxane. Je sentis qu'elle se raidissait – et vis une lueur de satisfaction éclairer son visage.

Sa poigne se raffermit sur la crosse de son revolver.

— C'est avec cette arme que travaillait mon père, dit-il. Une balle dans la tête. Il faut bien plus que ça pour venir à bout de ces *choses* que tu as invoquées. Il faut tirer, encore et encore. Mais elles finissent toujours par tomber. Toujours.

Il haletait légèrement comme s'il avait couru le marathon. Et l'avait remporté.

Les yeux de Cathy m'imploraient en silence. Elle n'arrivait pas à comprendre pourquoi je restais là, immobile.

— Tu veux trouver la paix ? fit doucement Razoxane. Nous pouvons t'y aider.

— Parole de sorcière, répondit-il avec mépris. Tentatrice jusqu'au dernier moment.

— Elle a raison, ajoutai-je en luttant pour que ma voix ne tremble pas. Nous n'avons plus qu'à retirer l'argent de ta tombe. Alors tu seras libre. Tu pourras te reposer...

— Tu me prends vraiment pour un idiot, pas vrai? répondit-il calmement.

— Non, je t'en prie...

J'avalai ma salive et étendis les mains.

— Maintenant, je connais ton passé, comme tu me l'as toi-même raconté. L'homme que tu étais jadis est enterré ici. Tu n'as pas à regagner cet argent; il suffit de l'enlever de la tombe. C'est tout.

Mon désespoir était assez éloquent: *rends-moi ma fille. Laisse-la partir.*

Tout cela dépassait Cathy. Elle se cramponnait au manteau de Chris – après tout, c'était lui qui l'avait tirée des griffes du Croque-mitaine. Mais elle savait qu'elle n'était pas à l'abri; pas tant qu'elle ne serait pas dans *mes* bras. Je le lisais sur son visage.

Oh, Cathy.

Razoxane fit un pas de côté. Je lui jetai un regard nerveux. Ses armes étaient éparpillées tout autour de l'église, mais Dieu sait quels artifices elle pouvait bien dissimuler dans sa manche. Le pouvoir d'aveugler et de brûler. Seulement, elle ne pouvait pas s'en servir; pas tant que Cathy était sur sa ligne de tir.

N'est-ce pas?

— Un jour, fit Chris, j'ai fait cause commune avec les gens comme vous. Et cela m'a tant coûté; tant de souffrances. Alors, inutile de me mentir...

— Bon sang, Chris! sifflai-je. Warwick a accepté de faire la paix. Tu ne peux pas suivre son exemple?

Cathy se tortilla contre son épaule. Il la secoua avec irritation; elle se mit à pleurer. Les larmes cascadèrent sur ses joues crasseuses.

— Allons, chérie, dis-je, moi-même au bord des larmes. Tout va bien se passer...

— Bien sûr, fit Chris, et il appuya sur la détente.

La détonation me fit sursauter; Cathy poussa un gémissement aigu. Et Razoxane virevolta et s'abattit dans la neige.

Cette fois-ci, elle ne faisait pas semblant, je le savais. Il l'avait blessée à l'épaule ; son bras était tordu selon un angle douloureux. Son visage déjà blême était blanc comme un linge. Elle resta là, sur le dos, à inspirer de grandes goulées d'air. Maintenant qu'elle avait perdu son chapeau et ses lunettes, elle semblait plus jeune, plus vulnérable. Je ne l'avais jamais vue ainsi.

Cathy devenait hystérique ; son visage était écarlate, ses traits contorsionnés. J'allais m'avancer lorsque Chris la laissa tomber dans la neige. Sous le choc, le flot de larmes se tarit – pour reprendre de plus belle. Je courus vers elle, ignorant le pistolet braqué vers moi et la fumée en suspension dans l'air. Je m'emparai de sa chaleur, la serrai contre moi et la berçai doucement, pressant son visage contre ma joue.

Cathy. Cathy. Cathy.

Chris tira encore une fois sur Razoxane.

— Maman..., miaula Cathy à mon oreille.

Je me tournai sans cesser de la serrer contre moi.

Razoxane tentait de se relever, mais la décharge l'avait clouée à terre. Et pourtant, elle luttait toujours. Elle se tortilla, grimaçant de douleur, puis ouvrit la bouche en un long cri silencieux. Même si elle avait encore du pouvoir en réserve, elle n'était plus en état de s'en servir.

Je regardai Chris. Il arborait un sourire de satisfaction à vous glacer le sang.

— Lorsqu'on condamne quelqu'un à la peine capitale, dit-il, la sentence précise : « jusqu'à ce que mort s'ensuive ». Ce qui implique un processus. Quelque chose qui doit *durer*.

Et il tira une fois de plus. Razoxane eut un soubresaut comme s'il lui avait donné un coup de pied dans le ventre.

— Laisse-la, bafouillai-je. Ce n'est pas la peine de la torturer...

Il me regarda et braqua son arme sur elle.

— Je t'en prie...

Il appuya sur la détente. Le revolver cliqueta à vide.

— Ne regarde pas, chérie, chuchotai-je à Cathy.

Je la reposai, me redressai et me jetai sur Chris. Cette fois-ci, c'était ma dernière chance.

Il avait déjà éjecté les douilles qui tombèrent dans la neige. Tout en farfouillant dans ses poches, il me jeta un regard noir.

— Ne t'en mêle pas ! cracha-t-il.

Sa détermination haineuse me fit frémir, et un spasme souleva mon estomac. Je l'avais déjà attiré dans un piège ; nous ne l'avions oublié ni l'un ni l'autre.

— Je t'en prie, Chris. Restons-en là. C'est fini.

Il renifla avec mépris, prit une première balle et l'inséra dans le barillet.

Je risquai un œil en direction de Razoxane. Elle haletait, étalée dans la neige, à bout de forces, les yeux mi-clos. Elle était prise au piège dans ce corps – et risquait de tout perdre. Son esprit. Son âme. Sa *survie*.

Elle était revenue pour m'aider. Je ne pouvais pas l'abandonner.

— Écoute-moi, lui dis-je, bien que je ne susse pas trop quoi lui dire.

Il cessa de recharger pour me regarder une fois de plus. Il me dévisagea un instant, puis secoua la tête.

— Tu me plaisais bien, Rachel, tu sais ? fit-il d'un ton presque chagriné.

Puis il me donna un coup de pied dans l'estomac.

Cette explosion de violence me prit par surprise. Je me cassai en deux et vomis dans la neige. La surface blanche se précipita à ma rencontre ; je restai là, secouée de spasmes.

— Maman ! piailla Cathy.

Sa voix semblait provenir de très, très loin.

— C'est ainsi qu'il faut procéder avec la sorcière, fit celle de Chris, beaucoup plus proche. La poignarder à mort, puis la brûler. Ne t'en fais pas : pour toi, ce sera plus rapide. Et je te promets que ta fille ne souffrira pas.

La douleur remplissait mon estomac comme du verre pilé ; du coup, cette dernière phrase mit un certain temps à s'imprimer dans mon esprit. Je le regardai, horrifiée.

— Quoi ?

Il secoua la tête.

— Je ne peux pas te laisser vivre, Rachel.

Ce n'est pas de moi que je me souciais.

— Mais... Cathy...

338

Il se tourna vers elle.

— Vous deux l'avez pervertie. Ce sera un acte de charité que de la tuer maintenant.

— *Non!*

Je tentai de me relever, mais pus à peine me mettre à genoux. La douleur était telle que je crus que ma cicatrice d'appendicite, vieille de sept ans, s'était rouverte.

Le barillet de son revolver était plein; il le referma d'un coup sec. Je regardai Razoxane, qui tentait de s'éloigner en rampant sur le sol.

Il braqua son arme; une balle heurta la neige à quelques centimètres de son visage, l'aspergeant de neige. Razoxane tourna la tête avec un rictus de défiance; elle irradiait la douleur et la haine. Mais ses émotions n'étaient que trop humaines, et elle ne pouvait rien contre son tourmenteur. Je me retournai péniblement.

— Cathy, va t'en. Allez!

Elle secoua la tête, accroupie près d'une tombe.

— J'ai peur, m'man...

— Bon sang, vas-y! *Vite!*

Elle obéit enfin, mais partit dans la mauvaise direction : elle vint se réfugier tout contre moi. Je tentai de la repousser, mais c'était au-dessus de mes forces. Je la pris dans mes bras et embrassai ses cheveux crasseux. J'aurais tant voulu l'emmener loin d'ici – mais j'étais si faible, si épuisée que je ne pouvais même pas me sauver *moi*. Il m'aurait achevée avant même que j'aie pu atteindre la grille.

Chris marcha vers Razoxane. Je regardai les maisons toutes proches, leurs fenêtres illuminées. À cent mètres de là, la vie continuait. Les occupants, effrayés par les coups de feu, se calfeutraient chez eux. Mais si j'appelais à l'aide, peut-être que quelqu'un viendrait ?

C'est ça; pour que Chris l'abatte. D'ailleurs, je n'avais même plus assez de souffle pour crier.

Mon regard éperdu fit de nouveau le tour du cimetière – et s'arrêta à mi-chemin. Un instant, je me contentai de regarder alors qu'une idée se formait dans mon esprit. Puis vint la nausée, hideuse, un spasme de glace ravageant mon estomac. Je luttai pour la ravaler et regardai Chris, qui me tournait le dos; puis soulevai Cathy et lui montrai le bâtiment.

— Maintenant, tu vas être très courageuse, murmurai-je à son oreille. Tu vas aller te cacher dans l'église. Quoi que tu puisses entendre, n'en sors pas... ne regarde pas au-dehors. De braves gens viendront te chercher. Tu me le promets ?

Elle fis une moue affirmative. Je caressai une mèche terne. C'était le moment de vérité. Même mon cœur épouvanté parut se ralentir.

— Maman t'aime très fort. Ne l'oublie pas, dis-je alors que mes propres larmes menaçaient de déborder. À tout de suite, d'accord ? Nous allons rentrer à la maison, toutes les deux.

Je la poussai doucement.

— Vas-y, chérie. Cours.

Elle fit un ou deux pas hésitants, puis me regarda à nouveau d'un air perplexe.

— Maman... où est-ce que tu vas ?

— Retrouver papa, chérie, répondis-je.

Chris tirait encore sur Razoxane. Son corps parut rebondir contre la neige. Mais, même de si près, il ne voulait pas tuer. Il se contentait de la mutiler, un membre après l'autre.

Je clignai des yeux pour m'éclaircir la vue et me retournai pour vérifier que Cathy était bien entrée dans l'église. Cette fois-ci, elle ne tricherait pas ; elle me l'avait promis. Elle était assez grande pour comprendre.

Mon Dieu, faites qu'il ne la voie pas !

Lorsque je me relevai, mon cœur se remit aussitôt à battre la chamade, comme s'il savait ce qui allait se passer et voulait absolument s'échapper de sa cage.

Le premier pas me coûta un effort surhumain ; mais, une fois mes muscles décoincés, plus rien n'aurait pu m'arrêter.

— Chris ! lançai-je alors qu'il levait une fois de plus son arme.

Il me regarda et eut un mince sourire.

— Tu crois vraiment qu'elle est en sécurité là-dedans ? Très bien, comme tu voudras...

Je levai les mains, soulevant les pans de ma cape.

— Je suis à toi, Chris. Tu peux me détruire... du moment que tu ne touches pas à Cathy.

— Je te tuerai de toute façon, Rachel, répondit-il.

— Oui, mais pas sans mal... Par contre, si tu l'épargnes, je me laisserai faire. Je serai à ta merci.

Il braqua son revolver sur moi.

— N'avance plus.

J'hésitai, les bras grands ouverts en signe de bonne volonté. Nous étions tout près de la tombe éventrée, et le relent de terre remuée emplit mes narines.

— Tu as bien dit que je te plaisais ?

Son visage prit une expression amusée, mais teintée d'amertume.

— Cherches-tu à me distraire en attendant que quelqu'un vienne ?

Il jeta un coup d'œil à Razoxane.

— Parce que tu t'imagines que je vais l'épargner pour tirer un coup dans la neige ?

— Je partirai avec toi.

Il réfléchit – une ou deux secondes. Puis il eut un vague sourire dépourvu d'humour.

— Là où je vais, personne ne peut me suivre.

Je faillis suffoquer. J'écartai une mèche humide de mes yeux. Son regard passa brièvement sur mes seins. Je sentis qu'ils se soulevaient alors que j'inspirais profondément.

— Je te laisserai poser tes mains sur moi, murmurai-je. Ensuite, tu pourras toujours m'abattre, je m'en fiche. Tant que tu la laisses vivre.

Il me dévisagea un long et douloureux moment. Son sourire sardonique resta en place, mais ses yeux trahirent son conflit intérieur. Le doute et le désir bataillaient ferme.

Vu mon état, je n'étais pas très sexy, mais mon allure pitoyable de chien mouillé ferait peut-être la différence. Après tout, il aimait l'eau ; et noyer les femmes...

Je t'en prie..., suppliai-je, mes lèvres formant ces mots sans les prononcer.

Il hésita... puis fit un pas dans ma direction, non sans garder son revolver braqué sur moi. Il eut un regard en arrière : Razoxane gisait toujours dans la neige. Puis ses yeux d'ambre plongèrent dans les miens.

Mon instinct me conseillait de fuir, mais, bien sûr, j'en étais incapable. J'étais figée là, le cœur battant, baignée d'une sueur glacée.

Au dernier moment, il parut changer d'avis.

— Je t'ai promis de faire vite..., murmura-t-il.

Son doigt caressa la détente... puis il le retira; de sa main libre, il caressa ma joue dégoulinante...

Ma réaction le prit par surprise. Je claquai sa main, celle qui tenait le revolver, et me jetai sur lui. Il dérapa, perdit l'équilibre et s'abattit sur le dos; j'atterris sur sa poitrine et l'emprisonnai dans les pans de ma cape détrempée. Nous nous battîmes comme des chats enragés pour la possession du revolver. Je griffai son visage et, à son expression, sus qu'il venait de comprendre. Ce n'était pas de l'eau bénite qui dégoulinait de mes vêtements et de mes cheveux. C'était de l'essence. Je m'étais aspergée avec le contenu des bonbonnes.

Il lutta frénétiquement pour me repousser. Il y mettait toutes ses forces, mais je n'avais plus qu'un seul et unique but en ce monde – et un seul et unique moyen d'y parvenir. J'enserrai son doigt crispé sur la détente et appuyai...

Le coup partit avec un bruit assourdissant. Les flammes jaillies du canon embrasèrent les vapeurs qui nous enrobaient tous les deux. J'eus une dernière pensée pour Cathy avant que l'essence prît feu.

Lorsque je finis par rouvrir les yeux, ce fut pour voir Razoxane accroupie à côté de moi, les traits tirés par la douleur.

Tout d'abord, je crus que nous étions mortes toutes les deux. Que nous étions loin de nos enveloppes charnelles. Dieu merci, c'était fini. Et ç'avait été rapide...

Mais le froid de la neige était bien trop réel. Tout comme le poids de mes bras et de mes jambes. Si j'étais morte, pourquoi avais-je encore mal ? Où étais-je ?

Soudain, je réalisai avec horreur que j'étais toujours en vie.

— Oh mon Dieu, non..., gémis-je.

Lorsque je m'étais aspergée d'essence, j'espérais mourir sur le coup. J'avais prié pour que mon agonie soit brève. Je ne voulais pas *survivre*... et subir le martyre réservé aux grands brûlés. Tout, mais pas ça.

La peau de mon visage me cuisait; un prélude aux souffrances à venir. Je tendis la main vers Razoxane, pour la supplier de m'achever... et remarquai que mon gant était à peine noirci.

Je le fixai un moment, puis baissai lentement les doigts pour toucher ma joue. Là où je m'attendais à trouver une masse bouffie, à vif, je touchai une chair lisse et tendre. Je regardai mon autre main. Celle-ci aussi était intacte.

Mon expression fit sourire Razoxane.

— C'est vrai, Rachel. Ne me demande pas pourquoi. Peut-être est-ce le contrecoup de ce que tu as fait pour nous. Un brin de cette magie que tu portes en toi.

Je n'allais pas discuter. Je déglutis.

— Et lui?...

— Regarde.

Le cadavre de Chris gisait à une vingtaine de mètres de là. Il semblait avoir aspiré les flammes par chaque pore de sa peau et s'être mêlé à la pierre tombale sur laquelle il reposait. Ce n'était plus qu'une enveloppe vide et charbonneuse, excepté le blanc laiteux des yeux. Et il fumait encore.

— Il est mort? demandai-je d'une petite voix.

— Oui, murmura-t-elle. Cette fois-ci, il est mort pour de bon.

Ce n'est que lorsque nous eûmes atteint le couvert des arbres que j'osai regarder en arrière. La neige me ralentissait à peine. Cathy s'accrochait à moi en silence, sa tête sur mon épaule.

Razoxane nous suivait telle une ombre, emportant son étui à guitare. C'était déjà étonnant qu'elle pût encore marcher. Chris l'avait amenée aux portes de la mort – ou de l'endroit où elle était censée aller –, mais il n'avait pas pu l'envoyer de l'autre côté. À peine avait-il cessé de tirer qu'elle avait refait surface. Et, dans son état actuel, il en fallait vraiment beaucoup pour l'abattre.

Mais n'avait-elle pas assez souffert comme ça?

La dernière fois que je tournai la tête, il y avait de l'agitation autour de l'église; peut-être la police avait-elle fini par arriver.

Je me demandai ce qu'ils penseraient de ce que nous laissions derrière nous. Des cadavres morts depuis longtemps et brûlés par deux fois. Des fragments centenaires éparpillés tout autour du cimetière. En l'absence d'une explication plausible, l'affaire serait-elle étouffée? C'était bien possible.

— Ils vont nous suivre à la trace..., dis-je soudain.

Mais Razoxane secoua la tête.

En jetant un coup d'œil sur le champ, je compris pourquoi. Les plaies se cicatrisaient une dernière fois. La neige se refermait sur nos pas.

Cathy remua à mon côté, et je raffermis ma prise sur son petit corps. Je posai mon front contre le sien et fermai brièvement les yeux. Nous étions toutes deux bien au-delà des larmes.

— J'veux rentrer à la maison..., gémit-elle.

— Chut; nous y serons bientôt, murmurai-je en la berçant. Je suis désolée d'avoir mis si longtemps.

Elle se blottit contre moi. Je caressai ses cheveux, puis regardai Razoxane.

— Alors, c'est bien fini?

En guise de réponse, elle plongea la main dans la poche de son manteau et en tira son toton. Bien qu'elle eût dû l'arracher au cadavre de Chris, le cube d'ivoire était à peine noirci. Elle le fixa un instant, puis referma son poing dessus et me regarda.

— C'est fini. Pour de bon.

Je déglutis.

— Ne le prends pas mal, mais... je ne veux plus te voir. Plus jamais.

C'était cruel de ma part, je le savais. Elle avait pris des risques insensés – même si elle avait une énorme dette envers moi. Seulement, où qu'allasse Razoxane, la mort cheminait à ses côtés. Plutôt prendre une pestiférée comme baby-sitter que la laisser s'approcher de ma fille.

Ma voix était pleine de détermination. Mais Razoxane se contenta de sourire.

— Je comprends, Rachel. J'ai moi-même bien du chemin à parcourir. Et qui sait... peut-être que, cette fois, je réussirai à rentrer chez moi.

Dans les hautes branches de l'arbre le plus proche, son esprit familier émit un craillement. Razoxane le regarda, puis secoua la tête.

— Je sais, Vedova. Ce sera long, si long...

Elle s'interrompit un instant, plongée dans ses pensées, puis me regarda de nouveau. Elle souriait toujours.

— Que la chance t'accompagne, Rachel Young, où que tu ailles. J'espère que ton voyage ne sera pas aussi interminable que le mien.

Je hochai la tête et la regardai tourner les talons. Vedova s'envola de sa branche et partit en avant comme un éclaireur. Je la regardai disparaître entre les arbres. Puis le silence retomba sur la forêt enneigée.

Une folle. Une meurtrière. Un spectre. Une sorcière. Elle disparaissait enfin de ma vie, comme une ombre au lever du soleil.

C'était étrange, mais, soudain, je me sentais très seule.

Il ne me restait plus qu'à emmener Cathy à la maison. Je fis le tour de la forêt et rejoignis le chemin qui menait à la ville. Je remarquai à peine la douleur dans mes bras et mon dos, pas plus que le froid qui me piquait les joues. Cathy gardait le silence, mais je pus sentir son contentement. Emmitouflée dans les pans de ma cape, elle finit par s'endormir.

Et Nick était là, lui aussi, comme promis. Plus qu'une simple présence ; comme un sentiment rassurant au fond du cœur. *Le jour va poindre ; il sera toujours là. Tu ne seras plus jamais seule.*

Cela ne faisait que trois nuits que j'avais quitté notre maison, mais elle semblait abandonnée. Sans lâcher Cathy, je tirai mes clés de la poche de mon jeans et entrai. Sur la porte, une note me demandait d'appeler le poste de police : des voleurs s'étaient introduits chez moi en mon absence. Les policiers avaient certainement condamné la sortie de derrière.

Mon œil s'attarda sur l'affiche punaisée dans le vestibule ; le trompe-l'œil. Non, je ne voyais toujours pas les corbeaux. Uniquement des colombes en formation serrée qui partaient vers l'ouest, vers le soleil.

Cathy remua et dit d'une voix tout ensommeillée :

— On est à la maison, m'man ?

— Oui, fis-je avant de l'embrasser. Nous sommes enfin rentrées chez nous.